Portrait d'Origène et notice sur Origène selon les Grandes
Chroniques de Nuremberg 1493 folio CXVII au verso. Cet
incunable contient une histoire et une géographie univer-
selles avec de nombreux dessins représentant des personnages et des villes. D'après l'explicit l'organisateur de
l'ouvrage se nommerait Hartmann Schedel.

ORIGÈNE

OUVRAGES
DU MÊME AUTEUR

Théologie de l'Image de Dieu chez Origène. Collection Théologie 34, Paris (Aubier) 1956.

Origène et la « connaissance mystique ». Museum Lessianum, sect. théol. 56, Paris/Bruges (Desclée de Brouwer) 1961.

Origène et la philosophie. Collection Théologie 52, Paris (Aubier) 1962.

Virginité et Mariage chez Origène. Museum Lessianum, sect. théol. 58, Paris/Bruges (Desclée de Brouwer) 1963.

Grégoire le Thaumaturge : *Remerciement à Origène.* Suivi de la *Lettre d'Origène à Grégoire.* Sources Chrétiennes 148, Paris (Ed. du Cerf) 1969.

L'Eglise primitive face au divorce : Du premier au cinquième siècle. Théologie Historique 13, Paris (Beauchesne) 1971.

Bibliographie critique d'Origène. Instrumenta Patristica VIII, Steenbrugis in Abbatia Sti Petri, Hagae Comitis (M. Nijhoff) 1971.

Une controverse sur Origène à la Renaissance : Jean Pic de la Mirandole et Pierre Garcia. De Pétrarque à Descartes XXXVI, Paris (Vrin) 1977.

Origène, *Traité des Principes,* en collaboration avec Manlio Simonetti. Tomes I et II, Sources Chrétiennes 252 et 253, Paris (Ed. du Cerf) 1978. Tomes III et IV, Sources Chrétiennes 268 et 269, *ibid.* 1980. Tome V, Sources Chrétiennes 312, *ibid.* 1984.

Mariage et divorce, célibat et caractère sacerdotaux dans l'Eglise ancienne : Etudes diverses. Etudes d'histoire du culte et des institutions chrétiennes II, Torino (Bottega d'Erasmo) 1982.

Bibliographie critique d'Origène : Supplément I. Instrumenta Patristica VIII A. Steenbrugis in Abbatia Sti Petri, Hagae Comitis (M. Nijhoff) 1982.

HENRI CROUZEL, S.J.

ORIGÈNE

ÉDITIONS LETHIELLEUX
PARIS

LE SYCOMORE

CULTURE ET VÉRITÉ
NAMUR

Imprimatur :
Namur, le 14 septembre 1984
F. TOUSSAINT, vic, gén.

Imprimi potest :
Paris, le 27 août 1984
H. MADELIN S-J, Prov.

ISBN 2-249-61142-4
ISSN 0-182-3574
D/1985/4255/3

Avant-propos

IN SIGNUM CUI CONTRADICETUR

Il y a dix-huit siècles, en 185 vraisemblablement, Origène naissait, à Alexandrie, semble-t-il. Il n'aurait pas apprécié que fût fêté l'anniversaire de sa naissance, puisque, si nous en croyons l'Homélie VIII sur le Lévitique [1], il n'y a que les méchants qui le fêtent, Pharaon [2] et Hérode Antipas qui, pendant la fête, fit décapiter Jean Baptiste [3].

Pendant ces dix-huit siècles Origène a été le plus étonnant signe de contradiction de l'histoire de la pensée chrétienne. Certes, personne n'a nié la grandeur de son génie et l'ampleur de son influence : le surnom d'Adamantios, l'homme d'acier ou de diamant, étymologiquement l'Indomptable, lui a été certainement donné très tôt après sa mort : Eusèbe semble même dire qu'il le porta de son vivant [4]. Il n'a de pairs qu'Augustin et Thomas d'Aquin et reste encore le plus grand théologien qu'ait produit l'Eglise d'Orient. Mais son histoire posthume sera très mouvementée. Malgré des attaques au tournant des IIIe et IVe siècles, de la part de Méthode d'Olympe, Pierre d'Alexandrie et Eustathe d'Antioche — Origène a alors pour défenseur le martyr Pamphile de Césarée —, il est le maître incontesté, malgré certaines réserves, des grands docteurs du IVe siècle, l'âge d'or de la patristique. Il est « la pierre qui nous aiguise tous » suivant un mot de Grégoire de Nazianze rapporté par la Souda et « le Maître des Eglises

---

1. § 3.   2. *Gn* 40, 20.   3. *Mt* 14, 6 ; *Mc* 6, 21.
4. *Histoire Ecclésiastique* **VI**, **XIV**, 10.

après l'Apôtre » selon Didyme l'Aveugle, que suivra Jérôme. Mais la mise en système de certains aspects de sa pensée avec la suppression de tout ce qui les contrebalançait, opérée dans la seconde moitié du IVᵉ siècle par certains milieux monastiques d'Egypte et de Palestine, déclenche au tournant des IVᵉ et Vᵉ siècles une violente querelle, tant en Orient où Epiphane de Salamine, soutenu et relayé par le patriarche Théophile d'Alexandrie, se déchaîne contre l'évêque Jean de Jérusalem, qu'en Occident où Jérôme, revenu de son enthousiasme passé pour Origène, accable de son couvent de Bethléem son ancien ami Rufin dans une guerre de pamphlets. Une seconde crise éclate dans la première moitié du VIᵉ siècle à cause des doctrines, plus évagrianistes qu'origénistes,, tenues par des moines palestiniens. Elles entraînent en 543 une condamnation d'Origène émanant de l'empereur Justinien et de son synode domestique et en 553 une autre condamnation attribuée au 5ᵉ concile œcuménique, Constantinople II : la valeur historique de cette dernière est à peu près nulle en ce qui concerne Origène, car elle vise en réalité les Origénistes du temps, dits Isochristes, et les anathématismes qui l'expriment, tirés en partie de l'œuvre d'Evagre, ne figurent pas dans les Actes officiels du concile.

Si, à partir de cette date, l'Orient semble avoir pris son parti d'un Origène hérétique, l'Occident, qui le connaît à travers les traductions latines de Rufin et de Jérôme, va éprouver souvent à son sujet une déchirante perplexité. Dans un chapitre du premier tome de son *Exégèse Médiévale* [5] Henri de Lubac a finement analysé le comportement d'auteurs du haut Moyen Age à son égard. Saint Bernard reproduit certaines de ses explications sur le Cantique des Cantiques, mais en même temps il semble en vouloir brouiller les traces. On ne le lira plus guère à l'époque scolastique, son platonisme étant peu compatible avec l'aristotélisme ambiant. A la Renaissance Origène inspirera quelques-uns des humanistes parmi les plus grands, comme Pic de la Mirandole [6] et Erasme [7]. A partir du XVIᵉ siècle commencera d'une part un effort d'édition qui ira se perfectionnant avec le développement des exigences cri-

5. Paris 1959, p. 221-304.

6. H. DE LUBAC, *Pic de la Mirandole*, Paris 1971 ; H. CROUZEL, *Une controverse sur Origène à la Renaissance : Jean Pic de la Mirandole et Pierre Garcia* (De Pétrarque à Descartes XXXVI), Paris 1977.

7. A. GODIN, *Erasme lecteur d'Origène*, Genève 1982.

tiques, d'autre part une étude plus historique et systématique de son œuvre qui n'a pas encore tout à fait mis fin aux divergences fondamentales sur l'appréciation de sa pensée.

Le dernier livre d'ensemble publié sur Origène fut celui de Jean Daniélou [8] en 1948. Pas plus que le sien, le nôtre ne peut prétendre à l'exhaustivité en ce qui concerne une pensée et une œuvre qui sont d'une ampleur considérable. Nous parlerons donc des points qui nous paraissent les plus importants, différents assez souvent de ceux qui furent choisis par J. Daniélou. Nous ne pouvons non plus, sous peine de grossir démesurément ce livre et d'en dénaturer l'intention, nous attarder sur tous les points controversés — et ils sont nombreux. Nous renvoyons pour cela à notre *Bibliographie Critique d'Origène* [9] et à son *Supplément I* [10] : les index que contiennent ces deux ouvrages permettront au lecteur de trouver rapidement la littérature correspondant au point qu'il désire approfondir.

8. *Origène*, Collection « Le génie du christianisme » Paris.
9. Collection *Instrumenta Patristica* VIII, Abbaye de Steenbrugge, La Haye, 1971.
10. Même collection VIII A, *Ibid*. 1982.

Notice bibliographique

Les œuvres suivantes d'Origène ont été publiées dans la collection *Sources Chrétiennes* (Paris, Editions du Cerf, en abréviation *SC*) la plupart avec le texte grec ou latin, toutes avec une traduction française, une introduction et des notes :

Commentaire sur l'Evangile de saint Jean I-XX : 120 (1966), 157 (1970), 222 (1975), 290 (1982) : Cécile Blanc.

Commentaire sur l'Evangile de saint Matthieu X-XI : 162 (1970) : Robert Girod.

Contre Celse : 132 (1967), 136 (1968), 147 (1969), 150 (1969), 227 (1976) : Marcel Borret.

Entretien avec Héraclide : 67 (1960) : Jean Schérer.

Homélies sur la Genèse : 7 (1943) sans le texte latin, 7 bis (1976) : Henri de Lubac, Louis Doutreleau.

Homélies sur l'Exode : 16 (1947) sans le texte latin : Henri de Lubac, Joseph Fortier. Une nouvelle édition avec le texte latin (16 bis) est en préparation.

Homélies sur le Lévitique : 286-287 (1981) : Marcel Borret.

Homélies sur les Nombres : 29 (1951) sans le texte latin : André Méhat. Une nouvelle édition avec le texte latin (29 bis) est en préparation.

Homélies sur Josué : 71 (1960) : Annie Jaubert.

Homélies sur le Cantique : 37 (1953) et 37 bis (1966) : Olivier Rousseau.

Homélies sur Jérémie : 232 (1976), 238 (1977) : Pierre Husson et Pierre Nautin.

Homélies sur l'Evangile de saint Luc : 87 (1962) : Henri Crouzel, François Fournier, Pierre Périchon.

Lettre à Africanus : 302 (1983) : Nicholas de Lange.

Lettre à Grégoire le Thaumaturge : 148 (1969) : Henri Crouzel.

Philocalie 1-20 : 302 (1983) : Marguerite Harl.

Philocalie 21-27 : 226 (1976) : Eric Junod.

Traité des Principes : 252 et 253 (1978), 268 et 269 (1980), 312 (1984) : Henri Crouzel et Manlio Simonetti.

L'édition du *Commentaire sur le Cantique* est en préparation.

Citons en outre :
La Chaîne Palestinienne sur le Psaume 118 (où se trouvent de nombreux
fragments origéniens) : 189 et 190 (1972) : Marguerite Harl et Gilles
Dorival.

GRÉGOIRE LE THAUMATURGE : *Remerciement à Origène* : 148 (1969) :
Henri Crouzel.

EUSÈBE DE CÉSARÉE : *Histoire Ecclésiastique,* tome II, livres V-VIII (le
livre VI raconte la vie d'Origène) : 41 (1955 et 1965) : Gustave Bardy.

En dehors de la collection *Sources Chrétiennes* avec texte et traduction :
ORIGÈNE, IIᵉ tome, *Sur la Pâque,* Collection *Christianisme Antique* 2,
par Octave Guéraud et Pierre Nautin, Paris (Beauchesne) 1979.

En dehors de la collection *Sources Chrétiennes* en traduction française
seule :
ORIGÈNE : *De la Prière, Exhortation au Martyre,* par Gustave Bardy.
Paris (Lecoffre-Gabalda) 1932.

ORIGÈNE : *La Prière,* par A. G. Hamman, collection « *Les Pères dans
la Foi* » (Desclée de Brouwer) 1977 (non complet).

Les textes d'Origène ou d'autres auteurs qui n'ont pas été publiés
dans *Sources Chrétiennes* seront cités selon les collections ou revues qui
suivent :
J.-P. MIGNE, *Patrologiae cursus completus : series graeca (PG).*
J.-P. MIGNE, *Patrologiae cursus completus : series latina (PL).*
Die Griechischen Christlichen Schriftsteller (corpus de Berlin) *(GCS)* :
le tome est indiqué suivant son numéro dans les œuvres d'Origène ou
d'autres auteurs.
Corpus Scriptorum Ecclesiasticorum Latinorum (corpus de Vienne) *(CSEL).*
Corpus Christianorum, Turnhout *(CChr).*
Collection des Universités de France (CUFr).
Journal of theological studies, Oxford *(JThs)* : pour fragments sur épî-
tres pauliniennes.

Quand l'œuvre d'Origène citée a paru dans *Sources Chrétiennes* nous
n'indiquons que les divisions intérieures du texte. Quand il faut la chercher dans une autre collection, nous la signalons avec le tome. La page et
la ligne, ou la colonne, ne sont marquées que lorsque les divisions intérieures du texte ne permettent pas à elles seules de trouver commodément
le passage.

Les œuvres d'Origène sont désignées par les abréviations suivantes :
Pour les œuvres exégétiques le sigle du livre biblique commenté, selon
le système de la *Bible de Jérusalem,* est précédé dans le même mot par :
    Com : Commentaire
    Hom : Homélie
    Ser : Commentariorum Series
    Fragm : Fragmenta
    Sel : Selecta
    Exc : Excerpta
Pour les œuvres non exégétiques :
    CCels : Contre Celse
    EntrHer : Entretien avec Héraclide
    Epist : Lettre

ExhMart : Exhortation au Martyre
PArch : Peri Archon ou Traité des Principes
PEuch : Peri Euchès ou Traité de la Prière
Philoc : Philocalie d'Origène
PPasch : Peri Pascha ou Traité de la Pâque
Resur : Traité de la Résurrection
Strom : Stromates (d'Origène)

Les témoignages concernant la vie d'Origène sont :

RemOrig : *Remerciement à Origène* de GRÉGOIRE LE THAUMATURGE (cf. *supra*).

HE : *Histoire Ecclésiastique* d'EUSÈBE DE CÉSARÉE (cf. *supra*).

ApolPamph : *Apologie pour Origène* de PAMPHILE DE CÉSARÉE (*PG* 17, 521-616).

Bibl : *Bibliotheca* de PHOTIUS, éd. René Henry (*CUFr*).

VirIll : *Des Hommes Illustres* de JÉRÔME (*PL* 23, 602-720).

Epist : *Lettres* de JÉRÔME, éd. Jérôme Labourt en 8 volumes (*CUFr*).

Adult : *De Adulteratione* de RUFIN, éd. Manlio Simonetti, (*CChr* XX, 7-17).

ApolRuf : *Apologie contre Rufin*, de JÉRÔME, éd. Pierre Lardet (*SC* 303).

PREMIÈRE PARTIE

Le personnage

Les lieux où vécut Origène.

Chapitre premier

VIE D'ORIGÈNE

Nous connaissons la vie d'Origène mieux que celles de tous les autres auteurs de l'époque anténicéenne, sauf peut-être Cyprien de Carthage : grâce à trois sources principales et à quelques autres secondaires, en plus des rares renseignements autobiographiques que l'on peut tirer de ses écrits. Au moment de quitter son école de Césarée un de ses élèves, que toute la tradition identifie comme le futur apôtre de la Cappadoce et du Pont, saint Grégoire le Thaumaturge, prononça un très précieux discours de remerciement qui nous est heureusement parvenu tout entier dans sa langue originale, le grec. Sa seconde partie décrit avec précision le programme scolaire du maître et l'ensemble nous renseigne sur les relations d'Origène avec ses élèves et sur l'affection émouvante que lui voue Grégoire. En outre Eusèbe de Césarée, qui fut l'élève de l'apologiste d'Origène, le martyr Pamphile, et après lui le gardien de la bibliothèque et des archives d'Origène conservées dans cette ville, a consacré à sa biographie une bonne partie du livre VI de son *Histoire Ecclésiastique*. Sa principale source d'information a été l'abondante correspondance d'Origène qu'il conservait dans la bibliothèque de Césarée et qu'il réunit en volumes [1]. De l'*Apologie d'Origène* qu'avait composée Pamphile dans sa prison avec l'aide d'Eusèbe nous ne possédons plus que le livre I dans une traduction latine de Rufin

---

1. *HE* VI, XXXVI, 3-4.

d'Aquilée : sa préface, adressée par Pamphile aux chrétiens
condamnés à travailler dans les mines de Palestine, contient
de précieux conseils sur les intentions et l'interprétation d'Origène. Sur l'ensemble de l'ouvrage nous sommes renseignés par
la notice 118 de la *Bibliotheca* de Photius. D'autres informations éparses sont reproduites par divers auteurs, Jérôme,
l'historien Socrate, Photius et autres : beaucoup semblent
venir des tomes manquants de l'*Apologie d'Origène* par Pamphile ou d'ouvrages perdus d'Eusèbe comme sa *Vie de Pamphile*.

Avant de raconter la vie d'Origène à partir de ces différentes sources il faut mentionner l'œuvre critique considérable
qu'a publiée en 1977 Pierre Nautin sur ce sujet [2] : mais nous
ne le suivons guère ici. Tout en reconnaissant qu'il y a certainement dans ce livre des intuitions intéressantes, nous ne
sommes guère d'accord dans bien des cas sur les critiques
faites à Eusèbe et à d'autres sources qui nous paraissent souvent artificielles, ni sur les solutions substituées aux leurs,
car elles gagneraient à ne pas perdre leur caractère hypothétique et discutable. Une évaluation critique de ce livre deman-
derait pour être complète une ampleur qui dépasse notre
propos [3]. Aussi, sans trop nous préoccuper de critiquer Eusèbe, nous allons nous contenter de reproduire ce que disent
les sources et d'indiquer avec une certaine approximation les
grandes dates de la chronologie qui en découle.

2. *Origène : Sa vie et son Œuvre*, Paris 1977.
3. Nous l'avons faite seulement sur un point. P. Nautin veut ôter à
Grégoire le Thaumaturge, le futur évêque de Néocésarée du Pont, la
paternité du *Remerciement à Origène*, sans faire cependant de ce discours
un faux, car il y voit l'œuvre d'un disciple d'Origène, qu'il appelle Théodore, d'après le nom primitif du Thaumaturge selon Eusèbe (*HE* VI, XXX).
Comme la *Lettre à Grégoire* d'Origène ne serait pas adressée selon lui ni
à l'orateur du *Remerciement* ni à l'évêque de Néocésarée, qui, malgré le
témoignage de sa *Vie* par Grégoire de Nysse, n'aurait nullement été un
auditeur d'Origène, le destinataire de la lettre serait un troisième personnage, un jeune homme qu'Origène aurait conseillé dans ses études. Dans
un article (« Faut-il voir trois personnages en Grégoire le Thaumaturge »,
Gregorianum 60, 1979, 287-320) nous avons discuté et refusé les présup-
posés de la critique de P. Nautin et invoqué un témoignage qu'il ne
mentionne même pas, la *Vie* susdite de Grégoire le Thaumaturge par Grégoire de Nysse (*PG* 46, 893-958). Nous n'avons pu faire le même travail
pour les autres affirmations de P. Nautin, mais, ayant relu plusieurs fois
ce volume, nous les jugeons en bonne partie trop contestables pour qu'on
puisse s'appuyer sur elles et sur la chronologie qu'il en tire.

Trois dates principales de la vie d'Origène peuvent être fixées à partir du récit d'Eusèbe, mais elles n'excluent pas une approximation d'une année avant ou après. D'abord celle de la naissance, à partir de la persécution de Septime Sévère, la dixième année de son règne, c'est-à-dire en 202. A cette époque Origène « n'a pas encore dix-sept ans complets [4], ce qui le fait naître en 185-186 environ. Ensuite celle de sa mort, au temps de Gallus, successeur de Dèce, Origène « ayant accompli soixante-dix ans moins un », c'est-à-dire soixante-neuf ans : la date de la mort serait donc 254 ou 255 [5]. La difficulté de cette information est que Gallus fut renversé avec son fils Volusien en mai 253 et qu'ils n'ont pas régné deux ans [6]. Il faut donc supposer, soit qu'Origène est mort sous Valérien leur successeur, soit qu'il n'a pas vécu soixante-neuf ans complets. Etant donné la précision de ce dernier chiffre, nous préférons les dates de 254-255 à la mention du règne de Gallus.

Une troisième date importante est celle où Origène quitta Alexandrie pour s'installer à Césarée de Palestine, car elle divise sa vie en deux périodes. D'après la plupart des manuscrits d'Eusèbe cet événement se produisit la dixième année du règne d'Alexandre Sévère, soit en 231 : seul un manuscrit indique la douzième année, soit 233 [7]. Eusèbe signale ensuite que peu après le départ d'Origène mourut l'évêque d'Alexandrie, Démétrios, après avoir exercé sa charge pendant quarante-trois ans entiers. Plus haut il a signalé l'entrée en fonction de Démétrios la dixième année de Commode [8], c'est-à-dire en 190. Il serait donc mort en 233 et cette date rendrait plus vraisemblable 233 que 231 pour l'installation d'Origène à Césarée.

L'époque d'Origène

L'époque d'Origène est une période troublée où les empereurs se succèdent, la plupart du temps assassinés, et souvent par celui qui deviendra leur successeur. La pression des barbares, Germains sur le Rhin et le Danube, Perses sur l'Euphrate, se fait de plus en plus dure et la plupart des empereurs

---

4. *HE* VI, II, 12.   5. *HE* VII, I.   6. *HE* VII, X, 1.
7. *HE* VI, XXVI.   8. *HE* V, 22.

passent leur temps à lutter sur les frontières. Les rapports de l'Etat avec l'Eglise chrétienne sont changeants : une succession de chaud, de froid et de tiède ; trois persécutions, deux période de paix et même de faveur relative, et plusieurs d'indifférence.

Origène naît sous le règne de Commode, l'indigne fils de l'empereur philosophe Marc-Aurèle et le dernier de cette dynastie des Antonins, la plus remarquable de toute l'histoire de l'Empire, à qui elle a donné, Commode excepté, une série de princes qui ont tous été des hommes de grande valeur. Mais, bien qu'il fût un tyran et un fou, Commode, à la différence de son père, a laissé les chrétiens en paix, à cause de sa concubine Marcia, qui était sympathisante au Christianisme : une concubine au sens romain, correspondant à ce qui sera appelé plus tard une épouse morganatique, avec qui un mariage légal était impossible, à cause de la différence de condition sociale. L'assassinat de Commode en 192 est suivi d'une période de troubles dont Septime Sévère sort empereur en 193 fondant la dynastie des Sévères. Il déclenche en 202 une persécution qui se prolongera plusieurs années en Egypte sous plusieurs préfets successifs. Son fils Antonin Caracalla (211-217), assassin de son frère et corégent Géta, laisse les chrétiens en paix : de même l'usurpateur Macrin (217-218) et le jeune fou d'Elagabal, cousin de Caracalla par les femmes. Mais son cousin et successeur Alexandre Sévère (222-235), sous l'influence de sa mère Julia Mammaea, la dernière de ces princesses syriennes à qui la dynastie des Sévères a dû une bonne part de son éclat, offre aux chrétiens non seulement la paix, mais même la faveur. L'impératrice-mère rêve de réconcilier les chrétiens avec la civilisation romaine et l'empereur installe dans le sanctuaire privé, le « laraire », de son palais les statues d'Abraham et de Jésus.

A Alexandre Sévère assassiné succède une brute de paysan thrace, Maximin le Thrace, qui déclenche de nouveau la persécution (235-238). A sa mort plusieurs compétiteurs s'affrontent. L'unité se refait autour du jeune Gordien III qui laisse les chrétiens tranquilles. Assassiné par ses soldats alors qu'il lutte contre les Perses, il a pour successeur son principal général qui monte sur le trône en 244 en mettant à mort le jeune fils de son prédécesseur. Or ce nouvel empereur, un arabe du Hauran, Philippe l'Arabe, semble bien avoir été le premier empereur chrétien, malgré le crime qui inaugure son règne et pour lequel il sera soumis par l'évêque d'Antioche, Babylas, à la pénitence publique — ce qui suppose qu'il était baptisé — durant une vigile pascale, d'après trois témoins indépendants l'un de l'autre, Eusèbe, Jean Chrysostome et le *Chronicon Paschale* [9]. Par suite de la faveur qu'il manifeste aux chrétiens les foules entrent dans l'Eglise et Origène se lamente alors dans ses homélies sur la baisse du niveau moral et spirituel qui s'ensuit. Mais les fêtes qui marquent le premier millénaire de la fondation de Rome ravivent le sentiment patriotique et le prestige de la religion traditionnelle. Plusieurs compétiteurs se dressent contre l'empereur qui la met en danger par la faveur qu'il manifeste au Christianisme. Trois sont vaincus par Philippe, mais le quatrième, Dèce, défait et tue Philippe en 249. Qualifié par une inscription de *restitutor sacrorum*, restaurateur de la religion [10], titre qui ne sera donné en dehors de lui qu'à Julien l'Apostat, il exige que tous les sujets de l'Empire sacrifient aux dieux devant une commission qui en dressera acte : nous possédons plusieurs certificats de ce genre. Cette mesure entraîne la première persécution qui fut vraiment universelle : nous en connaissons les répercussions sur les chrétiens surtout par la correspondance de Cyprien de Carthage et par celle de Denys d'Alexandrie conservée par Eusèbe. Elle s'achève en 251 avec la mort de Dèce remplacé par Gallus et son fils Volusien. Vaincus et tués en 253 ils auront comme successeurs Valérien et son fils Gallien.

Origène à Alexandrie

Selon toute vraisemblance Origène est né de parents déjà chrétiens : ou s'ils ne l'étaient pas au moment de sa naissance, ils le devinrent peu après car il reçut de son père une éducation chrétienne [11].

9. *HE*. VI, XXXIV : de Jean Chrysostome, *Panégyrique de saint Babylas*, PG 50, 539-544 ; pour le *Chronicon Paschale*, éd. Dindorf, *Corpus Scriptorum Historiae Byzantinae* I, 1832, p. 503. Sur tout cela H. CROUZEL, « Le christianisme de l'empereur Philippe l'Arabe », *Gregorianum* 56, 1975, 545-550.
10. Voir *L'Année Epigraphique*, 1973, p. 63 : Une inscription de Cosa (Ansedonia).
11. On a quelquefois pensé que les parents d'Origène étaient encore païens au moment de sa naissance parce qu'ils ont donné à leur fils un

Le père d'Origène est mentionné par Eusèbe dès le premier chapitre du livre VI comme l'un des martyrs de la persécution de Septime Sévère. Il est appelé Léonide [12].

A ce sujet Eusèbe utilise une expression curieuse : « Léonide, qui est dit le père d'Origène. » Faut-il en conclure nécessairement avec P. Nautin qu'Eusèbe ignorait en réalité le nom du père d'Origène et qu'il lui attribuait arbitrairement comme père un martyr alexandrin connu ? Ou accepter la note de G. Bardy [13] : « Formule étrange : elle tient peut-être à ce que Léonide doit le meilleur de sa célébrité à son fils ? » Origène fut-il baptisé tout enfant ? La chose n'est pas invraisemblable, car il est lui-même un des principaux témoins pour cette époque du baptême des enfants. Si bien des chrétiens connus du IVe siècle, de familles chrétiennes, ne recevront le baptême qu'à l'état adulte il existe suffisamment d'attestations du baptême des enfants au IIIe siècle pour qu'on puisse se poser la question. Mais nous devons nous en tenir aux suppositions, aucune source ne nous renseignant sur l'âge où Origène fut baptisé.

Origène reçut de son père une double éducation, à la fois hellénique et biblique. Il parcourut donc tout le cycle de l'*enkyklios paideia*, des « sciences encycliques » qui jouait le même rôle que notre enseignement secondaire, préparatoire aux études philosophiques [14]. Mais en même temps son père lui faisait étudier la Bible en contrôlant ses lectures et en le faisant réciter, quitte à ne pas savoir parfois répondre aux questions embarrassantes que l'enfant lui posait. Ce passage d'Eusèbe [15], qui parle d'abord de l'attitude d'Origène au

nom païen. Origène semble signifier fils d'Horos, dieu égyptien, fils d'Isis et d'Osiris, symbolisant le soleil levant : le nom d'Horos s'écrit habituellement avec l'esprit rude, mais quelquefois l'esprit doux. Mais il ne manque pas de chrétiens des premiers siècles, nés chrétiens, qui portent des noms dérivés de celui d'une divinité païenne. Quant à l'assertion de Porphyre qui oppose Ammonios Saccas, né chrétien, devenu grec, c'est-à-dire païen, à Origène, grec au début, élevé en grec et devenu chrétien (EUSÈBE *HE* VI, XIX, 7), elle est contredite par Eusèbe, qui sur ce point au moins doit être considéré comme plus digne de foi. Nous reviendrons plus loin sur ce sujet.

12. Leonidès, forme ionienne, et non Leonidas, forme dorienne : on l'appelle souvent de ce dernier nom parce que la forme en -as est plus connue à cause de Léonidas de Sparte.

13. *SC* 41, p. 82 note 3.

14. *Lettre à Grégoire* d'Origène, 2 : *SC* 148, p. 188.

15. *HE* VI, II, 1-15.

moment du martyre de son père — nous allons y revenir —,
puis de son éducation par Léonide, qui lui est évidemment
antérieure, a été suspect à bien des historiens, apparemment
peu habitués à la rhétorique antique, à cause de son ton fortement hagiographique. C'est là que nous lisons le geste du
père découvrant la poitrine de l'enfant endormi et la baisant
comme la demeure de l'Esprit divin. Mais il n'est pas évident
que ce ton hagiographique doive faire considérer comme des
affabulations tout ce qu'Eusèbe raconte.

Léonide était certainement un homme important. Le fait
qu'il fut décapité [16] semble montrer qu'il était citoyen romain,
titre qui n'avait pas encore été répandu largement dans l'empire comme il le sera en 212 par l'Edit de Caracalla ou
Constitution Antonine : un citoyen romain ne pouvait être
exécuté autrement. Or, s'il faut en croire l'*Historia Augusta* [17]
la persécution de Septime Sévère avait surtout pour but d'empêcher le prosélytisme : que Léonide ait été poursuivi montre
qu'il devait avoir un certain rôle dans l'Eglise d'Alexandrie
pour la formation des catéchumènes. D'autre part l'éducation
qu'il donne à son fils dénote un intellectuel qui en plus de la
formation hellénique commune s'est appliqué à l'étude de
l'Ecriture. Peut-être était-il professeur de grammaire, c'est-
à-dire de littérature, la profession qu'exercera son fils après
sa mort pour nourrir les siens.

De la mère d'Origène nous ne savons même pas le nom.
Tout ce que nous connaissons d'elle par Eusèbe, c'est qu'affo-
lée par la détermination de son fils aîné à rejoindre son père
dans le martyre elle cacha ses vêtements pour le contraindre
à rester à la maison [18]. L'article d'Aline Rousselle sur « La
persécution des chrétiens à Alexandrie au iiie siècle » [19] permettrait de penser qu'elle n'était pas du même milieu social
que son mari : il y avait en effet à Alexandrie trois catégories
d'hommes libres, les citoyens romains, les citoyens d'Alexandrie et des autres cités grecques d'Egypte, enfin des « Egyptiens » groupe qui comprenait aussi des Grecs n'appartenant
pas aux deux classes supérieures. Il semble que les enfants nés
d'un mariage conclu entre parents de classes différentes partageaient la condition la plus basse et que la persécution de

16. *HE* VI, 1.   17. Severus XVII, 1.   18. *HE* VI, II, 5.
19. *Revue Historique de Droit français et étranger*, 1974/2, p. 222-251 :
voir 231-233.

Septime Sévère ait visé les deux premières catégories et non la troisième. Cela permettrait d'expliquer pourquoi, quand la persécution se prolongea à Alexandrie pendant des années, Origène ait pu mener une intense activité catéchétique sans être trop sérieusement inquiété, allant jusqu'à accompagner au supplice ses élèves martyrisés [20]. Origène n'aurait donc pas partagé la condition de citoyen romain de son père, mais celle de sa mère qui devait être une Egyptienne.

Du comportement du jeune homme au moment de l'arrestation et du martyre de son père Eusèbe rapporte, outre l'épisode des vêtements cachés par sa mère pour l'empêcher de sortir, qu'il écrivit à Léonide une lettre l'exhortant au martyre dans laquelle il disait « textuellement » (*kata lexin*) : « Garde-toi de changer d'avis à cause de nous » [21].

Après le martyre de Léonide la fortune familiale avait été confisquée par le fisc impérial et Origène, aîné de famille, âgé de dix-sept ans, se trouva dans le besoin avec sa mère et ses six frères (et sœurs) cadets. Il continua encore quelques mois ses études grâce aux libéralités d'une riche chrétienne qui le prit chez elle. Mais cette dame avait aussi en grande estime un hérétique, on ne sait de quelle secte, nommé Paul et originaire d'Antioche, qu'elle traitait comme un fils. Origène qui vivait avec lui ne consentit jamais, dit Eusèbe, à participer aux réunions de prière qu'il organisait et où assistaient, non seulement des hérétiques, mais aussi des membres de la Grande Eglise. Pendant ce temps il se préparait à enseigner la grammaire (la littérature) et il le fit, âgé d'au plus dix-huit ans, gagnant ainsi largement sa vie et probablement celle de sa famille [22].

Une autre affirmation d'Eusèbe n'est pas sans soulever de difficultés : Origène a été parmi les disciples de Clément qui aurait dirigé après Pantène la catéchèse à Alexandrie [23]. Certains pensent, malgré cette notice, que l'école de Pantène et de Clément n'était pas une institution officielle de l'Eglise d'Alexandrie, comme le sera au contraire celle d'Origène, mais une école privée comme l'étaient à l'époque la plupart

20. *HE* VI, IV, 1.

21. *HE* VI, II, 6 : Eusèbe avait-il devant les yeux, parmi les nombreuses lettres d'Origène qu'il possédait, le texte de cette dernière ? On en a douté. L'expression *kata lexin* semble l'indiquer.

22. *HE* VI, II, 12-15.   23. *HE* VI, VI.

des lieux où enseignaient rhéteurs et philosophes. Si Origène a été vraiment élève de Clément il a dû l'être avant ses dix-sept ans, avant la persécution de Septime Sévère, puisque Eusèbe rapporte qu'à ce moment « personne n'était préposé à la catéchèse, mais tous avaient été chassés par la menace de la persécution » [24]. Clément devait donc lui aussi avoir quitté Alexandrie où, semble-t-il, il ne revint plus. En ce qui concerne les rapports d'Origène avec Clément des remarques sont à faire. Origène ne cite jamais Clément par son nom, alors qu'il le fait de quelques auteurs chrétiens antérieurs, peu nombreux à vrai dire. Il fait parfois allusion à des doctrines tenues par Clément, mais les introduit par des formules de ce genre : « comme l'a dit un de nos devanciers » (*tis tôn pro hèmôn*) [25] ou « comme certains le rapportent » (*sicut quidam tradunt*) [26]. Certains traits de vocabulaire semblent indiquer une réaction contre Clément. Ainsi Origène n'applique jamais au spirituel l'adjectif *gnostikos* que Clément utilise constamment : Origène semble plus soucieux que lui de se démarquer de la « gnose au faux nom ». Alors que Clément parle toujours de l'*apatheia* comme de la vertu essentielle du spirituel, les emplois d'*apatheia* et d'*apathès* par Origène peuvent se compter sur les doigts d'une main et sa doctrine est plus proche de la *métriopatheia,* de la mesure à imposer aux passions que de l'*apatheia* proprement dite. De ce qu'Origène ne cite jamais le nom de Clément et soit en réaction contre certains traits de sa doctrine et de son vocabulaire, il est difficile de conclure, soit qu'il ait été son auditeur, soit qu'il ne l'ait pas été, car de toutes façons il connaît certainement ses œuvres.

Mais à l'enseignement de la grammaire qui assure sa subsistance et celle de sa famille Origène va ajouter, tout jeune encore, un autre enseignement. Comme, selon Eusèbe, tous ceux qui étaient auparavant chargés de la catéchèse avaient quitté la ville, certains païens qui voulaient s'informer sur la foi chrétienne s'adressaient à lui. Eusèbe cite parmi les premiers Plutarque qui va être bientôt martyrisé et son frère Héraclas, futur collaborateur d'Origène, puis son successeur,

24. *HE* VI, III, 1.
25. *ComMt* XIV, 2 (*GCS* X) : il s'agit de l'interprétation de *Mt* 18, 19-20 par Clément dans *Stromates* III, 10, 68, 1 (*GCS*, Clément II).
26. *ComRm* I, 1 dans *PG* 14, 839 B : interprétation du *syzygos* de *Ph* 4, 3 par Clément dans *Stromates* III, 6, 53, 1 (*GCS* Clément II).

enfin évêque d'Alexandrie après Démétrios. C'est ainsi qu'âgé de dix-huit ans Origène « préside l'école de la catéchèse » qui lui était confiée par l'évêque Démétrios [27]. C'est donc un rôle officiel que ce tout jeune homme occupe dans l'Eglise d'Alexandrie.

Combien de temps mena-t-il de front les deux enseignements ? Eusèbe ne le dit pas, mais un moment vint où il « jugea inconciliables l'enseignement des sciences grammaticales et l'exercice des disciplines divines » et il réserva toute son activité à la catéchèse. Probablement alors ses frères ont grandi et pris en charge l'entretien de la famille, le laissant libre pour le service de l'Eglise. Il vendit à cette occasion tous les manuscrits qu'il possédait, certains « transcrits avec grand soin », peut-être la bibliothèque de Léonide que le fisc aurait épargnée, pour recevoir de l'acheteur une rente quotidienne de quatre oboles qui devaient lui suffire pour assurer son existence. Six oboles équivalaient à un denier qui représentait un salaire très bas [28]. Ce geste, vendre sa bibliothèque, signifie un renoncement complet aux études profanes. Mais il ne tardera pas à s'apercevoir que les connaissances profanes présentaient une grande utilité pour l'explication des Ecritures et pour son apostolat, et il reviendra bientôt à ce qu'il avait voulu abandonner.

A Alexandrie la persécution continue sous plusieurs préfets successifs et Origène à maintes reprises est menacé par la foule, notamment quand il assiste Plutarque dans son supplice. Plusieurs de ses élèves sont martyrisés [29] et lui-même vit en homme traqué, tout en accomplissant ses fonctions de catéchiste [30]. Mais il n'est pas arrêté par la police ni traîné devant les autorités et cela a paru curieux à certains historiens qui ont soupçonné Eusèbe d'arranger les choses à sa manière. L'article d'Aline Rousselle cité plus haut donne à cela une explication vraisemblable.

Le jeune maître mène en outre une vie extrêmement austère dont Eusèbe détaille les pratiques ascétiques en une page qui

---

27. *HE* VI, III, 1-8.

28. Deux siècles plus tôt, en *Mt* 20, 1-16, un denier représente le salaire que dans la parabole des ouvriers de la onzième heure le maître du domaine donne à ses ouvriers agricoles.

29. *HE* VI, IV, 1-3.

30. *HE* VI, III, 6.

a influencé le monachisme primitif [31]. Origène prend à la lettre les consignes évangéliques au point, dit Eusèbe, « d'accomplir une action qui est une preuve très grande d'un cœur inexpérimenté et juvénile, mais aussi de foi et de tempérance ». Il entendit en effet littéralement le verset évangélique *Mt* 19, 12 : « il y a des eunuques qui se sont châtrés eux-mêmes pour le royaume des cieux » et se livra sur lui-même à l'opération en question, de quelle manière, Eusèbe ne le dit pas [32].

Quels ont été les motifs de cet acte ? Souvent des auteurs de notre époque, quand ils en parlent, lui attribuent comme causes soit l'« horreur du sexe », explication qui porte bien la marque de notre temps, soit le désir — et l'illusion — de fuir les tentations qui auraient pu l'assaillir sur ce point. En fait Eusèbe, notre seul informateur, mentionne deux motifs autres. Le premier est ainsi formulé : « soit qu'il ait pensé accomplir la parole du Seigneur ». Il aurait donc cru devoir prendre à

31. Cette vie ascétique est appelée à deux reprises par l'historien « vie philosophique » suivant un usage qui se retrouve dans le *Remerciement* de Grégoire le Thaumaturge et qui sera assez commun dans le monachisme primitif : la philosophie, même païenne, n'est pas un pur exercice intellectuel, mais elle engage toute la conduite de l'homme.

32. Cette mutilation — la seule chose qu'habituellement le grand public sache d'Origène — a été cependant mise en doute par certains érudits. Ils font remarquer d'une part que nous ne la connaissons que par ce passage d'Eusèbe (*HE* VI, VIII, 1-5) : or *testis unus testis nullus*. Mais Eusèbe qui est un ardent *supporter* d'Origène peut être cru à plus forte raison quand il rapporte un acte plutôt défavorable à son héros, montrant en lui un zèle imparfaitement équilibré. Ces érudits s'appuient en outre sur l'interprétation que donne Origène de ce verset lorsque, sexagénaire, il compose son *Commentaire sur Matthieu* (XV, 1-5 : *GCS* X). Dans cet écrit, en effet, Origène, sans faire d'allusion directe à son cas personnel, blâme avec véhémence ceux qui comprennent au sens littéral la troisième sorte d'eunuques de *Mt* 19, 12 et « osent » avec plus de zèle que d'intelligence se livrer sur eux-mêmes un tel « attentat » : conformément à une tradition attestée avant lui, notamment par Clément qui désigne souvent par le mot *eunouchia* le célibat assumé pour le Royaume des cieux, Origène n'admet que cette signification spirituelle. Mais les explications données par Origène dans le *Commentaire sur Matthieu* ne nous paraissent pas permettre de douter de l'information donnée par Eusèbe. Origène a assez d'humilité — humilité et modestie sont des vertus qui lui sont reconnues habituellement par ceux qui l'ont étudié sérieusement — pour blâmer dans sa vieillesse un acte qu'il a commis dans sa jeunesse. D'autre part il donne sur les malaises physiologiques résultant de la castration des indications qui semblent venir de son expérience personnelle : il les explique d'après les conceptions scientifiques des médecins grecs.

la lettre une parole que la tradition de l'Eglise n'entendait pas ainsi, rejoignant de la sorte dans sa jeunesse ces littéralistes qu'il combattra âprement tout le reste de son existence. Il est en effet assez piquant de voir celui que l'on considère comme « le prince de l'allégorie » entendre littéralement un verset que la tradition antérieure entendait déjà habituellement de façon allégorique. Péché de jeunesse, dira-t-on. Mais le second motif indiqué par Eusèbe présente plus de difficulté : « soit aussi parce qu'étant d'un âge jeune, il prêchait les choses divines non seulement à des hommes mais encore à des femmes et, qu'ayant voulu enlever aux infidèles tout prétexte pour le calomnier honteusement il fut poussé à accomplir réellement la parole du Sauveur ». Si Origène avait eu réellement par ce geste le désir d'éviter le scandale et les calomnies il aurait dû apparemment le faire connaître partout. Or Eusèbe, dans la même phrase que nous venons de citer, dit qu'Origène « eut soin que son action fut cachée à la plupart des disciples qui l'entouraient ». Cette indication semble en contradiction avec la seconde motivation. La castration était interdite depuis Hadrien par les lois romaines. On ne peut croire que l'Eglise l'ait approuvée. Selon Eusèbe Démétrios le sut plus tard et il admira Origène. Mais au moment de la brouille qui survint entre l'évêque et son catéchiste à cause de l'ordination presbytérale reçue par ce dernier à Césarée de Palestine sans son accord, il rendit publique cette action et la blâma[33]. Il nous faudra revenir plus loin sur cet épisode.

Eusèbe donne de nombreuses informations sur l'activité professorale d'Origène à Alexandrie, peut-être assez différente de celle qu'il aura à Césarée et que décrit le *Remerciement* du Thaumaturge. Il arriva un moment où, devant l'abondance de ceux qui s'adressaient à lui, pour sauvegarder le temps nécessaire à l'étude des Ecritures, Origène dut diviser en deux cours son école. Il prit comme collègue son disciple Héraclas, le frère du martyr Plutarque : Héraclas avait déjà étudié la philosophie à l'école du plus célèbre philosophe de l'Alexandrie du temps, Ammonios Saccas, le père du néoplatonisme. Origène lui abandonna l'enseignement des catéchumènes proprement dits et se réserva celui des plus avancés[34]. Eusèbe décrit en des termes trahissant l'exagération rhétorique les multitudes qui allaient vers lui pour suivre son

---

33. *HE* VI, VIII, 1-5.   34. *HE* VI, XV.

enseignement sur l'Ecriture : parmi eux se trouvaient des hérétiques et même des philosophes de renom. A ce moment Origène est revenu aux études profanes auxquelles il avait renoncé quand il avait vendu sa bibliothèque. Aux plus avancés il enseigne la philosophie avec ses sciences préparatoires comme la géométrie et l'arithmétique, expose la doctrine des diverses écoles de philosophes, explique leurs écrits, jusqu'à acquérir lui-même une réputation de grand philosophe. Aux moins avancés il se contente d'enseigner les « sciences encycliques » à cause de l'utilité qu'elles présentent pour l'explication de l'Ecriture. « Aussi estimait-il tout à fait nécessaire, même pour lui, de s'exercer aux disciplines profanes et à la philosophie. [35] »

Origène est certainement déjà chef de l'école de la catéchèse lorsqu'il devient lui-même l'auditeur d'Ammonios Saccas que fréquentait depuis cinq ans Héraclas et qui, quelques années plus tard, sera le maître de Plotin, le fondateur du néo-platonisme, de vingt ans le cadet d'Origène. Notre principale source à ce sujet est le chapitre XIX du livre VI de l'*Histoire Ecclésiastique* [36] reproduisant d'abord un texte du livre écrit contre les chrétiens par Porphyre, le disciple de Plotin, et un passage d'une lettre d'Origène. La difficulté de concilier ce témoignage de Porphyre avec la *Vie de Plotin* du même auteur [37] a donné lieu, entre spécialistes du Néoplatonisme et spécialistes d'Origène, à des opinions et à des efforts de conciliation assez divergents et l'on ne peut pas dire que les questions posées par ces textes soient près d'une solution.

Après avoir critiqué l'emploi par les chrétiens de l'exégèse allégorique qu'il ne se prive pas d'ailleurs lui-même de pratiquer, par exemple à propos de *L'antre des Nymphes,* Porphyre en rend responsable Origène qu'il a connu, dit-il, quand il était lui-même tout jeune, probablement à Césarée, Porphyre étant né près de là vers 233 au moment où Origène s'installait dans cette ville. Porphyre témoigne de la réputation considérable qu'ont eu Origène et ses écrits. Il affirme qu'il a été l'auditeur d'Ammonios Saccas et oppose les conduites de l'un et de l'autre, Ammonios passé du christianisme où il est né à

35. *HE* VI, XVIII, 2-4.   36. §§ 1-14.
37. Editée en général en tête des *Ennéades* de Plotin (cf. éd. Bréhier *CUFr*).

l'hellénisme seul conforme aux lois, Origène de l'hellénisme
où il a été élevé à cette « audace barbare (*barbaron*... *tol-
mèma*) » qu'est le Christianisme, opposé aux lois. Il a vécu en
chrétien, mais pensé en grec, transportant l'hellénisme dans
le christianisme. Il lisait continuellement Platon et une série
de philosophes dont Porphyre dresse la liste : des platoniciens-
pythagoriciens comme Nouménios, Chronios, Longin, Modéra-
tus, Nicomaque, des stoïciens comme Apollophane, Chérémon
(maître de Néron) ou Cornutus maître du poète latin Perse.
Eusèbe, après avoir reproduit le passage de Porphyre le
contredit sur plusieurs points : Ammonios est toujours resté
chrétien et Origène est né et a été élevé en chrétien. Si on
doit donner raison à Eusèbe sur ce second point, il a peut-être
confondu le Saccas avec un Ammonios chrétien, l'auteur d'un
livre qu'il cite *Sur l'accord de Moïse et de Jésus*. Puis Eusèbe
reproduit un passage d'une lettre d'Origène justifiant devant
des contradicteurs ses études philosophiques par la nécessité
de gagner au Christ les hérétiques et les philosophes qui
venaient à lui et s'appuyant sur l'exemple de Pantène, le
maître de Clément, et d'Héraclas, son propre disciple, qui a
été cinq ans avant Origène l'auditeur du « maître des sciences
philosophiques », Ammonios Saccas, et qui maintenant qu'il
est prêtre de l'Eglise d'Alexandrie, porte toujours le manteau
des philosophes [38].

Nous venons de dire que ce passage est difficile à concilier
avec le témoignage du même Porphyre dans sa *Vie de Plotin*.
Sans entrer dans les détails ni prétendre résoudre ici le problème, nous exposerons cependant ce sur quoi il porte. Il y
est en effet question à propos d'Ammonios Saccas de son
enseignement le plus ésotérique qu'il dispensa à trois de ses
auditeurs, Origène, Plotin et Herennios. A cause de certaines
incompatibilités entre ce que dit Porphyre et ce qu'on sait
d'Origène les spécialistes du Néoplatonisme voient ici un
autre Origène que le chrétien, un « Origène le païen » ou « le
néoplatonicien », à qui sont également attribuées des exégèses
de textes de Platon cités comme d'Origène par Proclos. Cette
dualité d'Origènes dont l'antiquité ne semble pas avoir eu
conscience a été affirmée pour la première fois au XVIIe siècle
par Henri de Valois dans une note de son édition de l'*Histoire*

38. *HE* VI, XIX, 1-14.

Ecclésiastique d'Eusèbe [39]. Malgré les raisons qui la fondent, celles d'Henri de Valois et celles des historiens du néoplatonisme, bien des spécialistes d'Origène n'en sont pas convaincus. Certes, pour supposer un seul Origène, il faut admettre que Porphyre, sur l'un ou l'autre point, s'est trompé, mais pour en supposer deux il faut aussi accepter des erreurs de Porphyre. Bien des traits qui paraissent aux partisans de deux Origènes incompatibles avec l'Origène chrétien sont ainsi jugés, selon leurs adversaires, par suite de leur peu de familiarité avec la pensée de ce dernier. Il paraît d'autre part étonnant que le même Porphyre qui dans son traité *Contre les Chrétiens* rapporte qu'Origène le chrétien fut auditeur d'Ammonios Saccas et qu'il fut très célèbre, introduise dans la *Vie de Plotin* un autre Origène, disciple du même maître, sans prendre soin de les distinguer. Nous ne prétendons pas par ces brèves indications résoudre définitivement un problème qui nous paraît encore obscur.

Dans un chapitre consacré à la composition par Origène de ses *Hexaples* Eusèbe dit incidemment qu'Origène apprit l'hébreu et il est question plusieurs fois, dont deux dans le *Traité des Principes* d'un « maître hébreu » qui ne peut être qu'un judéo-chrétien, car l'exégèse du triple Sanctus de *Is* 6, 3 qu'il a expliquée à Origène est chrétienne [40]. S'agit-il du maître qui lui a enseigné l'hébreu ? Cette connaissance de l'hébreu qu'aurait eue Origène a été sérieusement contestée. On a souvent refusé l'information d'Eusèbe et affirmé qu'il ne savait pas du tout l'hébreu et que les allusions à des « exemplaires hébreux » de la Bible qu'on trouve parfois dans son œuvre désigneraient seulement la traduction grecque littérale d'Aquila. Mais il y a toute sorte de degrés dans la connaissance d'une langue. Certes, on ne peut attribuer à Origène une connaissance de l'hébreu pareille à celle qu'aura Jérôme, mais elle a dû être suffisante pour lui permettre de diriger la composition des Hexaples, même si le travail était fait par quelque auxiliaire.

Une autre objection soulevée contre la même information vient du fait qu'Origène explique constamment la Septante même dans ses contresens les plus patents et parfois même en

---

39. Reproduite dans *PG* 20, 563-564, note 17 correspondant à *HE* VI, XIX, 5-8.

40. *Hebraeus magister* dans I, 3, 4 ; *Hebraeus doctor* dans IV, 3, 14.

pleine connaissance de ce qu'il y a dans l'hébreu. Mais pour Origène comme pour tous les Pères avant Jérôme la Bible grecque des Septante est le texte que les apôtres ont donné à l'Eglise, le texte officiel que les chrétiens ont à suivre. S'il y a en elle des passages peu compréhensibles, il faut les compter parmi ces « pierres d'achoppement » que le Saint Esprit a insérées dans la Bible pour inviter ses lecteurs à s'élever jusqu'au sens spirituel. L'usage qu'Origène fait de la Septante même dans ces cas ne signifie pas qu'il ignorait l'hébreu mais provient d'une raison théologique.

Quitte à anticiper un peu sur la période césaréenne de sa vie signalons la connaissance très étendue qu'il a des traditions et usages juifs et aussi des interprétations rabbiniques, comme l'a mise en relief une étude récente [41]. Il la tient en partie de relations personnelles avec des rabbins. Dans la préface au commentaire sur les Psaumes il dit avoir demandé des explications sur un titre de psaume au patriarche Ioullos et à quelqu'un qui avait la réputation de sage chez les Juifs. Ce Ioullos est identifié par certains à un Rabbi Hillel qui n'était pas patriarche, mais fils et frère de patriarches. On a aussi supposé sur la foi de textes talmudiques qu'il aurait été en relation avec un rabbin fameux de Césarée, Hoschaia Rabba.

C'est assez tard, relativement, entre 215 et 220, qu'Origène se mit à rédiger son œuvre immense. Cette nouvelle activité semble être en relation avec la conversion d'un Valentinien nommé Ambroise, homme riche qui était passé à l'hérésie dans la grande secte intellectuelle qu'était celle de Valentin parce qu'il n'avait pas trouvé dans la Grande Eglise la nourriture intellectuelle que légitimement il recherchait. Ramené par Origène à l'orthodoxie il voudra obtenir de son maître ce qu'il avait auparavant vainement désiré. Il mit sa fortune à la disposition d'Origène, entretenant auprès de lui un secrétariat et une maison d'édition, avec sept tachygraphes (ou sténographes) qui se relayaient pour écrire sous sa dictée, des copistes et des calligraphes. De son ardeur à l'étude et de la pression qu'il exerçait en ce sens sur Origène, Eusèbe [42] témoigne et Origène aussi. Dans un fragment de la préface au livre V du *Commentaire sur Jean* ce dernier le traite avec une certaine ironie de « contremaître de Dieu » par opposition

41. N. de LANGE, *Origen and the Jews*, Cambridge 1976.
42. *HE* VI, XVII, I et VI, XXIII, 1-2.

avec les contremaîtres égyptiens qui faisaient travailler les Hébreux avant l'Exode [43] et dans une lettre [44] il se plaint doucement de la vie que son collaborateur lui fait mener. On peut dire que le cas posé par l'histoire d'Ambroise est à l'origine de l'œuvre écrite d'Origène. Le texte majeur qui exprime cela se trouve dans le livre V du *Commentaire sur Jean* [45] :

« Maintenant que, sous prétexte de science (= de gnose), les hérétiques s'insurgent contre la sainte Eglise du Christ et produisent des traités formant une multitude de livres, qui promettent une explication des écrits évangéliques et apostoliques, si nous gardons le silence et ne leur opposons pas la doctrine vraie et salutaire, ils se rendront maîtres des âmes avides qui, par manque d'une nourriture salutaire, saisiront avec empressement ces aliments interdits, véritablement impurs et abominables. Voilà pourquoi il me paraît nécessaire que, si quelqu'un peut défendre sans la falsifier la pensée de l'Eglise et confondre les partisans de la prétendue gnose, il se dresse pour opposer aux inventions des hérétiques la sublimité de la prédication évangélique, toute remplie de l'harmonie des doctrines communes au Testament appelé ancien comme à celui que l'on nomme nouveau. Toi-même (Ambroise), par manque de défenseurs du bien et parce que, dans ton amour pour Jésus, tu ne te contentais pas d'une foi irréfléchie et inexperte, tu as jadis mis ta confiance en des doctrines dont, par la suite, tu t'es écarté en les jugeant comme il convient, car tu avais tiré parti de l'intelligence qui t'était donnée. »

Fournir aux chrétiens qui se posent des problèmes d'ordre intellectuel des réponses en accord avec l'Ecriture pour éviter qu'ils n'aillent les chercher dans les grandes sectes gnostiques, telle est une des visées majeures de l'œuvre écrite d'Origène.

Avant d'achever cette peinture de la première période de la vie d'Origène il faut encore mentionner, toujours d'après Eusèbe, les principaux voyages qu'il fit alors. Le premier, daté par Eusèbe du pontificat du Pape Zéphyrin (198-217), eut Rome pour but, Origène « ayant souhaité voir la très ancienne

---

43. Voir *SC* 120 p. 372 : cette expression est aussi rapportée par **Jérôme** dans la notice 61 de *VirIll*.
44. Conservée par le chroniqueur byzantin Georges Kédrénos, *PG* 121, 485 BC.
45. § 8 : traduction Blanc, *SC* 120, p. 388-391.

Eglise des Romains » d'après ses propres paroles qu'Eusèbe rapporte [46]. Est-ce à cette occasion qu'il entendit selon Jérôme [47] une « homélie (*prosomilian*) à la louange du Seigneur et Sauveur » prononcée par Hippolyte dans laquelle l'orateur aurait signalé la présence d'Origène à son sermon. Peut-être, mais pour en être sûr il faudrait que nous soyons mieux renseigné sur la personne même d'Hippolyte. Cette visite à Rome témoigne de l'importance de cette Eglise, comme la lettre que, toujours selon Jérôme [48], Origène écrira au Pape Fabien pour se disculper des attaques dont il a été l'objet à Alexandrie.

Un second voyage est assez remarquable et doit se situer, s'il faut faire confiance aux chronologies d'Eusèbe, vers 215 ou un peu avant. Un soldat arrive à Alexandrie portant des lettres du gouverneur de la province romaine d'Arabie, l'actuelle Jordanie, pour l'évêque Démétrios et le préfet d'Egypte, demandant qu'on lui envoie Origène de toute urgence pour s'entretenir avec lui. Vraisemblablement ce gouverneur cherchait à s'informer sur le christianisme auprès d'une des personnalités les plus marquantes de la nouvelle religion. Nous sommes sous le règne de Caracalla, les chrétiens sont à peu près tranquilles et on sait que les princesses de la famille impériale, Julia Domna, veuve de Septime Sévère et mère de l'empereur régnant, sa sœur Julia Moesa et les deux filles de cette dernière, Julia Soemias et Julia Mammaea, sont très intéressées par les questions religieuses, bien que les trois premières n'aient guère manifesté d'attention particulière pour le christianisme. Origène, dit Eusèbe, s'acquitta rapidement de sa mission et revint à Alexandrie [49].

Mais « dans l'intervalle », c'est-à-dire entre son départ et son retour, « une guerre assez importante (avait) éclaté dans la ville ». En effet l'empereur Caracalla venu à Alexandrie avait été l'objet de brocards de la part de la population estudiantine qui le saluait comme d'un titre de gloire de Geticus parce qu'il avait assassiné son frère Geta. Caracalla furieux livra la ville au pillage et au carnage, ferma les écoles et obligea les enseignants à s'exiler. C'est alors que, suivant Eusèbe, Origène quitta la ville en cachette et se retira pour la première fois à Césarée de Palestine, où les évêques du pays, notam-

46. *HE* VI, XIV, 10.   47. *VirIll* 61.
48. *Lettres 84*, 10, à Pammachius et Oceanus.   49. *HE* VI, XIX, 15.

ment Théoctiste de Césarée et Alexandre d'Aelia, c'est-à-dire
de Jérusalem, ne voulant perdre l'occasion que leur offrait
la présence d'un tel connaisseur des Ecritures, lui firent expliquer la Bible au milieu de l'assemblée des fidèles, bien qu'il
fut encore laïc. D'Alexandrie Démétrios l'apprit et protesta
auprès des évêques palestiniens, disant que cela était contraire
à la tradition : « On n'a jamais entendu dire et maintenant
jamais il n'arrive que des laïques fassent l'homélie en présence
d'évêques. » Théoctiste et Alexandre ripostèrent dans une
lettre — mais elle est peut-être assez postérieure aux faits et
contemporaine de la grande crise de 231-233 — disant que
cette affirmation était manifestement inexacte. Ils citent des
cas montrant que « là où se trouvaient des hommes capables
de rendre service aux frères, ils sont invités par les saints
évêques à s'adresser au peuple ». En tout cas Démétrios se
hâta de rappeler son catéchiste lui envoyant pour cela des
lettres et des diacres [50].

A l'occasion de ce premier séjour d'Origène en Palestine
nous devons parler un peu d'un des deux évêques qui le reçut
et fut pour lui un ami et un protecteur, Alexandre de Jérusalem. Au début du siècle, sans que l'on puisse fixer de date
précise, Narcisse gouvernait l'Eglise de Jérusalem, ou plutôt
d'Aelia, suivant le nom officiel que l'empereur Hadrien avait
donné, à partir de son propre gentilice, à la ville qu'il avait
reconstruite [51]. Ce Narcisse, vénéré pour ses vertus et ses
miracles, fut l'objet de graves calomnies et, vraisemblablement
pris de ce que nous appellerions aujourd'hui une dépression
nerveuse, il disparut dans la nature pendant que ses accusateurs périssaient misérablement d'accidents ou maladies qu'ils
avaient eux-mêmes appelés sur eux pour corroborer leurs ser-
ments. Alors les évêques voisins, émus par la disparition de
Narcisse, mirent sur le siège épiscopal de Jérusalem successivement trois évêques qui ne gouvernèrent que quelques mois
chacun. Le troisième était encore là quand Narcisse reparut
et fut immédiatement rétabli dans sa charge, mais sa vieillesse
avancée l'empêchant d'en remplir les fonctions, la population
de la ville s'empara, sur une révélation divine, d'un évêque
de Cappadoce nommé Alexandre, en pèlerinage à Jérusalem,
et l'obligea à aider Narcisse avant de devenir son successeur.
Eusèbe rapporte des passages de plusieurs lettres qu'il écrivit,

50. *HE* VI, XIX, 16-19.   51. *HE* V, XII, 2.

dont une à Origène où il fait mention de ses relations passées
avec Pantène et Clément [52]. Cet Alexandre fonda à Jérusalem
une bibliothèque dont Eusèbe se servit, concurremment avec
celle de Césarée qui avait pour origine la bibliothèque et les
archives d'Origène [53].

On peut se poser une autre question à propos de ce premier
séjour d'Origène à Césarée de Palestine. Dans son *Histoire
Lausiaque* Pallade rapporte à propos d'une vierge nommée
Julienne ce qui suit [54] :

> « On dit aussi qu'il y avait à Césarée de Cappadoce une
> vierge nommée Julienne, très sage et très croyante. Elle reçut
> l'écrivain Origène quand il fuyait le soulèvement des Grecs
> et le cacha deux ans, lui procurant du repos à ses propres frais
> et par ses soins. Tout cela je l'ai trouvé, mentionné de la
> main d'Origène en ces termes dans un très ancien livre écrit
> en versets : " J'ai trouvé ce livre chez la vierge Julienne à
> Césarée lorsque j'étais caché chez elle. Elle disait l'avoir reçu
> de Symmaque lui-même, le commentateur juif. " »

Habituellement les auteurs voient dans ce « soulèvement
des Grecs » la persécution de Maximin le Thrace en 235 et
supposent donc que dans ce temps-là Origène a dû quitter
Césarée de Palestine où il était installé et se cacher à Césarée
de Cappadoce. Eusèbe qui a lu lui aussi la même note sur
le manuscrit qui se trouvait de son temps dans la bibliothèque
de Césarée de Palestine, rapporte que des commentaires de
l'ébionite Symmaque — l'ébionisme est une hérésie judéo-
chrétienne — s'y trouvaient et qu'Origène « indique qu'il a
reçu ces ouvrages avec d'autres interprétations de Symmaque
sur les Ecritures d'une certaines Julienne qui, dit-il, avait
hérité ces livres de Symmaque lui-même » [55]. Ce passage suit
le chapitre où Eusèbe explique comment Origène a composé
les Hexaples [56] : Symmaque était l'auteur d'une des quatre
versions grecques qui y étaient collationnées. Ces chapitres
sont en relation avec la période alexandrine de la vie d'Origène.

Le chapitre XXVII qui se rapporte au contraire à la période
césaréenne mentionne parmi les auditeurs d'Origène Firmilien,
évêque de Césarée de Cappadoce, qui l'aurait d'abord fait

---

52. *HE* VI, IX-XI et VI, XIV, 8-9.   53. *HE* VI, XX, 1.
54. 147, *PG* 34, 1250 D.   55. *HE* VI, XVII.   56. *HE* VI, XVI.

venir « dans son pays pour l'utilité des Eglises », puis aurait passé quelque temps auprès de lui « en Judée ». On pourrait donc supposer que la persécution de Maximin aurait éclaté au moment où Origène était allé en Cappadoce appelé par Firmilien et qu'il se serait alors caché chez Julienne pour échapper aux poursuites. Mais cette solution se heurte à plusieurs silences difficiles à expliquer. Pourquoi Eusèbe qui a lu lui aussi la notice d'Origène sur Julienne ne parle pas de ce séjour de deux ans chez elle ? Est-il conciliable avec la composition de l'*Exhortation au Martyre* qu'Origène envoya pendant la persécution de Maximin à son mécène Ambroise et au prêtre Protoctète menacés d'arrestation ? Enfin et surtout le *Remerciement à Origène* [57] de Grégoire le Thaumaturge, arrivé à Césarée de Palestine peu après Origène, demeuré cinq ans auprès de lui [58], cinq ans qui englobent l'époque de la persécution de Maximin, ne laisse pas soupçonner que son maître ait pu être absent si longtemps.

Aussi nous nous demandons s'il ne faut pas voir dans « le soulèvement des Grecs », non la persécution de Maximin, mais les troubles d'Alexandrie au moment du séjour de Caracalla dans cette ville et supposer que Pallade a confondu les deux Césarée, prenant la cappadocienne à la place de la palestinienne. En effet, la notice qu'il a lue de la main d'Origène et qui est la source de son information ne précise pas de quelle Césarée il s'agit et comme le manuscrit qui la portait se trouvait parmi les livres hérités d'Origène dans la bibliothèque de Césarée de Palestine, ce serait davantage cette dernière qui serait visée. Il n'est pas exclu cependant que Pallade ait su par une autre source que Julienne habitait à Césarée de Cappadoce.

Un dernier voyage, très honorable pour Origène, précède la grande crise. Il répond à une invitation de l'impératrice Julia Mammaea, mère d'Alexandre Sévère, qui fut, nous l'avons dit, l'inspiratrice de la politique christianophile de son fils : « comme la renommée d'Origène retentissait partout, au point d'arriver jusqu'à ses oreilles, elle attache une grande importance à être favorisée de la vue de cet homme et à faire l'expérience de son intelligence des choses divines que tout le monde admirait. Pendant qu'elle séjourne à Antioche, elle le fait appeler par des soldats de sa garde ; et il demeura près

57. V, 63.   58. *HE* VI, XXX.

d'elle un certain temps, lui exposant un grand nombre de choses pour la gloire du Seigneur et de la vertu de l'enseignement divin, puis il se hâta de reprendre ses occupations habituelles » [59]. Origène mentionne lui-même dans sa *Lettre à des amis d'Alexandrie* [60] un séjour à Antioche où il dut réfuter les calomnies d'un hérétique qu'il avait déjà affronté à Ephèse. L'intérêt manifesté par Julia Mammaea à l'égard de la religion chrétienne, montré aussi par le traité sur la Résurrection que lui aurait dédié Hippolyte, ne signifie pas qu'elle soit devenue chrétienne.

La grande épreuve

Sur la crise qui brouilla Origène et Démétrios et obligea le premier à quitter Alexandrie pour Césarée de Palestine nous avons plusieurs témoignages : Eusèbe, *HE* VI, VIII, 4-5 ; VI, XXIII, 5 ; Photius dans *Bibliotheca* 118 [61] reproduisant ce qu'il a lu dans l'*Apologie pour Origène* de Pamphile ; Jérôme dans la *Lettre 33 à Paula* [62] ; et d'Origène lui-même la *Lettre à des amis d'Alexandrie* conservée partie par Jérôme, *Apologie contre Rufin* [63] et partie par Rufin, *De adulteratione librorum Origenis* [64] et la préface au livre VI du *Commentaire sur Jean* [65]. D'après ces documents nous allons tenter de reconstituer la suite des événements.

En 231 ou 233, selon ce qui a été dit plus haut, « Origène, pour satisfaire les exigences urgentes des affaires ecclésiastiques, va en Grèce par la Palestine », rapporte Eusèbe [66]. Photius précise qu'il partit « pour Athènes sans l'accord de son évêque ». En quoi consistaient les « affaires ecclésiastiques » qui étaient la raison de ce voyage ? La réponse peut être donnée par la *Lettre à des amis d'Alexandrie,* écrite probablement d'Athènes. Elle concerne, comme nous allons le voir, des discussions qu'Origène a eu dans cette ville avec un hérétique.

Mais nous n'en sommes pas encore là. Car Origène pour aller en Grèce a pris le chemin des écoliers : d'Alexandrie à Athènes en passant par Césarée de Palestine ce n'est pas la

---

59. *HE* VI, XXI, 3-4 : traduction G. Bardy.
60. Conservée par Rufin dans *Adult* 8.   61. *CUFr* II.
62. § 4 : *CUFr* II.   63. II, 18-19.   64. §§ 6-8.   65. I-II, 1-11.
66. *HE* VI, XXIII, 4.

voie la plus courte. Pourquoi a-t-il fait ce détour ? Probablement — mais rien ne nous renseigne à ce sujet — pour rendre
visite à ses amis palestiniens dont nous avons déjà parlé,
Théoctiste évêque de Césarée et Alexandre évêque de Jérusalem. Alors va se produire le fait qui brouillera irrémédiable-
ment Origène avec Démétrios d'Alexandrie, son ordination
presbytérale.

Eusèbe [67] attribue cette ordination aux « évêques les plus
estimables et les plus réputés de la Palestine, ceux de Césarée
et de Jérusalem ». Mais il ne faut pas deux évêques pour une
ordination presbytérale, un seul suffit : c'est pourquoi Photius est ici plus précis : « C'est Théotecne, l'archevêque de
Césarée en Palestine, qui avait ordonné Origène de sa propre
main, avec l'accord d'Alexandre, évêque de Jérusalem. » Photius confond constamment Théoctiste qui est réellement le
prélat qui a ordonné Origène avec son second successeur Théotecne, élève d'Origène [68]. Quant au titre archiépiscopal qui lui
est attribué, c'est évidemment un anachronisme : mais Césarée
était la capitale administrative de la Palestine et en sera la
capitale religieuse jusqu'au moment où Jérusalem obtint le
titre patriarcal.

On peut s'interroger sur les raisons de cette ordination
d'Origène par un évêque dont il n'était pas le sujet. Près d'un
siècle plus tard le canon 16 du concile de Nicée frappera de
nullité (akyros) de telles ordinations, mais cette législation
n'existait pas encore. Eusèbe dit seulement que les deux évêques avaient « estimé Origène digne de la récompense (pres-
beion) et de l'honneur (timè) le plus haut » [69]. Ils sont, semble-t-il, outrés de ce que Démétrios n'ait pas donné à Origène
l'« honneur » du sacerdoce. Mais il semble difficile que pour
cette seule motivation ils se soient exposés à affronter la
colère bien prévisible de l'évêque d'Alexandrie et il doit y
avoir d'autres raisons. Cet acte est peut-être en relation avec
les protestations élevées contre eux plusieurs années auparavant par Démétrios leur reprochant d'avoir fait prêcher à
l'église Origène encore laïc. Ou bien ils veulent lui conférer
plus de prestige dans la mission qu'il va accomplir en Grèce.
Mais Origène à cette époque ne pense pas s'établir à Césarée,
il doit revenir à Alexandrie reprendre la direction de son école,
une fois terminée sa mission en Grèce. Or ces évêques ordon-

67. *HE* VI, VIII, 4.   68. *HE* VII, XIV.   69. *HE* VI, VIII, 4.

nent à l'insu de l'évêque d'Alexandrie un homme destiné à
exercer son ministère à Alexandrie ! On ne peut s'empêcher
de voir dans l'« honneur » du sacerdoce qu'ils veulent lui
conférer une certaine approximation de ce qu'on appellera
plus tard en Occident le « caractère » sacerdotal : en tout cas
dans leur mentalité le presbytérat ne s'identifie pas absolument au ministère rempli dans une Eglise locale, et il semble
y avoir déjà une certaine distinction entre sacerdoce et ministère comme celle que cent soixante ans plus tard Paulin de
Nole, après son ordination forcée à Barcelone, fera entre le
sacerdotium Domini et le *locus Ecclesiae*. [70]

Dans quelles dispositions d'esprit Origène a-t-il reçu cette
ordination ? L'a-t-il provoquée, acceptée, subie ? Il est difficile de le dire, car aucun historien ne répond à la question.
Il pouvait bien se douter qu'avec le caractère de Démétrios
elle ne serait pas entérinée sans difficulté. Qu'il se soit agi
d'une ordination plus ou moins forcée n'est pas invraisemblable dans l'Eglise primitive. Nous en avons plusieurs exemples,
plus tardifs, il est vrai, de cent cinquante à cent soixante ans :
l'ordination de Jérôme par Paulin d'Antioche vers 377, celle
de Paulin de Nole par Lampius de Barcelone contraint à
cela par le peuple de la ville à la Noël 394, et surtout, la plus
étonnante de toutes, celle de Paulinien, frère de Jérôme, par
Epiphane de Salamine, que nous connaissons par une lettre du
même Epiphane, adressée à l'évêque Jean de Jérusalem et
traduite en latin par le frère de l'ordonné, Jérôme [71]. Paulinien a reçu l'ordination de diacre, puis de prêtre, étant main-
tenu par plusieurs diacres dont un lui mettait la main sur la
bouche pour l'empêcher de crier qu'il ne le voulait pas. Et
selon la même lettre d'Epiphane des faits semblables sont
monnaie courante dans sa province ecclésiastique de Chypre.

Nous ne pensons pas qu'Origène ait pu être soumis par
ses amis à une telle violence. Il aura certainement accepté
son ordination. De bon cœur ou de mauvais cœur à cause de
leurs instances ? Il est impossible de le dire. En tout cas,
quand il sera installé à Césarée, il remplira sans problème la
fonction sacerdotale de la prédication — nous ne pouvons rien
dire des autres — et à plusieurs reprises dans ses homélies
fera état de son titre de prêtre.

70. *Lettre I* à Sulpice Sévère : CSEL XXVIII.
71. *Lettre 51* dans la correspondance de Jérôme, §§ 1-2.

Pendant qu'Origène, maintenant prêtre, navigue vers Athènes, la nouvelle de son ordination a dû gagner assez rapidement Alexandrie, créer une certaine agitation parmi les chrétiens et exciter la colère de Démétrios. Et ce qu'on apprend des discussions qu'il a à Athènes avec un hérétique est bien fait pour jeter de l'huile sur le feu. Nous sommes renseignés à ce sujet par une lettre qu'Origène adresse, vraisemblablement d'Athènes, à des amis alexandrins qui l'ont, semble-t-il, averti des dispositions de Démétrios à son égard. En effet le fragment conservé par Jérôme, antérieur dans la lettre à celui que traduit Rufin, contient des propos désabusés et amers sur le peu de confiance qu'on peut avoir dans les chefs : il ne faut pas les maudire ni les haïr mais plutôt avoir pitié d'eux et prier pour eux. Il ne faut maudire personne, pas même le diable, et laisser la réprimande au Seigneur. A cet endroit se situe un court passage qui forme la fin du fragment de Jérôme, le début de celui de Rufin : les deux traducteurs le reproduisent dans des termes analogues, Rufin étant un peu plus redondant. Origène proteste contre ceux qui lui attribuent quelque chose qu'il n'a jamais dit, que le diable, « le père de la malice et de la perdition et de ceux qui sont exclus du royaume de Dieu » serait sauvé. Un fou même ne saurait parler ainsi. Le fragment de Rufin continue. Origène se plaint que sa doctrine soit dénaturée par ses ennemis, de même que Paul en *2 Th* 2, 1-3. Et il raconte alors l'incident qui lui est survenu à Athènes et qui n'a pas peu contribué à augmenter à Alexandrie l'animosité à son égard. Nous lui laissons la parole :

« Je vois que des choses semblables nous arrivent. Car un certain hérésiarque, avec lequel nous avions discuté en présence de nombreuses personnes, dans un débat qui avait été mis par écrit, prenant le manuscrit des mains des secrétaires, y ajouta ce qu'il voulut, en enleva ce qu'il voulut, y changea ce qui lui parut bon : il l'exhibe partout sous notre nom, nous insultant et montrant ce que lui-même avait écrit. Indignés de cela les frères de Palestine m'envoyèrent à Athènes un homme pour recevoir de moi les copies authentiques. Mais je n'avais jusque-là ni relu ni corrigé ce texte, car je l'avais laissé à l'abandon, de telle sorte que j'ai eu de la peine à le trouver. Je l'ai envoyé cependant et, Dieu m'en est témoin, quand je rencontrais celui qui avait dénaturé mon livre, je lui ai demandé pourquoi il avait agi ainsi et comme pour me satisfaire il répondit : " Parce que j'ai voulu embellir davantage la discussion et la corriger. " Il l'a corrigée comme Marcion et son successeur Apelle ont corrigé l'Evangile et l'Apôtre [72]. Car, comme ces derniers ont bouleversé la vérité des Ecritures, celui-là de même, enlevant ce qui avait été vraiment dit y inséra pour nous faire accuser des affirmations fausses. Mais bien que ce soit des hommes hérétiques et impies qui ont osé agir ainsi, ils auront cependant eux aussi Dieu pour juge ceux qui prêtent foi à de telles accusations contre nous. »

C'est donc un compte rendu de la discussion, truqué par l'interlocuteur, qui avait jeté le trouble contre Origène à Alexandrie, après l'annonce de l'ordination. Une des opinions ainsi prêtée au théologien était le salut final du diable contre lequel il proteste avant de raconter cette histoire.

Dans le chapitre suivant de l'*Apologie contre Rufin* [73] Jérôme dit avoir lu un dialogue entre Origène et un disciple de Valentin nommé Candide. Le premier point de la discussion concernait l'unité de nature entre le Père et le Fils et le second est le salut du diable. Jérôme le résume ainsi : « Candide affirme que le diable est d'une nature très mauvaise qui ne peut jamais être sauvée. A cela Origène répond avec raison que ce n'est pas à cause de sa substance que le diable est destiné à périr, mais qu'il est tombé à cause de sa volonté propre et qu'il pouvait être sauvé. A cause de cela Candide calomnie Origène en lui faisant dire que le diable est d'une nature qui doit être sauvée, alors qu'en fait Origène réfute la fausse objection de Candide. »

Pour comprendre cette discussion et l'approbation, à première vue assez étonnante, que Jérôme donne à la réponse d'Origène (*recte Origenes respondit*) il faut se placer dans la perspective prédestinatienne de la gnose valentinienne : il y en a qui sont sauvés, d'autres damnés, non par le choix de leur volonté, mais par suite de la nature avec laquelle ils ont été créés. Le diable, dit Candide, est d'une nature destinée à la damnation. Origène, le théologien par excellence du libre arbitre et l'adversaire constant des « hérétiques aux natures »,

---

72. Marcion qui est avec Valentin le principal hérésiarque du IIe siècle, avait en effet, conformément à sa doctrine séparant le Dieu Créateur, juste mais mauvais, du Père de Jésus-Christ, expurgé le Nouveau Testament de tout ce qui se rapportait à l'Ancien. Apelle est son disciple le plus connu.

73. II, 19.

répond que ce n'est pas la nature qui décide du salut ou de la damnation, mais le libre choix de la volonté qui accueille ou refuse la grâce. Le diable aurait pu être sauvé s'il ne s'était pas obstiné dans son opposition à Dieu. Mais Candide, comprenant Origène suivant ses propres schèmes, en conclut que pour son adversaire le diable est sauvé par nature.

Est-ce ce Candide qu'Origène a affronté à Athènes et le *Dialogue entre Origène et Candide* lu par Jérôme est-il le procès verbal de cette discussion, non celui qu'a dénaturé l'hérétique, mais celui qu'Origène a remis aux « frères de Palestine ». De part et d'autre il s'agit du salut du diable et on prête à Origène l'opinion que le diable sera sauvé, contre laquelle il proteste. Il est bien possible qu'il s'agisse des mêmes faits, mais dans ce cas on aurait souhaité que Jérôme ait fait davantage le lien entre la lettre d'Origène qu'il cite au chapitre 18 et la discussion avec Candide dont il parle au chapitre 19 : et ce n'est pas Jérôme, mais Rufin, qui reproduit la partie de la lettre narrant l'incident survenu à Athènes. L'identité de Candide avec l'hérétique rencontré dans cette ville peut paraître vraisemblable, mais n'est pas certaine.

Avant de continuer cette histoire nous reproduisons d'après la même lettre le récit de deux incidents semblables survenus avec un même hérétique, l'un à Ephèse, l'autre à Antioche, antérieurement à ce séjour à Athènes. Celui d'Antioche a pu avoir lieu quand Origène était dans cette ville l'hôte de Julia Mammaea. Nous n'avons pas d'autre mention d'un séjour d'Origène à Ephèse.

« Enfin à Ephèse un certain hérétique qui m'avait vu, mais n'avait pas voulu me rencontrer et n'avait même pas ouvert la bouche en ma présence, sans que je sache pourquoi il n'avait pas voulu le faire, écrivit ensuite sous mon nom et sous le sien une discussion comme il le voulut et l'envoya à ses disciples : j'ai appris qu'il l'avait envoyée à ceux qui étaient à Rome et je ne doute pas qu'il ne l'ait envoyée aussi à d'autres en divers lieux. Il m'attaquait aussi à Antioche avant mon arrivée dans cette ville et plusieurs des nôtres connurent la discussion qu'il apportait. Mais lorsque j'y fus je l'ai réfuté devant beaucoup d'assistants. Comme sans aucune honte il continuait à affirmer impudemment ses faussetés j'ai demandé que le livre soit apporté et que mon style soit reconnu par les frères qui savent assurément ce dont j'ai habitude de discuter et quelle est ma doctrine coutumière. Mais il n'osa pas apporter le livre et fut confondu et convaincu par tous de fausseté : et ainsi les frères furent persuadés de ne pas prêter l'oreille à ses accusations. »

Quand Origène revient à Alexandrie Démétrios réunit selon Photius reproduisant Pamphile un synode d'évêques et de prêtres pour statuer sur son cas. Ce synode décida qu'Origène devrait quitter Alexandrie et qu'il ne pourrait plus y habiter ni y enseigner, mais il ne le dépouilla pas de l'« honneur » du presbytérat. Cette première sentence, somme toute assez bénigne, revenait à dire : il a été ordonné par l'évêque de Césarée et non par celui d'Alexandrie, il ne peut exercer son ministère à Alexandrie. Mais cela ne satisfit pas Démétrios qui avec quelques évêques égyptiens déclara Origène déchu du sacerdoce. Le verbe employé par Photius, *apokèryttein,* signifie « repousser par proclamation publique ». Il exprime donc ici, semble-t-il, une déposition et non, comme l'indiquera plus tard le canon [16] de Nicée, que l'ordination conférée par Théoctiste ait été *akyros,* c'est-à-dire sans autorité, sans valeur. Suivant Jérôme cette sentence fut ratifiée par un synode romain : « Rome elle-même réunit un sénat contre cet homme », et, avec un peu d'emphase rhétorique, par « l'univers entier », avec cependant quatre exceptions notables, « les évêques de Palestine, Arabie, Phénicie et Achaïe », l'Achaïe étant le nom de la province formée par la Grèce. De fait Origène passera la seconde partie de sa vie à Césarée de Palestine, participera plusieurs fois à des synodes en Arabie (Jordanie), séjournera assez longuement une seconde fois à Athènes, mourra à Tyr en Phénicie qui possèdera son tombeau. Dans tous ces lieux il agira en prêtre. Dans le *De Viris Illustribus* Jérôme parlera sans retenue du comportement de Démétrios vis-à-vis d'Origène : il « s'est déchaîné (*debacchatus est*) avec une telle folie qu'il a écrit à son sujet à tout l'univers ».

La cause principale des mesures prises contre lui est certainement d'après Eusèbe [74] et Photius l'ordination reçue d'un évêque qui n'était pas le sien. Mais sa castration que, selon Eusèbe [75], Démétrios rendit alors publique, joua le rôle de motif secondaire, bien que seulement un siècle plus tard le canon 1 du concile de Nicée ait interdit d'ordonner quelqu'un

---

74. *HE* VI, XXIII, 4.   75. *HE* VI, VIII, 4.

qui s'était mutilé lui-même. Dans quelle mesure ont agi des motifs doctrinaux ? Contrairement à ce qui se dit souvent ces derniers ne sont invoqués par aucun des trois auteurs qui nous renseignent sur ces événements. Qu'ils aient joué un rôle n'est cependant pas impossible et nous en avons quelques indices : la réaction d'une partie du public alexandrin aux tentatives de réflexion sur le christianisme, telle que la manifestent déjà les *Stromates* de Clément ; certains arrangements intérieurs du *Traité des Principes* comme l'appendice de I, 4, 3-5 ou les chapitres III, 5 et III, 6 qui reprennent un sujet déjà traité, peut-être en vue de répondre à de fausses compréhensions ; le fragment du *Commentaire sur Jean* V conservé par la *Philocalie* où Origène s'excuse du reproche qu'on lui fait de trop écrire ; le fragment cité par Eusèbe [76] d'une lettre écrite pour justifier ses études philosophiques ; la *Lettre à des amis d'Alexandrie* déjà étudiée ; la lettre écrite par Origène au Pape Fabien selon Jérôme [77] pour s'excuser de ses audaces en disant que son mécène Ambroise a publié ce qui devait rester secret. Eusèbe accuse enfin Démétrios de jalousie envers son trop brillant catéchiste : « il éprouva des sentiments humains » [78]. Et Jérôme lui-même au temps de son enthousiasme pour Origène ne craint pas d'écrire que, si Rome réunit un sénat contre lui, ce ne fut pas « pour cause d'innovations dans le dogme, ni pour motif d'hérésie, comme affectent maintenant de le dire des chiens enragés, mais parce qu'ils ne pouvaient pas supporter l'éclat glorieux de son éloquence et de son savoir : quand il parlait, tous restaient muets » [79]. Quelques années plus tard Jérôme ne fera plus de semblables déclarations.

Peu de temps après qu'il eut ainsi fait condamner Origène Démétrios mourut après quarante-trois ans d'épiscopat et Héraclas lui fut donné pour successeur [80]. Origène aurait pu espérer du nouvel évêque qu'il avait converti, instruit, pris comme collaborateur, un traitement plus indulgent. Il n'en fut rien. Dans un petit écrit intitulé *Dix questions avec leurs réponses* [81], à la question 9, Photius rapporte que, selon une tradition dont il n'indique pas la source, Origène, après avoir

76. *HE* VI, XIX, 12-14.
77. *Lettre 84* à Pammachius et Oceanus § 10 : *CUFr* IV.
78. VI, VIII, 4.   79. *Lettre 33* à Paula, § 5 : *CUFr* II.
80. *HE* VI, XXVI.   81. *PG* 104.

quitté Alexandrie pour aller en Syrie (en fait la Palestine) s'arrêta dans une ville du Delta nommé Thmuis où il fut reçu par l'évêque Ammonios qui le fit prêcher dans l'église. Mais l'apprenant Héraclas accourut à Thmuis et, s'il ne déposa pas complètement Ammonios, il lui donna un collaborateur, Philippe, pour exercer avec lui les fonctions épiscopales.

Origène à Césarée

« Quand Origène fut banni d'Alexandrie Théotecne (lisons : Théoctiste), évêque de Palestine, l'admit volontiers à séjourner à Césarée et lui laissa toute liberté pour enseigner. »

Ainsi parle Photius reproduisant Pamphile. Césarée sera donc le domicile habituel d'Origène pendant la seconde partie de sa vie, nonobstant de nombreux voyages. Aux activités qu'il exerçait déjà à Alexandrie, l'enseignement et la composition de ses ouvrages, il ajoutera une activité proprement sacerdotale, la prédication. On ne peut dire que son sacerdoce entraîna un approfondissement de la dimension spirituelle de ses écrits car elle est déjà nettement affirmée dans ceux de la période alexandrine. Mais les préoccupations pastorales apparaissent et se renforcent pendant la seconde moitié de sa vie, son sacerdoce et sa prédication le mettant en contact, non seulement avec les intellectuels qu'il fréquente toujours, mais aussi avec l'ensemble de la population chrétienne.

Dans le préambule au tome VI du *Commentaire sur Jean* [82], le premier écrit qu'il composa à Césarée dès qu'il put se remettre au travail, Origène, qui habituellement ne parle jamais de lui, laisse percer l'amertume que lui ont causée les événements récents d'Alexandrie. Comme le peuple hébreu au temps de l'Exode il a été tiré d'Egypte par le Seigneur. Face à la « guerre très cruelle » qui lui était faite et « faisait lever » contre lui « tous les vents de la perversité de l'Egypte » il a essayé de garder le cœur calme pour empêcher des pensées vicieuses d'introduire la tempête dans son âme. Maintenant Dieu a éteint les nombreux traits enflammés contre lui, son âme s'est habituée au malheur et supporte avec résignation les complots dont il est l'objet. Il peut donc se remettre à la

---

82. II, 8-10, traduction C. Blanc.

composition du commentaire que les événements d'Alexandrie ont interrompue.

Ce sixième tome avait été commencé à Alexandrie. Origène le reprend à Césarée quand il a retrouvé le calme et que les tachygraphes qu'Ambroise entretenait auprès de lui l'ont enfin rejoint, avec probablement copistes et calligraphes. En ce qui concerne la production littéraire la période césaréenne sera plus féconde encore que l'alexandrine : nous l'étudierons dans le chapitre qui suit.

Sur l'activité professorale d'Origène à Césarée nous avons une documentation de valeur exceptionnelle et de première main, le *Discours de Remerciement* prononcé au moment de son départ après cinq ans d'études par un étudiant qui allait devenir un des saints les plus vénérés de l'Orient, Grégoire le Thaumaturge. D'après le discours lui-même, peu de temps après la venue d'Origène à Césarée [83], arrivèrent dans la même ville deux jeunes gens, deux frères, venant d'un pays éloigné sur les rives de la Mer Noire, le Pont, et probablement de la ville de Néocésarée. Ils accompagnaient leur sœur pour la mener à leur beau-frère, conseiller juridique du gouverneur de Palestine, dans l'intention de se rendre ensuite à Beyrouth pour parfaire dans la célèbre école de droit de cette ville — dont le discours contient la première mention connue [84] — les études juridiques qu'ils avaient commencées dans leur patrie. L'un s'appelait selon Eusèbe [85] Théodore, mais prendra, probablement à son baptême, par dévotion envers son ange gardien dont il est plusieurs fois question dans le discours, le nom de Grégoire dont il est le premier titulaire connu : *Gregorios* signifie en effet celui qui appartient au *Gregoros,* le « Veilleur », dont parle Daniel 4, 10. L'autre s'appelait Athénodore.

Ils étaient nés dans une famille païenne et avaient perdu leur père de bonne heure. La première rencontre de Grégoire avec le christianisme eut lieu à l'âge de quatorze ans, mais il est possible qu'il ne fût pas encore baptisé lorsqu'il vint à Césarée. Dans cette ville les deux frères rencontrèrent Origène qui venait de s'y installer et après une certaine résistance tombèrent sous le charme de sa parole et se décidèrent à se mettre à son école, renonçant à Beyrouth. A la fin de la première partie du discours [86] Grégoire décrit en termes émus et

83. V, 63.   84. V, 62.   85. *HE* VI, XXX.   86. VI, 73-92.

émouvants la fascination qu'exerçait sur eux la parole du Maître leur parlant du Verbe et l'affection réciproque qui s'établit alors entre eux et lui :

> « Telle une étincelle lancée au milieu de nos âmes, voici que s'allumait et s'embrasait en nous l'amour du Verbe sacré, tout aimable, qui par son ineffable beauté attire à lui tous les hommes, et l'amour de cet homme, son ami et son interprète. Profondément blessé par cet amour, je me laissai persuader de négliger toutes les affaires et études qui semblaient nous convenir, entre autres mes belles lois elles-mêmes, ma patrie et mes parents, ceux d'ici, pour qui nous étions partis. Une seule chose m'était chère et aimée, la philosophie, et son guide, cet homme divin. » [87]

Les parents dont il est question, « ceux d'ici », sont la sœur et le beau-frère pour qui ils sont venus à Césarée : la résolution de rester à l'école d'Origène les aura probablement brouillés avec le haut fonctionnaire païen. Quant à la « philosophie » dont il s'agit ici, elle ne désigne pas la philosophie grecque dont parlera la suite du discours, mais conformément à l'éloge de la philosophie qui précède ce passage [88] et suivant un usage fréquent chez les chrétiens de l'époque et le monachisme oriental qui suivra, la vie morale et ascétique, du chrétien comme du païen.

La seconde partie du discours décrit le programme de l'enseignement d'Origène. Il commence par des exercices logiques et dialectiques menés — cela est dit explicitement — à la manière socratique [89]. Origène enseignait ensuite les sciences de la nature dans un but éminemment religieux : il manifestait à ses élèves l'action de la Providence [90]. Puis Grégoire s'étend longuement sur l'étude de la morale, centrée sur les quatre vertus cardinales : Origène était soucieux de former à la pratique autant qu'à la théorie [91]. Enfin l'enseignement suprême était celui de la théologie. Il commençait par des prélections faites par le maître de textes de philosophes et de poètes païens parlant de Dieu : des philosophes de toute école, à l'exception des athées. Origène voulait ainsi écarter de ses élèves l'esprit systématique qui ferme l'intelligence du philosophe à ce que disent les autres. Dieu seul a droit à

87. VI, 83-84.   88. VI, 75-80.   89. VII, 93-108, cf. 97.
90. VIII, 109-114.   91. IX-XII, 115-149.

l'attachement inconditionnel des hommes et c'est pourquoi l'étude des philosophes [92] est pour Origène un prélude à celle de l'Ecriture [93] qui couronne tout cet enseignement.

Une péroraison pathétique termine le discours [94]. A grand renfort de citations bibliques l'auteur exprime la douleur de l'adieu et surtout pleure la vie quasiment monastique qu'il menait avec Origène et ses condisciples :

> « Là, jour et nuit, retentissent les lois sacrées, les hymnes, les chants et les entretiens mystiques : une lumière pareille à celle du soleil y brille continuellement. Le jour, en réalité, nous vivions dans la familiarité des mystères de Dieu et, la nuit, nous nous attachions aux souvenirs de ce que notre âme avait vu et fait pendant le jour. Et, en un mot, l'inspiration divine y possède tout. » [95]

Et plus haut :

> « Je quitte la bonne terre, où j'ignorais pendant longtemps que fût ma vraie patrie, mes parents que j'ai trop tard connus comme les familiers de mon âme, et la maison de notre vrai père, dans laquelle il demeure, entouré de vénération et d'honneur par ses vrais fils qui veulent bien rester l. » [96]

Deux fragments de lettres semblent montrer en effet qu'Origène menait une vie commune avec Ambroise et avec ses disciples. Dans le premier, conservé par le chroniqueur byzantin Georges Kédrénos [97], Origène se plaint doucement de la vie de travail continuel que lui fait vivre Ambroise : tout le jour et une partie de la nuit se passent à collationner et à corriger les textes et Origène termine en parlant du travail du matin qui va « jusqu'à la neuvième heure et quelquefois jusqu'à la dixième », c'est-à-dire jusqu'à trois ou quatre heures de l'après-midi.

> « Tous ceux qui veulent travailler consacrent ce temps à l'examen des paroles divines et aux lectures. » D'après un autre fragment provenant d'une lettre qu'Ambroise avait écrit d'Athènes à Origène et cité par Jérôme dans la *Lettre 43 à Marcella* l'auteur rapporte « qu'il n'a jamais pris de nourriture en présence d'Origène sans lecture : qu'il n'est jamais allé

---

92. XIII-XIV, 150-173.   93. XV, 173-183.   94. XVI-XIX, 184-207.
95. XVI, 196-197.   96. XVI, 189.   97. *PG* 121, 485 BC.

dormir avant que l'un des frères ne fasse entendre les lettres sacrées ; qu'il a ainsi agi jour et nuit, de sorte que la lecture succédait à l'oraison et l'oraison à la lecture. »

Il faut encore étudier à propos du *Remerciement* deux points : les caractéristiques propres de l'enseignement donné à Césarée ; l'idée que Grégoire donne de son maître. Il n'est pas juste de désigner l'école d'Origène à Césarée comme une « école catéchétique », encore moins comme une Faculté de théologie. Si l'enseignement qui y est donné est orthodoxe par ce qu'il affirme et correspond par ce qu'il présente à celui qu'on trouve dans les œuvres mêmes de l'Alexandrin, il comporte des omissions importantes et à première vue éton-nantes. Il lui manque presque tout ce qui est particulier au Christianisme dont il ne reproduit que les doctrines suscepti-bles d'être énoncées en termes philosophiques. Par exemple, si le passage consacré au Verbe dans la première partie [98] exprime très exactement à propos des rapports du Père et du Fils la doctrine trinitaire avec toutes ses nuances il n'est jamais question de l'Incarnation ni des noms de Christ et de Jésus : il n'y a là qu'un aspect de la christologie d'Origène qui donne toute sa place à l'Incarnation et manifeste envers le nom de Jésus une dévotion si affective. A la suite de A. Knauber [99] nous pensons que l'Ecole de Césarée serait plutôt une sorte d'école missionnaire s'adressant à de jeunes païens sympathisants au Christianisme, mais non nécessaire-ment décidés à demander le baptême : Origène les introduisait ainsi à la doctrine chrétienne à partir d'un enseignement phi-losophique, surtout inspiré par le Moyen Platonisme, dont il leur présentait une version chrétienne. Si ses élèves plus tard demandaient à devenir chrétiens ils avaient alors à recevoir l'enseignement catéchétique proprement dit.

Mais le didascalée de Césarée est surtout une école de vie intérieure : tout son enseignement aboutit au spirituel. Il est frappant de constater que ce que Grégoire admire le plus chez Origène, ce n'est pas l'érudit universel ou le profond spéculatif, mais l'homme de Dieu et le maître des âmes. Il lui

---

98. IV, 35-39.
99. « Das Anliegen der Schule des Origenes zu Cäsarea », *Münchener Theologische Zeitschrift* 19, 1968, 182-203. Voir à ce sujet notre étude « L'Ecole d'Origène à Césarée », *Bulletin de Littérature Ecclésiastique* 71, 1970, 15-27.

paraît très avancé dans la voie du progrès spirituel qui mène à l'assimilation à Dieu [100], tellement qu'il n'a plus pour le guider un ange ordinaire, mais déjà peut-être l'Ange du Grand Conseil lui-même [101], c'est-à-dire le Verbe. Il a reçu de Dieu des charismes extraordinaires : il sait parler de Dieu, il est l'« avocat » ou le « héraut » du Verbe [102] et des vertus [103], le « guide » de la philosophie en son sens moral et religieux [104]. Il possède à un degré unique le charisme de l'exégète, analogue à celui de l'auteur inspiré : il sait être l'« auditeur » de Dieu : « Cet homme a reçu de Dieu le plus grand don et du ciel la plus belle part : il est l'interprète des paroles de Dieu auprès des hommes, il comprend les choses de Dieu comme si Dieu lui parlait et il les explique aux hommes afin qu'ils les entendent [105]. » Parmi tous les biens qu'il a reçus de Dieu, il possède le plus grand, « le Maître de piété, le Verbe salutaire » [106]. Chez lui le Verbe pénètre les pieds nus, non chaussé d'un langage énigmatique [107]. Il enseigne les vertus par des paroles sages et contraignantes [108], mais surtout par son exemple : il met ses leçons en pratique, s'efforçant de s'assimiler à l'idéal qu'elles décrivent ; présentant à ses élèves un modèle de toutes les vertus, il les leur fait aimer. [109]

Dieu lui a donné le don de convaincre et c'est ainsi qu'il a vaincu au début la résistance des deux frères. Ses paroles les perçaient comme des « flèches » : il y avait en elles « un mélange de grâce et de douceur, de persuasion et de contrainte » [110]. Cette idée de « contrainte » revient constamment dans le discours, avec, la plupart du temps, une expression atténuante indiquant que Grégoire désigne par là sa puissance persuasive. C'était un « ensorcellement ». Aussi le jour de leur première entrevue « fut vraiment pour moi le premier jour, le plus précieux de tous, s'il faut ainsi parler, celui où pour la première fois le vrai soleil commença à se lever devant moi » [111]. Selon le vocabulaire du maître le Vrai Soleil, le Soleil de Justice, c'est le Verbe qu'à travers Origène les deux frères rencontraient.

Nous avons dit plus haut que la prédication est la seule activité proprement sacerdotale d'Origène qui puisse être

100. II, 10-13.   101. IV, 42 : *Is* 9, 6 selon les Septante.
102. VI, 82-83 ; XV, 176.   103. XII, 147.   104. VI, 84.
105. XV, 181.   106. VI, 82.   107. II, 18.   108. IX, 117.
109. XI, 135-138.   110. VI, 78.   111. VI, 73.

mentionnée : les autres n'ont pas laissé de traces dans l'histoire. Nous possédons en effet de lui presque trois cents homélies, chiffre considérable si nous songeons au tout petit nombre d'homélies antérieures aux siennes qui nous sont parvenues : l'homélie dite seconde lettre de Clément de Rome ; l'homélie sur la Pâque de Méliton de Sardes, l'homélie de Clément d'Alexandrie *Quis dives salvetur*, le *De Antichristo* et quelques fragments d'Hippolyte. Les homélies d'Origène sont des sermons sur l'Ecriture dont le texte est expliqué verset par verset, sans ombre de rhétorique d'école.

Un texte d'Eusèbe [112] a soulevé des interprétations divergentes : « On dit qu'Origène, arrivé à plus de soixante ans et ayant acquis par suite de sa longue préparation une très grande habitude, permit à des tachygraphes de noter les entretiens (*dialexeis*) prononcés par lui en public, alors que jamais auparavant il ne l'avait autorisé. »

En quoi consistent ces *dialexeis* ? L'opinion commune y voit les homélies car le mot grec *homilia* dont nous avons fait homélie signifie un « entretien familier ». Les sermons des premiers chrétiens commentant l'Ecriture ont reçu cette appellation pour exprimer la simplicité de leur diction, l'absence de rhétorique. On a cependant donné à ce texte plusieurs significations. Certains ont voulu y voir l'ensemble de l'œuvre d'Origène que ce dernier n'aurait pas écrite pour être publiée et qui l'aurait été par Ambroise à son insu : ils s'appuient sur la lettre envoyée par Origène au Pape Fabien qu'ils entendent de l'ensemble de l'œuvre et non, comme cela est vraisemblable, du seul *Traité des Principes*. Cette opinion est invraisemblable, d'abord parce qu'il s'agit ici de *dialexeis*, mot qui ne peut s'appliquer à des œuvres composées comme les commentaires, et parce que toute l'histoire d'Origène par Eusèbe montre qu'il a écrit ses ouvrages pour qu'ils soient publiés par tout le personnel qu'Ambroise entretenait auprès de lui.

On a voulu aussi restreindre ces *dialexeis* à des entretiens semblables à l'*Entretien avec Héraclide* trouvé à Toura, dont nous parlerons bientôt, en excluant les homélies. Mais ces « entretiens prononcés par lui devant le public » [113] on les retrouve quand Eusèbe rapporte que Théoctiste et Alexandre firent prêcher à l'église Origène encore laïc et que Démétrios protesta. L'historien emploie pour cela le verbe *dialegesthai*,

112. *HE* VI, XXXVI, 1.   113. *HE* VI, XIX, 16.

de même racine que *dialexis* et l'interprète par « expliquer les divines Ecritures en public ». Dans la lettre où les deux évêques refusent les protestations de Démétrios sont appliqués à la même action les verbes *homilein* et *prosomilein,* de la même racine que *homilia* : il s'agit donc bien des homélies.

D'ailleurs l'information d'Eusèbe se comprend facilement s'il s'agit des homélies, commentaires d'Ecriture faits devant l'assemblée des fidèles et parfois, nous allons le voir, improvisés, Origène ne sachant pas toujours d'avance quel est le texte qui sera lu dans la liturgie de la parole et sur lequel il devra parler. Ce n'est qu'à l'âge de soixante ans qu'il jugea que sa connaissance et sa méditation des Ecritures lui donnaient suffisamment de sécurité pour qu'il puisse faire sténographier ses homélies en vue de la publication au moment même où elles étaient prononcées. Nous pouvons en déduire que le plus grand nombre des homélies qui nous sont parvenues ont été prononcées après 245. Pas toutes cependant : les *Homélies sur Luc* par exemple semblent antérieures à cette date et paraissent avoir été prononcées au début du séjour à Césarée. Mais elles sont d'une facture différente des autres et beaucoup plus courtes : elles ont peut-être été écrites par Origène avant ou après avoir été prêchées.

La célèbre homélie sur Saül chez la nécromancienne d'Endor [114] qui fut durement critiquée au début du IVe siècle par Eustathe d'Antioche et nous est parvenue en grec conserve au début un intéressant dialogue entre Origène et l'évêque qui montre que le sermon fut complètement improvisé, Origène n'ayant pu savoir auparavant sur quel texte il devait prêcher. Origène déclare qu'on a lu quatre passages scripturaires et qu'il ne peut commenter les quatre : nous sommes dans le contexte de la liturgie de la parole précédant la liturgie eucharistique. Alors il demande à l'évêque de désigner le passage sur lequel il doit parler et l'évêque indique celui sur la nécromancienne. Sans un instant de répit Origène commence à expliquer le passage dans une homélie riche de substance théologique.

La plupart des homélies ont dû être prêchées à Césarée de Palestine. Cependant nous pouvons affirmer que l'homélie sur la naissance de Samuel [115] le fut à Jérusalem devant l'évêque

114. *1 R (1 S)*, 28 : l'homélie en *GCS* III.
115. *1 R (1 S)*, 1 : l'homélie en *GCS* VIII.

Alexandre, car Origène dit : « Ne cherchez pas en nous ce que vous avez dans le Pape Alexandre, nous reconnaissons qu'il nous dépasse tous par la grâce de douceur » et un peu plus loin : « Nous avons dit cela en introduction parce que je sais que vous avez l'habitude d'écouter toujours les doux sermons de votre père très tendre. [116] » *Papa,* en grec *Papas,* est à l'époque l'appellation commune des évêques.

Plusieurs voyages d'Origène sont encore à signaler pendant cette seconde période. Firmilien évêque de Césarée de Cappadoce, le fit venir dans son pays « pour l'utilité des Eglises » avant d'aller lui-même passer un certain temps « auprès de lui en Judée... pour se perfectionner dans les choses divines » [117]. Nous avons vu plus haut les difficultés que présente l'opinion habituelle qui confond ce séjour d'Origène en Cappadoce avec celui chez la vierge Julienne au moment du « soulèvement des Grecs » interprété comme la persécution de Maximin le Thrace. Eusèbe [118] signale, sans donner de date précise sinon le règne de Gordien III (238-244) un second séjour à Athènes qui dut être d'une certaine durée, au moins plusieurs mois, puisque Origène « y achève les livres sur Ezéchiel et y commence ceux sur le Cantique des Cantiques qu'il y poursuit jusqu'au cinquième livre ». Puis « étant revenu à Césarée il les mène jusqu'à leur terme, c'est-à-dire jusqu'au dixième livre ». Un voyage à Nicomédie, la future capitale de Dioclétien, près de la rive asiatique de la Mer de Marmara, est attesté par la finale [119] de la longue lettre écrite à Julius Africanus [120] pour répondre à ses objections sur l'authenticité et la canonicité de l'histoire de Suzanne dans le Daniel grec : Eusèbe en parle avant de mentionner la fin du règne de Gordien III, donc avant 244. C'est en effet de cette ville que la lettre est envoyée. Dans la salutation qui la termine il est question d'Ambroise qui a corrigé la lettre, de sa femme Marcelle et de ses enfants : des enfants d'Ambroise parle aussi l'*Exhortation au Martyre* [121] qui lui est adressée, mais le nom donné par la lettre à sa femme empêche de voir la femme d'Ambroise dans la Tatianè (Tatienne) à qui est dédié, ainsi qu'à Ambroise, le *Traité de la Prière* [122], à moins qu'elle n'ait porté deux noms. S'il est vrai, comme le dit Jérôme [123], qu'Am-

116. § 1.   117. *HE* VI, XXVII.   118. *HE* VI, XXXII, 2.
119. § 15.   120. *SC* 302.   121. § XIV (*GCS* I).   122. II, 1 (*GCS* II).
123. *VirIll* **LVI.**

broise fut diacre, il n'aurait pu s'être marié deux fois, car Origène atteste à plusieurs reprises [124] la « loi de monogamie » qui interdit d'élever au diaconat, au presbytérat et à l'épisco- pat des remariés et qui empêche pareillement diacres, prêtres et évêques de se remarier s'ils deviennent veufs. Enfin si on ne doit pas voir dans l'Origène dont parle la *Vie de Plotin* de Porphyre un autre personnage que le théologien chrétien il faut supposer un autre voyage, non mentionné par Eusèbe, pour expliquer la visite qu'il fit à l'école de son condisci- ple [125] : cette rencontre devrait alors trouver place soit à Antioche soit à Rome lorsque Plotin après la défaite et la mort de Gordien III, dont il suivait l'armée dans la campa- gne contre les Perses, séjourna un temps dans cette première ville puis s'installa dans la seconde [126].

Trois autres déplacements correspondent à des missions de défense de la foi. La première eut lieu auprès de Bérylle, évê- que de Bostra dans le Hauran, capitale de la province romaine d'Arabie, pays où Origène était déjà allé dans la période alexandrine de sa vie, appelé par le gouverneur. Eusèbe [127] qui en parle aussi avant de mentionner la fin du règne de Gordien III, donc avant 244, attribue à Bérylle une doctrine qui tenait à la fois du modalisme et de l'adoptianisme : pour sauvegarder l'unité divine la première faisait du Père, du Fils et de l'Esprit trois modes d'être d'une unique personne divine et la seconde considérait le Fils comme un homme adopté par Dieu. Bérylle soutenait que « notre Seigneur et Sauveur n'avait pas préexisté selon un propre mode d'être avant son habita- tion parmi les hommes et qu'il ne possédait pas une divinité propre, mais seulement celle du Père qui habitait en lui ». Bien des évêques eurent des entretiens avec Bérylle dans un synode tenu dans sa propre Eglise et ils y convoquèrent Origène qui réussit à ramener Bérylle à une opinion plus orthodoxe. Eu- sèbe mentionne les écrits de Bérylle — « des lettres et diffé- rents recueils d'écrits » [128] — et les Actes du synode conte- nant son dialogue avec Origène.

Une seconde mission, pareillement en Arabie, mise en rela- tion avec le règne de Philippe l'Arabe, originaire de ce pays, entre 244 et 249, visait l'opinion de certains chrétiens connus

---

124. *HomLc* XVII, 10 ; *ComMt* XIV, 22. (*GCS* X).
125. § 14 : éd. Bréhier *CUFr* I.   126. § 3 : éd. Bréhier *CUFr* I.
127. *HE* VI, XXXIII, cf. VI, XX, 2.   128. *HE* VI, XX, 2.

sous le nom de Thnètopsychites, c'est-à-dire de gens soutenant que l'âme est mortelle : « Ils disaient que l'âme humaine dans la conjoncture présente meurt avec les corps, au moment du trépas, et qu'elle est corrompue avec eux, mais qu'un jour, au temps de la résurrection, elle revivra avec eux. [129] » Là aussi un concile fut rassemblé, Origène convoqué et les opposants convertis à l'orthodoxie.

La troisième mission n'est pas sans rapport avec les deux précédentes en ce qui concerne les opinions dont il fut débattu. Elle est attestée par l'*Entretien d'Origène avec Héraclide et les évêques ses collègues sur le Père, le Fils et l'âme* [130], procès verbal partiel d'un synode analogue aux précédents dont on ignore le temps et le lieu. Mais la parenté des doctrines qui y sont discutées avec celles de ces derniers a fait penser aussi à l'Arabie romaine et à la même période. Ce texte a été découvert dans un lot de papyrus contenant des écrits d'Origène et de Didyme l'Aveugle, chef du Didascalée d'Alexandrie au IVe siècle. Il fut trouvé à Toura près du Caire en 1941 dans une ancienne carrière que l'armée anglaise aménageait en dépôt de munitions. Il semble y avoir été déposé par les moines d'un couvent voisin, dit de saint Arsène, après la condamnation attribuée au 5e concile œcuménique, Constantinople II.

Les opinions de l'évêque Héraclide étant suspectes à ses collègues, ces derniers se réunissent dans la ville épiscopale d'Héraclide, en présence du peuple chrétien de la cité, avec Origène convoqué pour diriger les débats. La phrase initiale dit que les évêques présents ont soulevé le problème de la foi d'Héraclide, ont fait leurs remarques et posé leurs questions. Héraclide fait alors une profession de foi orthodoxe, mais vraisemblablement pas assez précise sur certains points. Origène, respectueusement, mais fermement, soumet alors le « pape » Héraclide à un interrogatoire serré pour obtenir de lui des affirmations claires sur les points contestés. Il s'agit de la préexistence divine du Christ, de sa distinction d'avec le Père et en même temps de leur unité, de la double nature du Fils, Dieu et homme. Puis Origène développe cette unité et dualité du Père et du Fils et s'élève contre le modalisme et l'adoptianisme. Des autres sujets que traite Origène dans la suite mentionnons seulement, comme proche de la doctrine des Thnètopsychites, sans cependant se confondre avec elle,

129. *HE* VI, XXXVII.   130. *SC* 67.

la question posée par un certain Denys : « Est-ce que l'âme est le sang ? » et la réponse d'Origène :

> « Il est venu à mes oreilles, et j'en parle en connaissance de cause, qu'il y a ici, et dans les environs, des gens qui croient qu'après avoir quitté cette vie, l'âme est privée de sensibilité et reste dans le tombeau, dans le corps. » [131]

Cette opinion ressurgira à plusieurs reprises dans les premiers siècles. Le canon 34 du concile d'Elvire, au début du IVe siècle, interdit d'allumer des cierges pendant le jour dans les cimetières de peur d'« inquiéter les esprits des saints ». Au début du Ve siècle Vigilance de Calagurris (Saint-Martory en Comminges) soutenait des opinions semblables d'après le *Contre Vigilance* de Jérôme et la *Passion de saint Saturnin*, écrite à la même époque et dans le même pays, rapporte les scrupules de l'évêque Exupère de Toulouse au moment de transférer les reliques de l'évêque-martyr dans la basilique qu'il venait de construire : il avait peur de troubler le repos du saint et fut rassuré par un songe. Dans la suite de l'*Entretien d'Origène avec Héraclide* une question correspondant à la doctrine des Thnètopsychites lui est directement posée [132] : « L'évêque Philippe étant entré, Démétrios, un autre évêque lui dit : Notre frère Origène enseigne que l'âme est immortelle. » Cette réflexion manifestant un certain étonnement, il faut en conclure que l'immortalité de l'âme n'allait pas alors de soi, même pour des évêques.

Le suprême témoignage et la mort

Origène avait échappé aux deux premières persécutions de son existence : celle de Septime Sévère qui n'épargna pas son père et dans la suite plusieurs de ses disciples, celle de Maximin le Thrace où Ambroise, son mécène, fut inquiété. Origène lui adressa, ainsi qu'au prêtre Protoctète, son *Exhortation au Martyre*. Ambroise survécut, puisque c'est lui qui, quelques années plus tard demandera à Origène de réfuter le *Discours Véridique* de Celse et le *Contre Celse* lui sera dédié. Mais Origène n'échappa pas à la persécution de Dèce que

---

131. § 10 : trad. J. Schérer.   132. § 24 : trad. J. Schérer.

nous avons déjà présentée comme la première persécution qui fut vraiment universelle. Elle est surtout connue pour l'Occident par la correspondance de Cyprien de Carthage, pour l'Orient par celle de Denys d'Alexandrie que conserve Eusèbe. Denys, qui avait été élève d'Origène au Didascalée fut le successeur d'Héraclas comme directeur du Didascalée, puis comme évêque d'Alexandrie à partir de 247/248. Comme la paix dont l'Eglise avait joui sous Philippe l'Arabe avait attiré de nombreuses conversions, de gens encore trop peu préparés pour supporter cette épreuve — dans des homélies prêchées à cette époque Origène se lamente sur la baisse de niveau moral que cet afflux produisait —, il y eut de nombreuses apostasies, souvent plus de bouche que de cœur, et les évêques se trouvèrent ensuite affrontés, pour la première fois avec une telle ampleur, aux problèmes posés par la réconciliation des apostats.

Alexandre de Jérusalem meurt en prison à Césarée [133]. Origène lui-même est emprisonné et, à plusieurs reprises, torturé :

> « Quelles et combien grandes furent les souffrances d'Origène durant la persécution, comment il en trouva le terme, alors que le méchant démon avec toute son armée s'attaquait à l'envi à cet homme et luttait contre lui avec toutes ses machinations et sa puissance, de préférence à tous ceux à qui il faisait alors la guerre, en s'attaquant spécialement à lui ; quels et combien grands furent les supplices que cet homme supporta pour la parole du Christ, chaînes et tortures, supplices sur le corps, supplices par le feu, supplices dans les profondeurs des prisons ; combien pendant un très grand nombre de jours, il eut les pieds mis aux ceps jusqu'au quatrième trou et fut menacé du feu ; toutes les autres épreuves qui lui furent infligées par ses ennemis, avec quel courage il les supporta, quelle fut pour lui l'issue de tout cela, alors que le juge s'efforçait de tout son pouvoir, avec zèle, de ne pas lui ôter la vie ; combien, après cela, il laissa de paroles pleines, elles aussi, d'utilité, pour ceux qui avaient besoin d'être réconfortés, les très nombreuses lettres de cet homme le renferment d'une façon à la fois véridique et exacte. » [134]

Photius, rendant compte de l'*Apologie pour Origène* de

133. *HE* VI, XXXIX, 2.
134. *HE* VI, XXXIX, 4 : traduction G. Bardy.

Pamphile [135], témoigne de deux traditions concernant la mort d'Origène. Selon la première, « il termina sa vie dans un martyre illustre à Césarée même au temps où Dèce ne respirait que cruauté contre les chrétiens » : il serait donc mort pendant la persécution. La seconde est celle qui est attestée par Eusèbe : « Il vécut jusqu'à l'époque de Gallus et de Volusien », ce qu'Eusèbe rapporte au début du livre VII [136] ; « il mourut et fut enterré à Tyr dans sa soixante-neuvième année ». Et Photius ajoute : « cette version est plus vraie, si du moins les lettres postérieures à la persécution de Dèce que nous avons de lui ne sont pas des faux ».

Ce sont donc les lettres écrites par Origène après la persécution, conservées probablement comme l'ensemble des lettres d'Origène dans la bibliothèque de Césarée, qui ont montré à Eusèbe et à Photius qu'Origène avait survécu à la persécution, ayant été remis en liberté à la mort de l'empereur persécuteur. Le juge ne veut pas le mettre à mort, désirant obtenir du chrétien le plus célèbre de l'époque une apostasie qui aurait eu un grand retentissement. Qu'il n'ait pas apostasié, les lettres qu'il écrivit après sa libération le montrent, car il n'aurait pas dans ce cas écrit en elles « des paroles pleines elles aussi d'utilité, pour ceux qui avaient besoin d'être réconfortés » Dans la notice de Photius, qui n'est guère favorable à Origène, il n'est pas question non plus d'une apostasie, mais un léger doute, non motivé, est élevé sur l'authenticité des lettres.

Jérôme atteste de son côté qu'Origène est mort et a été enterré à Tyr [137]. Sur son tombeau, encore visible au XIIIᵉ siècle, Dom Delarue donne dans une des notes qu'il a ajoutées aux *Origeniana* de Huet [138] une liste assez longue d'auteurs médiévaux qui en parlent et les résume ainsi : « A partir de tous ces écrivains on peut comprendre qu'Origène fut enseveli dans le mur de la cathédrale de Tyr dite du Saint Sépulcre : son nom et une épitaphe gravée sur une colonne de marbre et ornée d'or et de pierres précieuses pouvaient être lus encore en l'année 1283. » Evidemment, ce n'est pas là que le corps d'Origène fut déposé d'abord, puisque l'église ne devait pas encore exister. Il s'agit peut-être de la cathédrale dont la dédicace fut l'occasion d'un sermon célèbre d'Eusèbe de Césarée [139].

135. *Bibl* 118, 92 b : trad. R. Henry (*CUFr* II).   136. *HE* VII, 1.
137. *VirIll* 54 ; *Lettre 84* à Pammachius et Oceanus § 7.
138. Cf. *PG* 17, 696, note 48.   139. *HE* X, IV, 1-72.

Eusèbe mentionne une lettre de Denys, évêque d'Alexandrie à Origène *Sur le martyre* [140], probablement une *Exhortation au martyre* adressée à son vieux maître quand celui-ci fut emprisonné. Ce témoignage de sympathie venant de son Eglise natale dont il était banni depuis dix-huit ans a dû lui être sensible. Un long fragment sur le récit de l'agonie de Jésus au Jardin des Oliviers d'après *Lc* 22, 42-48, présenté par un manuscrit du Vatican sous le titre « De Denys d'Alexandrie à Origène » serait tiré de cet écrit d'après Harnack, Bardenhewer et le récent traducteur de Denys en allemand W.A. Bienert [141]. L'éditeur anglais de Denys, Ch. L. Feltoe [142], hésite au contraire à attribuer ce passage à Denys malgré son titre et il semble qu'il faille lui donner raison car ce passage est encore conservé sous le nom d'autres auteurs. Une lettre de Denys à Origène est pareillement mentionnée par Photius [143], rendant compte du livre d'un certain Etienne Gobar dit le Trithéïte : c'est aussi le cas d'une lettre de condoléances envoyée par le même Denys après la mort d'Origène à Théoctiste de Césarée, que Photius confond à son habitude avec son second successeur Théotecne : or la mort de Théoctiste est mentionnée par Eusèbe sous le règne de Gallien après la captivité de son père Valérien en 260. Les deux lettres de Denys font d'après Photius l'éloge d'Origène.

Mais cette mort de confesseur de la foi et quasiment de martyr ne plaisait guère à certains de ceux qui, à la fin du IVᵉ siècle, pendant la première crise origéniste, le dénonçaient comme hérétique. Telle est l'origine des ragots confus qu'Epiphane de Salamine (ou Constantia) a mis en tête de l'hérésie 64 de son *Panarion* [144] — l'hérésie d'Origène —, prétendant qu'Origène avait apostasié pendant la persécution de Dèce et faisant suivre cet incident d'un certain nombre d'autres comme si cette persécution avait eu lieu bien avant la mort d'Origène. H. de Lubac [145] a analysé ce passage en en manifestant l'incohérence et les invraisemblances historiques.

---

140. *HE* VI, XLVI, 2.
141. *Dionysius von Alexandrien, Das erhaltene Werk* (Stuttgart 1972) pp. 95-102 et notes correspondantes pp. 122-123.
142. *The letters and other remains of Dionysius of Alexandria*, Cambridge 1904, pp. 229-250.
143. *Bibl* 232, 291 b : *CUFr* V.
144. §§ 1-5 (*GCS* Epiphane II).
145. *Exégèse Médiévale*, Première partie, I, Paris 1959, pp. 257-260.

Nous ne reprendrons pas cette démonstration. Nous souligne-rons seulement que Jérôme, devenu dans la seconde partie de sa vie après 393 un ennemi farouche d'Origène et un ami d'Epiphane, avec qui il collabore dans la mise en accusation de l'Alexandrin, non seulement ne fait nulle part écho à ce récit de l'évêque de Salamine, mais encore dans sa *Lettre 84 à Pammachius et Oceanus* [146] où il souligne impitoyablement les erreurs qu'il prête à Origène, respecte la vertu de sa vic-time jusqu'à écrire : « N'imitons pas les défauts de celui dont nous ne pouvons copier les vertus. » En dépit de toute sa rhé-torique il est invraisemblable que Jérôme se soit exprimé ainsi d'un homme qu'il aurait cru apostat. Or quand il écrivait la lettre 84 en 399 il ne pouvait ignorer le *Panarion* de son ami Epiphane, achevé vingt-deux ans auparavant en 377. Pareille-ment si Origène avait été notoirement un apostat comment aurait-il reçu dans la cathédrale de Tyr la sépulture que décrit Dom Delarue ? Mais la « légende de la chute », si elle est actuellement rejetée par tous les connaisseurs d'Origène n'en a pas moins au cours des âges pesé lourdement sur sa mé-moire. [147]

---

146. § 9 : *CUFr* IV.
147. Voir H. de LUBAC, *op. cit.*, p. 257 ss. ; et « La controverse sur le salut d'Origène à l'époque moderne », *Bulletin de Littérature Ecclésiasti-que* 83, 1982, 5-29, 83-110.

Chapitre deuxième

ŒUVRES D'ORIGÈNE

L'œuvre dans son ensemble

L'œuvre d'Origène a été considérable, peut-être a-t-il été l'écrivain le plus prolifique de l'antiquité. L'immensité de cette œuvre a été rendue possible par les moyens de travail qu'Ambroise avait mis à sa disposition. Pour donner une certaine idée de l'ensemble nous allons reproduire la liste que Jérôme a insérée dans sa *Lettre 33* adressée à Paula [1]. Négligée par les copistes des *Lettres* de Jérôme qui n'en transcrivaient que les premières lignes, elle a été retrouvée un peu avant le milieu du siècle dernier dans un manuscrit d'Arras par Sir Thomas Phillipps et figure depuis dans les éditions des *Lettres* de Jérôme. Nous reconstituons la fin, c'est-à-dire ce qui concerne la correspondance d'Origène selon les suggestions de P. Nautin [2] et nous traduisons comme il le fait le mot *excerpta* par scolies, genre littéraire dont nous verrons bientôt l'explication. Un livre ou tome représente la quantité de texte que comporte un rouleau de papyrus format standard. Quelque considérable que soit cette liste, représentant probablement les ouvrages que Jérôme a vus dans la bibliothèque de Césarée, elle n'est pas complète car n'y figurent pas plusieurs écrits que nous possédons et dont l'authenticité n'est pas dou-

1. *CUFr* II.
2. *Lettres et écrivains chrétiens des IIe et IIIe siècles* pp. 233-240.

teuse, et aussi plusieurs autres attestés par ceux que nous possédons. Voici la liste :

« Sur la Genèse 13 livres[3] ; Homélies mêlées 2 livres ; sur l'Exode scolies ; sur le Lévitique scolies ; Stromates 10 livres ; sur Isaïe 36 livres ; de même sur Isaïe scolies ; sur Osée au sujet d'Ephraïm 1 livre ; sur Osée commentaire ; sur Joël 2 livres ; sur Amos 6 livres ; sur Jonas 1 livre ; sur Michée 3 livres ; sur Nahum 2 livres ; sur Habacuc 3 livres ; sur Sophonie 2 livres ; sur Aggée 1 livre ; sur le début de Zacharie 2 livres ; sur Malachie 2 livres ; sur Ezéchiel 29 livres. Scolies sur les Psaumes du premier au quinzième[4] ; de même un livre sur chacun des psaumes[5] 1, 2, 3, 4, 5, 6, 7, 8, 9, 10, 11, 12, 13, 14, 15, 16, 20, 24, 29, 38, 40. Sur le psaume 43, 2 livres ; sur le psaume 44, 3 livres ; sur le psaume 45, 1 livre ; sur le psaume 46, 1 livre ; sur le psaume 50, 2 livres ; sur le psaume 51, 1 livre ; sur le psaume 52, 1 livre ; sur le psaume 53, 1 livre ; sur le psaume 57, 1 livre ; sur le psaume 58, 1 livre ; sur le psaume 59, 1 livre ; sur le psaume 62, 1 livre ; sur le psaume 63, 1 livre ; sur le psaume 64, 1 livre ; sur le psaume 65, 1 livre ; sur le psaume 68, 1 livre ; sur le psaume 70, 1 livre ; sur le psaume 71, 1 livre ; sur le début du psaume 72, 1 livre ; sur le psaume 103, 2 livres. Sur les Proverbes 3 livres ; sur l'Ecclésiaste des scolies ; sur le Cantique des Cantiques 10 livres et deux autres tomes qu'il écrivit dans sa jeunesse ; sur les Lamentations de Jérémie cinq tomes. De même les *Monobibla*[6] ; quatre livres *Sur les Principes*[7] ; deux livres *Sur la Résurrection* et deux autres sur la Résurrection qui sont des dialogues ; un livre sur certains problèmes des Proverbes ; le dialogue contre Candide le Valentinien ; un livre sur le martyre. »

« Du Nouveau Testament : Sur Matthieu 25 livres ; sur Jean 32 livres[8] ; scolies sur certaines parties de Jean, 1 livre ; sur Luc 15 livres ; sur l'épître de l'apôtre Paul aux Romains

---

3. Eusèbe en signale 12 : *HE* VI, XXIV, 2.

4. Peut-être faudrait-il lire « au vingt-cinquième » : cf. *infra* les listes d'Eusèbe.

5. Les psaumes sont désignés suivant la numérotation grecque, non suivant l'hébraïque.

6. Etymologiquement : Livres (ou Bible) seuls. Nous n'avons aucune idée de ce à quoi cela correspond.

7. Le fameux *Peri Archon* ou *De Principiis*.

8. 22 selon Eusèbe *HE* VI, XXIV, 1 : mais nous possédons les livres XXVIII et XXXII.

15 livres ; sur l'épître aux Galates 15 livres [9] ; sur l'épître aux Ephésiens 3 livres ; sur l'épître aux Philippiens 1 livre ; sur l'épître aux Colossiens 2 livres [10] ; sur la première épître aux Thessaloniciens 3 livres [11] ; sur la seconde épître aux Thessaloniciens 1 livre ; sur l'épître à Tite 1 livre ; sur l'épître à Philémon 1 livre. »

« De même homélies sur l'Ancien Testament : sur la Genèse 17 [12] ; sur l'Exode 8 [13] ; sur le Lévitique 11 [14] ; sur les Nombres 28 ; sur le Deutéronome 13 ; sur Jésus, fils de Navé (Josué) 26 ; sur le livre des Juges 9 ; sur la Pâque 8 ; sur le premier livre des Rois 4 [15] ; sur Job 22 ; sur les Proverbes 7 ; sur l'Ecclésiaste 8 ; sur le Cantique des Cantiques 2 ; sur Isaïe 32 ; sur Jérémie 14 [16] ; sur Ezéchiel 12. Une homélie sur les psaumes 3, 4, 8, 12, 13 ; 3 sur le psaume 15 ; 1 sur les psaumes 16, 18, 22, 23, 24, 25, 26, 27 ; 5 sur le psaume 36 ; 2 sur les psaumes 37, 38, 39 ; 1 sur les psaumes 49, 51 ; 2 sur le psaume 52 ; 1 sur le psaume 54 ; 7 sur le psaume 67 ; 2 sur le psaume 71 ; 3 sur les psaumes 72 et 73 ; 1 sur les psaumes 74 et 75 ; 3 sur le psaume 76 ; 9 sur le psaume 77 ; 4 sur le psaume 79 ; 2 sur le psaume 80 ; 1 sur

9. Ce chiffre est certainement erroné. Le Codex von der Goltz ne parle que de cinq tomes couvrant l'ensemble de l'épître et indique les versets commentés par chacun. Voir E. von der GOLTZ, *Eine textkritische Arbeit des zehnten bezw. sechsten Jahrhundert. Texte und Untersuchungen* XVII/4, Leipzig 1899, p. 95. Jérôme signale aussi cinq livres dans la *Lettre 112* à Augustin, § 4.

10. En réalité 3 livres dont le Codex von der Goltz indique les versets commentés par chacun : voir note précédente.

11. Un long passage du IIIe livre est cité en traduction latine par Jérôme dans la *Lettre 119* à Minervius et Alexandre, §§ 9-10.

12. On reproduit habituellement 16 homélies, mais une homélie XVII est donnée dans *PG* 13, 253-262 : son texte est le même que celui d'une partie du *De Benedictionibus Patriarcharum* de Rufin et on l'élimine comme inauthentique pour cette raison, pensant qu'un faussaire aurait fabriqué une homélie d'Origène avec une partie de cet écrit de Rufin. J'avoue mon scepticisme à l'égard de cette solution, la solution inverse me paraissant aussi plausible : les Pères anciens n'ayant pas la moindre idée de la propriété littéraire — les manifestations en sont nombreuses, l'exemple type étant pour cela Ambroise de Milan — Rufin a très bien pu envoyer à Paulin de Nole qui le lui avait demandé un traité dont tout le début reproduisait une homélie d'Origène qu'il avait lui-même traduite. Dans la *Lettre 73* à Evangelus Jérôme signale une homélie sur Melchisédec que nous n'avons plus.

13. Nous en avons 13.

14. Nous en avons 16.

15. C'est-à-dire de Samuel.

16. Ce sont les 14 que Jérôme a traduites, mais nous en avons 22 et en outre dans la *Philocalie* des fragments des homélies 21 et 39.

le psaume 81 ; 3 sur le psaume 82 ; 1 sur le psaume 83 ; 2 sur le psaume 84 ; 1 sur les psaumes 85, 87, 108, 110 ; 3 sur le psaume 118 ; 1 sur le psaume 120 ; 2 sur les psaumes 121, 122, 123, 124 ; 1 sur les psaumes 125, 127, 128, 129, 131 ; 2 sur les psaumes 132, 133, 134 ; 4 sur le psaume 135 ; 2 sur le psaume 137 ; 4 sur le psaume 138 ; 2 sur le psaume 139 ; 3 sur le psaume 144 ; 1 sur les psaumes 145, 146, 147, 149. Des scolies sur tout le psautier. »

« Homélies sur le Nouveau Testament : sur l'Evangile selon Matthieu 25 ; sur l'Evangile selon Luc 39 ; sur les Actes des Apôtres 17 ; sur la seconde épître aux Corinthiens [17] 11 ; sur l'épître aux Thessaloniciens [18] 2 ; sur l'épître aux Galates 7 ; sur l'épître à Tite 1 ; sur l'épître aux Hébreux 18. Une homélie sur la paix. Une (homélie) d'exhortation à Pionia. Sur le jeûne. Sur les monogames et les trigames [19] 2 homélies. A Tarse [20] deux homélies. De même des scolies d'Origène. Deux livres de lettres de Firmilien, Grégoire et divers personnages : les épîtres des synodes sur le procès d'Origène sont dans le livre II. Neuf livres de lettres de lui adressées à divers personnages : la lettre pour la défense de ses œuvres est dans le livre II ».

Eusèbe donne la date approximative de certains de ces ouvrages : on trouve aussi dans les textes que nous possédons des renvois à d'autres écrits qui permettent une datation relative. A l'époque alexandrine appartiennent [21] les cinq premiers livres du *Commentaire sur Jean* — il y en a 22 selon Eusèbe, mais en réalité 32 — ; les huit premiers livres du *Commentaire sur la Genèse* — il y en a 12 selon Eusèbe, 13 selon Jérôme qui donne le même chiffre dans la lettre 36 à Damase [22] — ; les commentaires sur les 25 premiers psaumes ; les *Commentaires sur les Lamentations* dont Eusèbe, comme Jérôme, connaît cinq tomes ; les deux livres *Sur la*

17. On se demande s'il ne faut pas lire « la première épître », car nous avons sur elle de nombreux fragments édités par Cl. Jenkins dans *The Journal of theological studies* IX-X, 1908-1909. Jérôme dit dans la *Lettre 48* à Pammachius § 3 qu'Origène a longuement expliqué cette épître. En revanche nous ne voyons pas de fragments sur 2 Corinthiens.

18. Première ou seconde ?

19. Ces mots désignent dans l'Eglise primitive ceux qui n'ont contracté qu'un seul mariage ou, pour le second, trois mariages successifs, non trois mariages simultanés qui auraient été illégaux dans le monde gréco-romain.

20. Un séjour d'Origène à Tarse n'est pas autrement attesté. A partir d'ici nous reproduisons le texte corrigé par P. Nautin.

21. *HE* VI, XXIV, 1-4.   22. § 9 : *CUFr* II.

Résurrection ; les livres *Sur les Principes* (*Peri Archon*) dont Eusèbe ne dit pas le nombre — quatre selon Jérôme, plusieurs autres témoins et le texte que nous possédons — ; dix livres de *Stromates*. Dans ce dernier ouvrage, dont le nom signifie Tapisseries et dont il ne reste que des fragments — mais les *Stromates* de Clément sont bien connus — Origène, selon la *Lettre 70* de Jérôme à Magnus [23], comparait « les maximes des chrétiens avec celles des philosophes » et confirmait « tous les dogmes de notre religion par des extraits de Platon et d'Aristote, de Numénius et de Cornutus ».

Une seconde liste correspond au début du séjour à Césarée [24] : le *Commentaire sur Isaïe* dont Eusèbe connaît 30 tomes jusqu'à *Is 30, 6* et Jérôme 36 tomes ; le *Commentaire sur Ezéchiel*, achevé à Athènes, de 25 tomes, mais Jérôme dit 29 ; enfin les 10 tomes du *Commentaire sur le Cantique des Cantiques* dont les cinq premiers furent rédigés à Athènes, les cinq derniers à Césarée.

La troisième liste [25] donne les ouvrages de la vieillesse : le *Contre Celse* en 8 livres, que Jérôme ne cite pas dans la *Lettre 33*, mais mentionne ailleurs [26] ; le *Commentaire sur Matthieu* en 25 tomes et le Commentaire sur les petits prophètes dont Eusèbe connaît 25 tomes : en comptant les volumes cités par Jérôme on en trouve 26. Eusèbe parle encore des lettres d'Origène qu'il a réunies en volumes et qui dépassent la centaine : il mentionne tout particulièrement les lettres écrites à Fabien de Rome et à un grand nombre d'autres chefs d'Eglises au sujet de son orthodoxie ; Eusèbe les citait dans le sixième livre qu'il ajouta à l'*Apologie pour Origène* de Pamphile. Il parle aussi de lettres à l'empereur Philippe l'Arabe et à son épouse Otacilia Severa.

Comme nous venons de le voir, la liste de la *Lettre 33* est organisée en quatre parties : 1) les Commentaires de l'Ancien Testament, puis 2) du Nouveau Testament, auxquels sont mêlés des recueils de scolies ; ensuite 3) les homélies sur l'Ancien Testament, enfin 4) celles concernant le Nouveau. Les ouvrages non directement exégétiques se trouvent mélangés à 1) et après 4) sont citées des homélies sur divers sujets et des lettres. On distingue donc trois genres littéraires exégétiques. D'abord les commentaires qui sont des explications au

---

23. § 4 : *CUFr* III.   24. *HE* VI, XXXII, 1-2.
25. *HE* VI, XXXVI, 2-3.   26. *Lettre 49* à Pammachius § 13 : *CUFr* II.

niveau « scientifique » de livres de l'Ecriture, verset après verset. Ensuite les scolies, explications du même genre, mais portant sur des textes isolés, les scolies étant ensuite réunis en recueils. Enfin les homélies, sermons expliquant un texte scripturaire verset par verset, mais d'une manière plus adaptée au public ordinaire des assemblées chrétiennes.

Il y a encore une œuvre capitale dont ne parle pas la *Lettre 33*, les *Hexaples*. Il est difficile de concilier les divers témoignages qui en traitent, ceux d'Origène lui-même, d'Eusèbe, d'Epiphane, de Jérôme et de Rufin ainsi que les allusions aux *Hexaples* qui se trouvent dans les notes marginales de plusieurs manuscrits. P. Nautin [27] a fait de ces témoignages une étude très complète sans que l'on puisse dire que ses conclusions soient toujours satisfaisantes : mais il est probablement difficile qu'il en soit autrement. Disons seulement que les *Hexaples*, mot qui signifie les six colonnes, avec ses succédanés *Tétraples* ou *Tétrasses* (quatre colonnes), *Heptaples* (sept colonnes), *Octaples* ou *Octasélides* (huit colonnes), correspondent à une édition de tout l'Ancien Testament en autant de colonnes : l'essentiel était constitué par les quatre versions grecques d'Aquila, Symmaque, la Septante (la version officielle) et Théodotion, suivies parfois de deux (ou de trois) autres versions dites aujourd'hui la Quinta, la Sexta, ou peut-être la Septima, les deux premières ayant été découvertes l'une à Nicopolis près d'Actium en Epire, l'autre dans une jarre trouvée dans une grotte près de Jéricho, probablement dans une de celles où l'on découvrira au xxe siècle les manuscrits du Désert de Juda. Ces versions étaient précédées du texte hébreu, écrit et translittéré en caractères grecs, et peut-être auparavant du même texte hébreu en caractères hébraïques. Des signes critiques empruntés aux grammairiens alexandrins indiquaient ce que la version officielle de l'Eglise, celle des Septante, avait en moins ou en plus des autres. Les spécialistes discutent sur les motifs qui ont poussé Origène à entreprendre ce travail gigantesque : faciliter la controverse des chrétiens avec les Juifs en montrant aux premiers le texte que les seconds acceptaient ; retrouver, par-delà les fautes diverses des copistes le texte primitif de la version des Septante en choisissant des variantes d'après les autres versions, ou même, à travers la traduction littérale d'Aquila et celle plus litté-

27. *Origène*, Paris 1977, p. 303-361.

raire de Symmaque, essayer de rejoindre le texte primitif hébreu lui-même.

Ce qui nous reste

De cet immense édifice subsistent de grandes ruines, par suite de l'usure du temps et aussi des condamnations et proscriptions de l'empereur Justinien qui ont entraîné des destructions ou qui ont du moins empêché les copistes de recopier ces œuvres. Ainsi le lot de papyrus d'Origène et de Didyme, autre victime de Justinien, retrouvé dans les anciennes carrières de Toura près du Caire, y a été probablement caché par les moines du couvent voisin de Saint-Arsène, voulant se débarrasser de livres qu'ils jugeaient dangereux pour leur foi, ou pour leur sécurité s'ils s'attendaient à une descente de la police impériale.

Des *Hexaples* subsistent seulement de nombreux fragments dont beaucoup sont cités par les auteurs postérieurs. L'exemplaire complet n'a pas dû être recopié et est resté dans la bibliothèque de Césarée jusqu'à sa destruction par les Persans ou les Arabes. Son texte de la Septante, augmenté d'emprunts aux autres versions que signalaient les signes critiques, a été recopié fréquemment, notamment par Eusèbe qui en fit faire cinquante exemplaires sur la demande de Constantin [28]. Il fut traduit en syriaque par l'évêque Paul de Tella et nous possédons en partie cette *Syrohexaplaire*. La dernière édition des fragments qui restent des *Hexaples* est celle de Fr. Field en deux volumes, 1867/1875, rééditée anastatiquement en 1960. Mais, comme de nombreux autres fragments ont été découverts depuis 1875 une nouvelle édition serait nécessaire.

En ce qui concerne les autres œuvres d'Origène, commentaires, homélies, scolies ou écrits non directement exégétiques, une bonne part de ce qui reste n'est plus conservé dans la langue grecque originaire, mais dans des versions latines, pour la plupart œuvre de deux traducteurs de la fin du IVe siècle et du début du Ve siècle, Rufin d'Aquilée et Jérôme. Il faut leur ajouter le traducteur inconnu du *Commentaire sur Matthieu* qui peut être de la fin du Ve siècle ou du VIe. En outre, en plus des écrits que nous possédons sinon en entier, du

---

28. EUSÈBE, *Vie de Constantin*, IV, 36-37.

moins dans des parties assez longues, nous avons un nombre
considérable de fragments.

Cette situation présente du point de vue critique bien des
difficultés, tant en ce qui concerne les versions que les fragments dont le cas sera examiné plus loin. Nous pouvons juger
de la méthode de traduction de Rufin et de Jérôme par leurs
déclarations propres, leurs préfaces ou la *Lettre 57* de Jérôme
à Pammachius sur la meilleure manière de traduire ; mais il
est aussi possible de comparer leurs traductions avec les textes
grecs correspondants quand nous les avons ; ainsi pour Rufin
les chapitres III, 1 et IV, 1-3 de sa traduction du *Traité des
Principes* avec le grec conservé par la *Philocalie* ; pour Jérôme
les douze de ses quatorze homélies sur Jérémie possédées
aussi en grec ; pour l'anonyme du *Commentaire sur Matthieu*
la partie qui va de XII, 9 à XVII dont les deux textes nous
sont parvenus. Dans l'ensemble ce ne sont pas des traductions
littérales, même quand elles le prétendent, mais elles ont été
composées comme des œuvres littéraires indépendantes destinées au public latin : davantage des paraphrases que des
traductions. Cependant, sauf des coupures, elles rendent à peu
près les idées. Mais, comparées aux originaux, elles reflètent
aussi les différences de mentalités entre un grec de l'Eglise
minoritaire et persécutée du IIIᵉ siècle et des latins de l'Eglise
triomphante de la fin du IVᵉ siècle.

Du *Commentaire sur Jean,* qu'il est permis de considérer
comme le chef-d'œuvre d'Origène, nous possédons seulement,
en grec, neuf livres : I, II, VI, X, XIII, XIX, XX, XXVIII,
XXXII, le livre XIX étant amputé de son début et de sa fin.
Origène y discute fréquemment les interprétations données par
un gnostique valentinien, Héracléon, auteur du premier commentaire connu sur Jean : il en conserve un certain nombre de
fragments. Le premier livre contient une introduction d'ensemble, puis explique seulement *Jn* 1, 1 *a* : « Dans le principe
était le Verbe », le second *Jn* 1, 1 *b* à 1, 7. Les autres tomes
avancent un peu plus vite.

Du *Commentaire sur Matthieu* nous avons en grec huit
livres, de X à XVII, qui expliquent de *Mt* 13, 36 à 22, 33.
Mais une traduction latine, œuvre, nous l'avons dit, d'un traducteur inconnu, nous est parvenue divisée dans les manuscrits et les éditions du XVIᵉ siècle en 35 ou 36 prétendues
homélies. Elle commence au tome XII chapitre 9 du grec,
en *Mt* 16, 13, et continue presque jusqu'à la fin de l'évangile,

Mt 27, 66. Seul *Mt* 28 reste inexpliqué. Depuis l'édition de Dom Delarue au XVIIIe siècle, celle qu'a rééditée Migne, cette version latine est publiée en deux parties : celle qui correspond au grec, de *Mt* 16, 13 à 22, 33, qualifiée de *Vetus Interpretatio* se trouve avec le texte grec sur deux colonnes et avec les mêmes divisions que lui ; celle qui commence après la fin du texte grec, de *Mt* 22, 34 à 27, 66, est appelée *Commentariorum Series* et divisée, non selon les tomes perdus XVIII à XXV, car nous ne savons plus où ils commençaient et finissaient, mais en 145 chapitres correspondant à un verset ou groupe de versets. Œuvre de la vieillesse d'Origène le *Commentaire sur Matthieu* est dans l'ensemble moins mystique et plus pastoral que le *Commentaire sur Jean*.

Deux autres commentaires sont connus par des traductions latines de Rufin. Nous avons ainsi une partie du *Commentaire sur le Cantique des Cantiques* en dix livres composé pour la moitié à Athènes, pour la seconde moitié à Césarée : le prologue, les livres I à III et peut-être le début du livre IV. Il commente *Ct* 1, 1 à 2, 15. Rufin a laissé de côté des allusions aux leçons d'Aquila, Symmaque et Théodotion que conservent des fragments grecs, probablement parce que ces précisions scientifiques intéressaient peu ses lecteurs. Premier chef-d'œuvre de la littérature mystique, ce commentaire origénien a eu une influence considérable dans l'antiquité et au Moyen Age.

Le *Commentaire sur l'Epître aux Romains* traduit par Rufin comprend dix livres, tandis que l'original grec en présentait quinze, tous deux s'étendant cependant à l'ensemble de la lettre : Rufin, comme il le dit dans sa préface, s'excusant sur la difficulté de bien des passages et sur l'état défectueux de son manuscrit, l'a donc abrégé d'un tiers. Nous connaissons le sujet de certains développements qu'il a omis : ainsi l'historien Socrate [29] signale un passage sur Marie *Théotokos* (Mère de Dieu) qui se trouvait dans le tome I selon Origène. La découverte à Toura de fragments des livres V et VI selon le grec, interprétant *Rm* 3, 5 à 5, 7, joints à d'autres fragments antérieurement édités, a permis un jugement assez positif sur le travail de Rufin.

Il nous reste, avons-nous dit, près de 300 homélies d'Origène, exactement 279. Parmi elles 21 seulement sont conser-

29. *HE* VII, 32.

vées en grec : 20 sur Jérémie, dont 12 existent aussi dans une traduction latine de Jérôme, et la célèbre homélie sur *1 Rois* (*1 Samuel*) 28, Saül chez la nécromancienne d'Endor. Traduites par Rufin nous avons 16 homélies sur la Genèse, 13 sur l'Exode, 16 sur le Lévitique, 28 sur les Nombres, 26 sur Josué, 9 sur les Juges, 5 sur le Psaume 36, 2 sur le Psaume 37, 2 sur le Psaume 38 : une homélie sur la naissance de Samuel, *1 Rois* (*1 Samuel*) 1, vient peut-être de Rufin, mais ce n'est pas certain. De Jérôme, 2 homélies sur le Cantique des Cantiques, 9 sur Isaïe, 14 sur Jérémie — dont 12 existent en grec —, 14 sur Ezéchiel, 39 sur l'Evangile de Luc. V. Peri [30] a récemment restitué à Origène 74 homélies sur les Psaumes attribuées par Dom Morin à Jérôme qui n'en est que le traducteur-adaptateur. Les homélies expliquent le texte sacré de la même manière que les commentaires, verset par verset, ou groupe de versets par groupe de versets, mais d'une manière moins savante et plus simple. Il ne s'y manifeste guère de rhétorique d'école pour laquelle, selon le Thaumaturge, Origène éprouvait un certain mépris [31]. Cela ne l'empêche pas d'atteindre quelquefois à une véritable éloquence, mais c'est une éloquence qui, selon le mot de Pascal, se moque de l'éloquence. Une des plus belles homélies d'Origène littérairement parlant, l'homélie VIII sur la Genèse, qui explique le sacrifice d'Abraham, se tient presque continuellement sur le plan littéral et moral, avec une apostrophe très directe aux pères de famille qui sont dans l'auditoire [32]. Mais, comme en filigrane, est suggérée une magnifique exégèse allégorique : Abraham, à qui Dieu demande d'abord de sacrifier son fils, sacrifie en fait, puisque l'ange l'en empêche, un bélier ; il représente Dieu sacrifiant son Fils, non le Verbe dans sa divinité figuré par Isaac, mais son humanité dont le bélier est l'image.

Il est difficile bien souvent de distinguer les scolies parve-

30. *Omelie origeniane sui Salmi. Studi e Testi* 289, Vatican 1980.
31. *RemOrig* I, 4 ; VII, 107.
32. Voici le jugement d'Erasme sur cette homélie : « Tout cela est discuté par Origène très abondamment et très élégamment, et je ne sais si le lecteur en tire plus de plaisir ou plus de fruit : Origène reste alors seulement dans le sens historique » (*Ratio uerae philosophiae*, dans DESIDERIUS ERASMUS ROTERODAMUS, *Ausgewählte Werke*, in Gemeinschaft mit Annemarie Holborn, herausgegeben von Hajo Holborn, Munich 1933, p. 189, 1. 12-14 : réédité 1964).

nues jusqu'à nous de la masse considérable des fragments qui subsistent, venant pour la plupart de commentaires ou d'homélies perdus, un peu sur tous les livres de la Bible. Leur transmission s'est faite de trois manières. D'abord par deux recueils de morceaux choisis, l'*Apologie pour Origène* et la *Philocalie d'Origène*. La première, selon Photius [33], comprenait six tomes dont les cinq premiers avaient été rédigés dans sa prison par le martyr Pamphile de Césarée (en Palestine) qui avait été le restaurateur de l'école fondée dans cette ville par Origène et le conservateur de sa bibliothèque : il avait été aidé dans cette tâche par son disciple Eusèbe, le futur historien, qui probablement le visitait et lui apportait les matériaux ; le sixième tome fut ajouté par Eusèbe après la mort de Pamphile le 16 février 310. De ces six tomes nous possédons seulement le premier dans une traduction de Rufin. Après un prologue où il explique comment on doit lire Origène, Pamphile répond à un certain nombre d'accusations qui lui sont faites, uniquement en citant des textes. Ainsi cette *Apologie* est un recueil de morceaux choisis : les textes présentent la sécurité qu'on peut habituellement attribuer aux traductions de Rufin.

La *Philocalie,* mot qui signifie étymologiquement l'amour des belles choses, est un recueil de textes origéniens réunis par deux des Pères cappadociens, Basile et Grégoire de Nazianze : il nous est parvenu en grec, l'autorité de ses excerpteurs ayant prévalu contre la mauvaise réputation de son auteur. Les 15 premiers chapitres concernent l'Ecriture Sainte, les chapitres 16 à 20 venant du *Contre Celse* la controverse avec les philosophes à propos de l'Ecriture, les chapitres 21 à 27 le libre arbitre. Parmi ces derniers se trouve un passage des *Récognitions Clémentines* et un autre du traité de Méthode sur le libre arbitre : les raisons de leur présence au milieu de textes exclusivement origéniens sont discutées. Un but apologétique discret en faveur de l'Alexandrin n'est pas étranger à l'intention des deux Cappadociens. Ce sont des textes sûrs du point de vue critique bien que certaines coupures puissent parfois avoir été faites.

Un grand nombre de fragments viennent des chaînes exégétiques, recueils d'exégèses scripturaires de différents Pères des premiers siècles centrés sur un livre de la Bible ainsi commenté

---

33. *Bibl* 118 : *CUFr* II.

verset par verset. Le premier auteur de chaînes ou « caténiste » semble avoir été Procope de Gaza au VIe siècle. Origène y est dans l'ensemble bien représenté. Mais les fragments
de chaînes sont sujets à deux difficultés principales au point
de vue critique. D'abord l'attribution à tel auteur indiquée
dans la chaîne n'est pas toujours sûre, certains fragments étant
attribués dans diverses chaînes à des auteurs différents. Ensuite dans bien des cas il semble que ces fragments soient en
fait des résumés composés par le caténiste d'un texte plus
long : on s'en aperçoit en effet quand on peut les comparer
au passage dont ils sont tirés, existant en grec ou en traduction latine ; les idées sont authentiques, mais non toujours
leur expression.

Enfin d'assez nombreux passages sont conservés par des
citations d'auteurs postérieurs, amis ou ennemis. Mais il n'est
pas toujours certain qu'ils nous donnent le texte authentique
et complet de ce qu'ils citent. Ainsi dans son écrit *Aglaophon
ou De la résurrection* Méthode d'Olympe citait un long passage du *Commentaire sur le Psaume 1.* Ce livre de Méthode
n'est conservé dans son entier que par une version paléoslave,
mais Epiphane en reproduit environ la moitié en grec dans
son *Panarion* 64. Avant de copier le texte d'Origène tel que le
présente Méthode [34], Epiphane en reproduit le premier paragraphe d'après Origène lui-même [35]. En comparant les deux
textes on s'aperçoit que Méthode a supprimé tous les membres
de phrase qu'il jugeait superflus, pour abréger, sans cependant
modifier le sens du passage, et il a probablement agi ainsi
dans tout ce qu'il reproduit. Certaines citations peuvent être
des sortes de centons prenant dans un texte certaines phrases
çà et là et en faisant un passage qui se suit ; ou un résumé
rendant l'idée telle qu'elle est ou telle que celui qui la cite
l'a comprise.

Nous possédons aussi plusieurs ouvrages qui ne sont pas
directement exégétiques, bien que l'Ecriture y tienne une
place souvent considérable. On a vu souvent dans le fameux
Traité des Principes (Peri Archon ou *De Principiis),* cause des
malheurs posthumes de son auteur, un premier essai de
Somme Théologique. Ce n'est pas tout à fait vrai. D'abord cet
ouvrage s'inscrit dans un genre littéraire philosophique connu
spéculant sur les « principes » qui sont pour Origène des prin-

34. §§ 12-16.   35. § 10, 2-7.

cipes au sens large, la Trinité, les créatures raisonnables, le monde, seul le Père étant un principe au sens strict. Ensuite il ne prétend pas parler de façon dogmatique, mais présente une théologie « en exercice », c'est-à-dire en recherche, indiquant souvent pour un problème deux ou trois solutions différentes, quelquefois sans conclure lui-même, et manifestant aussi dans ce livre toutes les tensions qui caractérisent sa théologie, tellement que pour en tirer un « système », comme on l'a souvent fait, il faut laisser de côté plus de la moitié de ce qu'il dit. Dans la préface il énumère les différents points de la règle de foi [36], telle que son époque en avait conscience, et exprime son intention de chercher à répondre aux problèmes encore irrésolus qu'elle pose à partir de l'Ecriture elle-même et de la raison. Ce but est en rapport avec ce que nous avons exposé plus haut au sujet de la rencontre d'Origène avec Ambroise : Origène veut fournir aux chrétiens qui se posent des problèmes d'ordre intellectuel des réponses en accord avec l'Ecriture pour éviter qu'ils n'aillent les chercher dans les grandes sectes gnostiques. Quand nous traiterons de la théologie de notre auteur, nous verrons comment ce livre doit être lu et compris.

Le plan du *Traité des Principes* ne coïncide guère avec la division en quatre tomes, qui est d'ordre éditorial, un tome étant la quantité de texte contenue dans un rouleau de papyrus. La préface énumère donc la règle de foi, en neuf points. Puis une première partie, de I, 1 à II, 3, étudie les trois groupes de réalités qui sont les principes, les Trois Personnes, les créatures raisonnables, le monde. Ensuite une seconde partie, de II, 4 à IV, 3 est consacrée aux problèmes que posent les neuf points de la règle de foi exposés dans la préface. Le chapitre IV, 4, intitulé *Anakephalaiôsis*, c'est-à-dire récapitulation, est plutôt une *retractatio*, c'est-à-dire un nouveau traitement des trois Principes dont il a été question dans la première partie.

Le texte grec du *Traité des Principes* est perdu, excepté les chapitres III, 1 sur le libre arbitre et IV, 1-3 sur l'exégèse scripturaire qui se trouvent dans la *Philocalie* et représentent environ un septième du *Traité des Principes*. Le livre est conservé dans son entier par une traduction latine de Rufin d'Aquilée qui déclare dans ses préfaces avoir supprimé des

---

36. *PArch*, préface d'Origène.

passages concernant la Trinité qui, pensait-il, avaient été insérés là par des hérétiques et les avoir remplacés par d'autres affirmations d'Origène sur le même sujet : outre ce point et quelques suppressions motivées par le désir d'abréger et d'éviter des répétitions, il faut dire de cette traduction ce que nous avons dit plus haut des traductions de Rufin et de Jérôme. La comparaison entre les textes de la *Philocalie* et les siens lui est, somme toute, assez favorable. Les fragments cités par Jérôme et dans la lettre condamnatoire de l'empereur Justinien en 543 comblent des lacunes de Rufin, mais leur interprétation doit tenir compte du fait qu'ils ne reproduisent pas le contexte et qu'ils ne laissent guère percevoir dans bien des cas qu'il s'agit d'une discussion entre plusieurs alternatives ; et aussi qu'ils durcissent souvent les opinions d'Origène par des interprétations incompréhensives que dénote la comparaison avec d'autres œuvres de l'Alexandrin. Des fragments sont cités par d'autres auteurs, Athanase, Marcel d'Ancyre, Antipater de Bostra, Jean de Scythopolis, Théophile d'Alexandrie, mais il faut se garder d'attribuer au *Traité des Principes* comme l'a fait l'éditeur P. Koetschau, toutes les opinions des origénistes postérieurs, par exemple les anathématismes de 553, attribués au 5e concile œcuménique, Constantinople II, sans qu'ils figurent dans les Actes officiels du concile et qui visent explicitement les origénistes du temps, dits Isochristes, et reproduisent parfois littéralement des textes d'Evagre le Pontique.

Deux petits écrits conservés en grec nous renseignent sur la vie et la doctrine spirituelle de leur auteur, tout en faisant une large place à l'Ecriture : l'*Exhortation au Martyre* adressée à Ambroise et au prêtre Protoctète, menacés pendant la persécution de Maximin le Thrace ; le *Traité de la Prière* répondant aux interrogations d'Ambroise et d'une chrétienne nommée Tatianè (Tatienne). Ce dernier ouvrage, postérieur d'environ vingt ans au livre de même nom publié par Tertullien et contenant comme lui un commentaire du Notre Père, est plus développé que celui de son prédécesseur et très précieux, non seulement pour l'histoire de la piété chrétienne, mais aussi par les conseils qu'il donne pour la pratique de la prière. Un *Traité de la Pâque*, très mutilé, a été trouvé à Toura et récemment édité avec beaucoup de soins par P. Nautin. Nous avons déjà présenté l'*Entretien avec Héraclide*. De l'importante correspondance d'Origène qu'Eusèbe, nous l'avons vu, avait mise en volumes restent seulement en entier une lettre à Grégoire le Thaumaturge conservée par la *Philocalie,* sur l'utilisation de la philosophie pour l'édification de la théologie chrétienne, et une longue lettre à Julius Africanus sur l'authenticité et la canonicité de l'histoire de Suzanne dans le livre grec de Daniel : subsistent aussi plusieurs fragments d'autres lettres dont nous avons fait usage pour décrire la vie d'Origène, le plus long étant tiré de la lettre qui fut adressée à des amis d'Alexandrie.

La dernière grande œuvre d'Origène est l'écrit apologétique le plus important de l'antiquité chrétienne, avec la *Cité de Dieu* d'Augustin, le *Contre Celse,* conservé entièrement en grec. C'est la réfutation de la première attaque qui ait été lancée sur le plan intellectuel contre le christianisme, le *Discours Véridique* du philosophe méso-platonicien Celse. Nous ignorons à peu près tout de lui, du temps et du lieu où il a vécu : les hypothèses bâties à son sujet sont diverses et souvent contradictoires. S'agit-il de l'ami de Lucien de Samosate, à qui ce dernier dédia *Alexandre ou le Faux Prophète ?* Les uns l'affirment, les autres le nient. On s'accorde cependant habituellement à dater son œuvre du temps de Marc Aurèle (161-180). On ne connaît actuellement le *Discours Véridique* que par les nombreuses citations qu'en donne Origène et qui doivent reproduire la plus grande partie du livre. En tout cas il a eu une grande influence sur les polémistes antichrétiens postérieurs, comme Porphyre ou l'empereur Julien, et même sur ceux des XIXe et XXe siècles. C'est Ambroise qui demanda à Origène de le réfuter, sous le règne de Philippe l'Arabe (244-249), alors qu'il aurait été écrit plus de 75 ans auparavant. L'occasion en fut peut-être le mouvement en faveur de la religion traditionnelle romaine que suscitèrent les fêtes du millénaire de Rome et qui opposa des compétiteurs au premier empereur chrétien. Ce « revival » qui devait aboutir à la persécution de Dèce aurait effrayé Ambroise et motivé la demande qu'il fit à Origène. A en croire sa préface ce dernier ne semble pas avoir été persuadé au début de la nécessité de cette réfutation. Cependant il va se prendre au jeu et réfuter Celse systématiquement, passage après passage, de la même manière qu'ailleurs il commente l'Ecriture. Mais il ne reste pas seulement au ras des textes et le *Contre Celse* est plein de grandes vues sur le Christianisme, sa démonstration, ses rapports avec la philosophie et la culture grecque, et même à la fin du livre VIII, quand Celse porte la question sur le plan politique, la possibilité d'un empire chrétien.

En présence des difficultés d'ordre critique que présentent les traductions et les fragments on a parfois eu la tentation de s'en tenir pour reconstituer sa pensée aux seuls textes des grandes œuvres conservées en grec : mais on faisait habituellement exception pour le *Traité des Principes* que, par-delà Rufin plus ou moins disqualifié, chaque spécialiste reconstituait à sa manière pour y retrouver l'Origène qu'il s'imaginait. En agissant ainsi on se prive de bien des richesses et on risque de déséquilibrer dangereusement le portrait d'Origène, notamment parce qu'on élimine ainsi la grande majorité des homélies et on supprime une bonne part du spirituel, du pasteur et du chrétien. La vraie méthode à suivre est celle qu'a indiquée H. de Lubac [37] : « En ce cas plus qu'en d'autres le vrai remède n'est pas l'abstention : il est au contraire l'utilisation massive. Pour avoir chance d'atteindre l'Origène authentique, il faut multiplier les citations. Les passages parallèles se contrôlent alors, se déterminent et se commentent mutuellement, surtout quand viennent en regard, par exemple, une phrase du latin de Rufin, une autre du latin de Jérôme, une troisième enfin conservée dans l'original. Or la chose n'est pas rare, et de ces confrontations se dégage une impression d'unité. » Pour démontrer l'inauthenticité d'un texte les arguments de critique externe sont, évidemment, les plus solides, là où ceux de critique interne sont bien souvent discutables, surtout lorsqu'ils reposent sur une prétendue incompatibilité de ce que le texte contient avec ce qu'Origène dit ailleurs. En effet sa pensée est pleine de tensions internes et aucun texte ne la livre complètement sur un point précis.

---

37. *Histoire et Esprit*, Paris 1950, p. 42.

Chapitre troisième

L'HOMME ET L'ÉCRIVAIN

L'homme

Dans la préface de son recueil de textes *Geist und Feuer*, traduit en français sous le titre *Esprit et Feu* [1], Hans Urs von Balthasar fait un portrait rapide de l'homme et de l'écrivain : dépouillement et feu, modestie aussi. Pareillement A. Hamman [2]. D'autres traits peuvent être suggérés, ressortant de son œuvre et de sa vie.

Le surnom d'Adamantios, l'homme d'*adamas*, c'est-à-dire d'acier ou de diamant, de toute façon d'une matière indomptable (alpha privatif et *damazein*, dompter) semble se rapporter à son incroyable puissance de travail, mais peut-être aussi à sa force d'âme. Elle se manifeste dès sa jeunesse par un certain radicalisme dans la mise en pratique de ses convictions religieuses, qui laissera progressivement place au temps de la maturité à des positions plus équilibrées. Sur ce point l'évolution d'Origène sera inverse de celle de Tertullien dont le rigorisme s'est de plus en plus durci et semble être davantage la cause que l'effet de son passage au Montanisme.

Nous avons signalé plus haut le geste du jeune Origène vendant tous ses manuscrits quand il renonça à enseigner la grammaire et nous avons dit que cela signifiait une renoncia-

1. La moitié seulement a été publiée dans notre langue : I, *L'âme*, Paris 1959 ; II, *Le Christ, Parole de Dieu*, Paris 1960.
2. *Dictionnaire des Pères de l'Eglise*, Paris 1977.

tion complète aux sciences profanes pour se consacrer seulement à l'étude et à l'enseignement de la Parole de Dieu. Mais nous avons vu aussi qu'il s'aperçut assez vite de l'utilité de ces sciences pour la compréhension de la Bible et pour son rayonnement apostolique et qu'il ne tarda pas à revenir à ce qu'il avait abandonné au point de devenir l'auditeur d'Ammonios Saccas et d'acquérir une grande compétence philosophique. On peut dire la même chose de sa mutilation : quand, dans sa vieillesse, il rédigera son *Commentaire sur Matthieu* et expliquera *Mt* 19, 12, il désavouera sans ambiguïté et en termes très forts, sans faire cependant une allusion directe à son cas personnel, le geste qu'il a accompli dans sa jeunesse, avec « une âme trop ardente, croyante, mais non raisonnable » [3]. Eusèbe [4] décrit pareillement la rude ascèse que suivait le jeune Origène. Cependant lorsqu'on étudie sa théologie morale, par exemple au sujet de la chasteté, on la trouve, somme toute, assez équilibrée, plus que ne pourraient le faire craindre certains traits de sa cosmologie. Par exemple, Clément parle constamment de l'« apathie », c'est-à-dire de l'impassibilité, comme la vertu fondamentale du spirituel, qu'il appelle constamment le « gnostique ». Origène, qui n'emploie jamais ce terme de gnostique pour désigner celui qu'il nomme d'appellations pauliniennes le « spirituel » ou le « parfait », éprouve une défiance visible pour le vocabulaire de l'« apathie ». Plutôt que l'éradication des passions — quel que soit le sens que Clément lui donne — son idéal est plutôt la mesure à imposer aux passions, la métriopathie des philosophes. Un remarquable fragment sur la Première Epître aux Corinthiens [5] concernant l'équilibre à garder au nom de la charité dans les relations conjugales est un commentaire du « *in medio stat virtus* » : on pèche à la fois par défaut et par excès. Il y a des saintes colères — le modèle en est celle de Phinées, le petit-fils d'Aaron [6] — et le désir de s'assurer une postérité est louable. Les tendances naturelles sont bonnes en elles-mêmes : le péché c'est de dépasser la mesure. Evagre le Pontique, disciple lointain d'Origène, reviendra comme Clément à l'usage de *gnostikos* et d'*apatheia*.

Origène a toujours désiré le martyre et a constamment mar-

---

3. *ComMt* XV, 3 : *GCS* X.　4. *HE* VI, III, 9-13.
5. XXXIII : *JThS* IX, 1908, p. 500-501.
6. *Nb* 25, 6-15 dans *HomGn* I, 17 et dans *HomNb* XV, 2.

qué, dans son *Exhortation au Martyre* comme dans ses homélies, dans quelle estime il tient ce témoignage suprême de
notre appartenance au Christ. Cependant il est loin d'en être
un fanatique. Si Tertullien devenu montaniste refuse dans le
De Fuga toute fuite devant la persécution, l'Alexandrin dans
son *Commentaire sur Jean* [7] non seulement condamne toute
provocation au martyre, mais encore fait au chrétien un devoir
d'échapper, si c'est possible sans reniement, à la confrontation
avec les autorités : et cela au nom de la charité que le chrétien doit avoir envers les ennemis de sa foi, leur évitant de
commettre un crime [8]. Tel sera le comportement sous la persécution de Dèce, non seulement de Cyprien de Carthage —
qui mourra martyr plus tard sous celle de Valérien —, mais
des deux plus grands disciples d'Origène, Grégoire le Thaumaturge et Denys d'Alexandrie.

Homme d'acier, Origène l'est par sa consécration totale à
sa tâche, intellectuelle et apostolique, et par l'accord de son
enseignement avec sa vie. Ce dernier point est souligné par
Grégoire le Thaumaturge et par Eusèbe. Selon le premier c'est
par ses actes plus que par ses paroles qu'Origène incitait ses
élèves à la vertu. Il a décidé Grégoire à s'adonner à la philosophie, c'est-à-dire à la vie ascétique, « en essayant de se rendre pareil à l'homme de bonne vie décrit dans ses discours
et en donnant, voici ce que je voulais dire, l'exemple du
sage » [9]. Mais Grégoire sait bien que la perfection n'est pas
pour ici-bas : « Je ne dirai donc pas qu'il était un exemple parfait, mais qu'il désirait fort devenir tel : il se faisait violence,
pourrait-on dire, avec tout son zèle et toute son ardeur, par-
delà les forces humaines » [10]. Eusèbe écrit pareillement :
« Telle est sa parole, disait-on, et il le montrait, telle est sa
conduite ; et telle est sa conduite, telle est sa parole » [11].

Mais cet homme de fer est un tendre. Sa dévotion profondément affective pour la personne de Jésus a des résonances
uniques dans l'antiquité chrétienne [12] : il faudra attendre le

---

7. XXVIII, 23 (18), 192-202.
8. On retrouve le même jugement dans le *Dialogue de Carmélites* de
Bernanos. A la sous-prieure qui veut faire faire à ses sœurs le vœu de ne
pas échapper au martyre, la prieure répond en substance : Comment nous,
devenues religieuses pour le salut des pécheurs, nous souhaiterions que des
hommes commettent sur nous ce crime !
9. *RemOrig* XI, 135.   10. *Ibid.* XI, 136.   11. *HE* VI, III, 7.
12. Voir Frédéric BERTRAND, *Mystère de Jésus chez Origène*, Paris 1951.

Moyen Age, Bernard de Clairvaux ou François d'Assise, pour la retrouver. Grégoire le Thaumaturge décrit d'une manière très émouvante l'affection qui le joint à son maître qu'il compare à celle de Jonathan, le fils de Saül, pour David.

> « Et voici qu'il nous frappa de l'aiguillon de l'amitié, difficile à repousser, acéré, pénétrant, l'aiguillon de son affabilité et de ses bonnes dispositions, toute la bienveillance qui apparaissait dans ses paroles elles-mêmes, quand il se trouvait avec nous et s'adressait à nous ». [13]

L'amitié qui unit l'élève et le maître, son « vrai père », est l'idée centrale de l'émouvante péroraison dans laquelle Grégoire pleure, à grand renfort de références bibliques, tout ce qu'il va quitter : il se compare à Adam chassé du Paradis, à l'enfant prodigue réduit à manger la nourriture des pourceaux, aux captifs hébreux refusant de chanter sur la terre étrangère, au Juif dévalisé de la parabole du Bon Samaritain. Et après avoir demandé à son maître de prier pour qu'un ange veille sur lui pendant son retour vers sa lointaine patrie, il termine ainsi son discours :

> « Demande-lui avec instance qu'il nous fasse revenir et nous ramène auprès de toi. Cela seul, plus que tout, nous consolera ». [14]

La rhétorique de cette péroraison ne saurait faire mettre en doute l'amitié et l'admiration juvénile qui la dictent.

Un autre trait est assez remarquable. Origène, comme bien d'autres théologiens, est contraint de polémiquer constamment : contre Juifs, hérétiques, païens comme Celse, sans parler des chrétiens millénaristes, anthropomorphites et littéralistes. Car il n'est pas homme à compromissions : l'attitude qu'il eut, jeune homme, envers l'hérétique Paul d'Antioche selon Eusèbe [15], il l'a conservée toute sa vie. Mais comparée à celle de bien des auteurs chrétiens primitifs, cette polémique est menée habituellement avec calme et irénisme relatifs. Dans l'*Homélie VII sur Luc,* conservée par une traduction hiéronymienne et par plusieurs fragments grecs qui lui correspondent d'assez près et en recouvrent plus de la moitié, Origène s'élève

---

13. *RemOrig* VI, 81.   14. *Ibid.* XVI-XIX, 184-207 : cité XIX, 207.
15. *HE* VI, II, 13-14.

contre un hérétique qui, probablement à cause de *Mt* 12,
46-50, a soutenu que Marie avait été reniée par Jésus pour
avoir eu des enfants de Joseph après sa naissance. Là où Origène dit simplement, suivant un fragment, « quelqu'un a osé
dire » (*étolmèsé tis eipein*), Jérôme traduit : « Quelqu'un, je ne
sais qui, s'est déchaîné jusqu'à un tel point de folie qu'il a
dit » (*In tantum quippe nescio quis prorupit insaniae, ut asse-
reret...*). Le contraste est frappant. Certes, il arrive que dans le
Contre Celse Origène semble parfois près de perdre le contrôle
de lui-même devant le mépris que son adversaire ne cesse de
manifester contre les chrétiens et qui le touche en plein cœur.
A propos d'un passage de ce genre P. de Labriolle [16] écrit :

> « D'où vient à Origène cette animosité ? Il n'était pourtant
> pas une âme de colère, il n'avait rien d'un Tertullien ou d'un
> Firmicus Maternus. La tendance irénique est très marquée
> chez lui... La vivacité de la réaction d'Origène... naît d'abord
> d'une sensibilité religieuse très susceptible, très ardente, que
> les procédés et le ton de Celse froissent au plus vif d'elle-
> même ».

Nous avons déjà parlé du prologue du livre VI du *Commentaire sur Jean*, écrit après la grande épreuve qui l'a chassé
d'Alexandrie : « Le Logos (Verbe et Raison) m'a exhorté à
résister à l'assaut (livré par les vents de l'Egypte) et à veiller
sur mon cœur, de peur que des raisonnements vicieux n'aient
assez de force pour introduire la tempête dans mon âme, plutôt qu'à reprendre à contretemps la suite du texte avant que
mon intelligence n'ait retrouvé le calme » [17]. L'homme d'acier
n'est pas un insensible. Mais il essaie avec l'aide de cette
Raison divine qui est le Verbe, Fils de Dieu, de rétablir le
calme intérieur.

L'écrivain

L'œuvre écrite d'Origène a trois caractéristiques essentielles, souvent inséparables, que l'on retrouve, dosées à des
degrés divers, presque dans chaque écrit : elle est d'un exégète, d'un spirituel, d'un théologien spéculatif. En elle jouent

16. « Celse et Origène », *Revue Historique* 169, 1932, 19-20.
17. *ComJn* VI, 2, 8-10 : traduction C. Blanc.

un rôle important la philosophie, la philologie et différentes sciences. Nous étudierons donc chez Origène l'exégète, le spirituel et le théologien, et dans sa théologie la place qu'y prend la philosophie. Mais ces trois caractéristiques ne sont pas séparées l'une de l'autre, il ne connaît pas de distinction des genres. Elles se compénètrent constamment, tellement qu'on ne peut comprendre vraiment un de ces aspects si on fait abstraction des deux autres. C'est habituellement l'Ecriture qui est la base de sa doctrine et c'est d'elle qu'il tire à la fois l'enseignement spirituel et l'enseignement théologique, un enseignement spirituel qui a toujours des bases théologiques et un enseignement théologique dont la coloration spirituelle n'est jamais absente.

Nous avons vu que la plupart des écrits d'Origène ont pour objet l'interprétation de l'Ecriture et que dans ceux qui ne sont pas directement exégétiques l'Ecriture tient cependant une grande place. Mais il n'est pas possible de comprendre sa méthode d'exégèse spirituelle ou allégorique si on ne voit pas qu'elle est spirituelle au sens le plus précis du terme. Elle ne peut être jugée que dans le cadre d'une vie spirituelle, à plus forte raison quand il s'agit de celle du Nouveau Testament qui comporte l'application au chrétien de tout ce qui est dit du Christ, une intériorisation qui n'est concevable que dans ce contexte. Le feu qui cuit le pain de l'exégèse est l'amour de Dieu, l'inspiration qui vient de l'Esprit et agit pareillement sur l'auteur inspiré et sur son interprète. Le pain que les prédicateurs coupent en morceaux pour le distribuer à la foule, comme dans le miracle de la multiplication, c'est le sens spirituel. Le four n'est pas seulement la raison raisonnante de l'intellectuel, mais la partie supérieure de l'âme, intelligence, cœur ou faculté hégémonique, qui porte la participation de l'homme à l'image de Dieu, puisque seul le semblable connaît le semblable. Le lieu propre de cette exégèse est la contemplation et la prière : de là elle redescend, comme Moïse de sa montagne, maintenant que Jésus a fait disparaître le voile [18], dans les synthèses du théologien, l'enseignement du prédicateur et du professeur, les luttes de l'apologiste, et surtout la vie chrétienne de tous ceux qui en vivent.

La doctrine spirituelle est abondamment présente jusque dans la cosmologie du livre que l'on représente habituelle-

_____

18. *2 Co* 3, 4-18 interprétant *Ex* 34, 29-35.

ment comme le plus intellectuel de ses ouvrages, le *Traité des Principes*. Le moteur de cette cosmologie est la dialectique de la Providence ou de la grâce divine d'une part et, de l'autre, de la liberté humaine qui accepte ou refuse. La vie des « intelligences » dans la préexistence, selon l'hypothèse favorite d'Origène, est conçue comme celle d'un immense couvent de contemplatifs : elles sont absorbées dans la contemplation de Dieu. La faute originelle qui se situe dans cette préexistence est représentée, soit comme le refroidissement de leur ferveur et de leur charité qui d'« intelligences » en fait des « âmes », *psychè,* âme, étant rattachée par une étymologie contestable à *psychos,* froid, soit par le *koros,* en latin la *satietas,* l'ennui de la contemplation incessante, analogue à l'« acédie » qui selon les spirituels orientaux sera une des grandes tentations du moine. L'« intelligence » préexistante de Jésus est unie dès sa création au Verbe d'une manière qui la rend absolument impeccable, par l'intensité de sa charité, cette charité qui d'une certaine façon la transforme dans le Verbe comme le fer plongé dans le feu devient feu [19]. On est parfois surpris d'entendre Origène prier, non seulement dans ses homélies, mais aussi dans ses commentaires « scientifiques » comme l'exhortation à la prière qui ouvre le livre XX du *Commentaire sur Jean* [20]. Dans le *Traité des Principes* lui-même on trouve trois doxologies qui semblent n'être que des oraisons jaculatoires et une fois au moins, un appel fervent à la prière [21].

La nourriture qu'Origène sous l'impulsion d'Ambroise veut fournir aux chrétiens qui la demandent pour éviter qu'ils n'aillent la chercher chez les hérétiques n'est pas seulement d'ordre spirituel, elle est aussi d'ordre intellectuel. La distinction de l'intellectuel et du spirituel, du conceptuel-discursif et de l'intuitif, n'est guère claire dans l'antiquité chrétienne : on va à Dieu par l'un et par l'autre, par toutes les puissances de l'intelligence. A la fin du *Traité des Principes* [22] Origène désigne comme les destinataires de ce livre « ceux qui, partageant notre foi, ont coutume de rechercher des raisons de croire » et « ceux qui soulèvent contre nous des combats au nom des hérésies ». Ces chrétiens cultivés à qui ce livre s'adresse ont

19. *PArch* II, 6.   20. *ComJn* XX, 1.
21. *PArch* III, 5, 8 ; IV, 1, 7 ; IV, 3, 14 ; cf. II, 9, 4.
22. *PArch* IV, 4, 5.

des problèmes, ceux que pose l'insertion de leur foi chrétienne dans le monde de pensée qui les entoure et à la culture duquel ils participent, et aussi ceux que la philosophie grecque prétend résoudre et auxquels ils désirent donner une réponse conforme à leur foi. Ils sont préoccupés, selon le précepte de l'apôtre [23], de pouvoir rendre compte de leur espérance à qui le leur demande. Ils doivent en outre être protégés de l'attraction des grandes hérésies gnostiques qui exercent sur eux un attrait d'autant plus fort qu'ils ont davantage d'exigences intellectuelles.

La philosophie et les sciences jouent en effet leur rôle dans cette entreprise. Origène ne peut être considéré à proprement parler comme un philosophe : ses jugements explicites sur la philosophie le montrent, ainsi que ceux que porte d'après lui Grégoire le Thaumaturge [24]. Il la connaît bien, mais l'utilise en théologien, convaincu du droit qu'il a à creuser ses puits dans la terre des Philistins malgré leurs criailleries [25]. Elle lui fournit une part de sa problématique et de ses expressions, ainsi que des solutions. Il ne faut cependant pas perdre de vue que certaines de ses positions, vis-à-vis du corps charnel par exemple, découlent autant de son expérience personnelle d'ascète que du platonisme. Il a en outre une bonne formation philologique et dialectique et connaît toutes les sciences de son temps : il les utilise dans l'explication du sens littéral de l'Ecriture, dans son enseignement selon Grégoire [26] et Eusèbe [27] et dans sa controverse avec Celse. Seule la rhétorique d'école ne trouve pas grâce devant ses yeux [28] et cela le distingue fortement de Tertullien, Cyprien et de bien des Pères postérieurs, grecs et latins.

Origène n'attache guère d'importance aux soins du style et il justifie cela, comme Clément, en évoquant le peu de valeur littéraire de la lettre de l'Ecriture, vase d'argile contenant le trésor de la Parole : la pauvreté des moyens humains en fait ressortir l'origine divine. Aussi son style est-il sans apprêt et ce caractère s'aggrave par le fait que toutes ses œuvres sont dictées et la plupart de ses homélies sténographiées par ses tachygraphes au moment où elles sont prononcées. Cependant si le style d'Origène a été l'objet de critiques, il a aussi trouvé

23. 1 P 3, 15.   24. RemOrig XIII-XIV, 150-173.
25. HomGn XIII, 3.   26. RemOrig VII-VIII, 93-114.
27. HE XVII, 2-4.   28. RemOrig VII, 107.

des admirateurs, par exemple le grand Erasme dans la préface
de son édition des œuvres d'Origène [29]. Il loue l'absence de
recherche, de rhétorique artificielle, de formalisme, le souci
de l'idée seule, la clarté de la langue — une clarté qui n'est
pas toujours si évidente. Il lui tient pour mérite l'absence de
nombre et de clausule dans la phrase et oppose sa simplicité
à la grandiloquence et à l'apprêt de bien des Pères latins. Il
vante le naturel avec lequel il introduit ses citations scripturaires, parfois par simples allusions, l'alacrité et la vigueur
de sa phrase, sa familiarité, sa modération et sa douceur dans
les homélies. A. Miura-Stange [30] souligne que c'est une œuvre
sans prétention, où le style ne compte pas, où la pensée est
tout. Origène ne cherche point l'art : point de pathos, jamais
un mot d'esprit ou d'ironie — cela n'est pas tout à fait juste —,
mais un enthousiasme qui anime tout. A. Miura-Stange exa-
gère cependant quand elle dit qu'il est impossible de trouver
une phrase bien frappée qui puisse passer en proverbe : citons
par exemple dans le *Commentaire sur Matthieu* [31] l'expression
« *peponthen ho apathès* — Il a souffert, l'Impassible ». Ce
n'est pas qu'Origène ne puisse pas, continue l'auteur dont
nous exposons le jugement, mais qu'il ne veut pas : il est sensible à la beauté du langage grec, il la loue chez les autres,
mais le soin du style ne convient pas au sérieux de sa tâche
apostolique.

Peu de travaux ont été consacrés à l'étude du style et de la
langue d'Origène : il y en a cependant quelques-uns. Ainsi
celui de J. Borst [32]. Le vocabulaire d'Origène témoigne de
l'universalité de sa culture : pédagogie, médecine, sciences
naturelles, grammaire et philologie, langue juridique, sans oublier, bien entendu, les mots d'origine biblique et philosophique. Les atticismes dominent de loin les formes populaires et
les termes poétiques ne sont pas rares. J. Borst a patiemment
relevé les figures de style dans les *Homélies sur Jérémie* et le
Commentaire sur Jean et il constate une rhétorique non cher-
chée qui sort naturellement de la culture d'Origène et de
son éloquence innée. L'effet n'est pas voulu pour lui-même,
mais les tropes et figures « coulent de sa plume très souvent

29. Bâle 1536.
30. *Celsus und Origenes,* Giessen 1926, p. 163-164.
31. *ComMt* X, 23.
32. *Beiträge zur sprachlich-stylistischen und rhetorischen Würdigung des
Origenes,* Freising 1913.

machinalement, presque involontairement » et elles donnent à ses écrits « leur beauté et leur force d'attraction ».

Plus récemment G. Lomiento a consacré plusieurs essais au même sujet, étudiant ainsi l'*Exhortation au Martyre* [33], les fragments grecs des *Homélies sur Luc* [34], l'*Entretien avec Héraclide* [35], un passage du *Commentaire sur Matthieu* [36], la traduction hiéronymienne des *Homélies sur Jérémie* [37] comparée au texte grec. Il est surtout attentif à la correspondance entre le mouvement de la pensée et celui de la phrase à la lumière de la science des grammairiens grecs et de la vie spirituelle d'Origène qui essaie de se communiquer aux auditeurs, ou plus exactement à la *proprietas verborum*. L'étude de l'*Entretien avec Héraclide* est d'autant plus intéressante qu'il s'agit d'un style oral et celle de la traduction hiéronymienne des *Homélies sur Jérémie* montre que si la substance est fidèle, le mouvement de la pensée d'Origène n'est pas conservé par le traducteur, son ardeur est refroidie par la rhétorique de Jérôme. Des divers travaux de Lomiento il ressort que, contrairement à bien des jugements courants, Origène est un écrivain de valeur, sans ornement inutile, mais avec une grande force d'expression. Il aurait fallu, certes, qu'il surveille davantage sa phrase, évite les négligences et quelquefois les obscurités, mais il nous présente, somme toute, un beau style d'intellectuel, toujours attentif à la plénitude de l'idée, ces « pensées pleines et pour ainsi dire tassées », ces « pensées qui n'ont rien de vide » que dans la dédicace au livre XX du *Commentaire sur Jean* il demande à recevoir « de la plénitude du Fils de Dieu, en qui il a plu à toute la plénitude d'habiter [38] ».

---

33. *Vetera Christianorum* 1, 1964, 91-111 ; 2, 1965, 25-66.

34. *L'esegesi origeniana del Vangelo di Luca*, Bari 1966.

35. *Il dialogo di Origene con Eraclide*, Bari 1971.

36. *ComMt* X, 1-12 : *GCS* X : dans *Vetera Christianorum* 9, 1972, 25-54.

37. *Vetera Christianorum* 10, 1973, 243-262 ou : H. CROUZEL *et alii*, *Origeniana*, Bari 1975, p. 139-162.

38. *ComJn* XX, 1, 1 : traduction de nous.

DEUXIÈME PARTIE

L'exégète

Chapitre quatrième

L'INTERPRÉTATION DE L'ÉCRITURE [1]

On connaît surtout Origène par son exégèse spirituelle ou allégorique — nous employons ces deux mots comme équivalents —, mais on n'oubliera pas qu'il est aussi, avec Jérôme, le plus grand exégète critique et le plus grand exégète littéral de l'antiquité chrétienne. En présentant rapidement les *Hexaples* nous avons donné une certaine idée de son exégèse critique. Ajoutons seulement qu'il est constamment attentif dans ses commentaires et souvent aussi dans ses homélies aux leçons différentes qu'il a trouvées dans des manuscrits. Mais il faudra nous arrêter un instant sur son exégèse littérale avant d'en venir à l'exégèse spirituelle dont il n'est pas l'inventeur, mais le grand théoricien [2].

1. Le livre fondamental est H. de LUBAC, *Histoire et Esprit*, Paris 1950 ; et aussi *Exégèse Médiévale*, I/1, Paris 1959, pp. 198-304. Une position assez différente se trouve dans R. P. C. HANSON, *Allegory and Event*, Londres 1959. Nous touchons à bien des questions concernant l'exégèse dans *Origène et la « connaissance mystique »*, Bruges/Paris, 1961.

2. Origène a fait la théorie de l'exégèse spirituelle dans le *Traité des Principes* et plusieurs fois, plus brièvement, dans ses homélies ; les textes recueillis dans les 20 premiers chapitres de la *Philocalie* traitent aussi ce sujet. Sa pratique est plus riche encore que sa théorie. Nous n'exposerons pas en détail dans ce chapitre, mais avec sa doctrine spirituelle dans le chapitre sur la connaissance, la vision exemplariste du monde qui sous-tend cette exégèse.

L'exégèse littérale

Origène accorde un espace variable dans ses homélies au sens littéral qu'il appelle aussi historique ou corporel : certaines homélies sont bâties presque entièrement sur lui, dans d'autres il tient une place minime. Normalement le sens littéral est l'origine du sens spirituel : sans cela il n'y aurait plus qu'un sens accommodatice ayant un rapport très extrinsèque avec ce que dit l'Ecriture. Habituellement Origène explique le sens littéral, fût-ce brièvement, comme il fait pour chaque verset du Cantique des Cantiques, avant de passer au sens spirituel.

Toutes les ressources de la science de l'époque et la formation philologique qu'Origène a reçue dans sa ville natale concourent à l'interprétation du sens littéral : explications d'ordre historique, géographique, philosophique, médical, grammatical, ou même faits d'histoire naturelle, vrais ou prétendus. On le voit détailler les genres littéraires utilisés par l'Ecriture, discuter le sens d'une préposition, aller vérifier sur place s'il existe un Béthanie au-delà du Jourdain [3], s'étonner que soit mentionnée une « Sidon-la-Grande », alors qu'il n'a pas trouvé de « Sidon-la-Petite » [4], témoigner de la configuration de la caverne de Macpéla à Hébron où se trouvaient les tombeaux des patriarches [5], s'appuyer sur des notions médicales venant d'Hippocrate ou de Galien ou faire appel à des connaissances d'histoire naturelle trouvées chez les naturalistes grecs. Il a aussi des amis rabbins et les consulte sur les interprétations, les coutumes ou les traditions juives dont il a une bonne connaissance.

Cependant une affirmation du *Traité des Principes* [6] a soulevé bien des scandales et est encore constamment reprochée à Origène comme exprimant un mépris de l'histoire : on trouverait dans les deux Testaments des passages qui n'auraient pas de sens littéral valable et qui ne seraient donc vrais que sur le plan spirituel ; l'Esprit Saint aurait voulu par ces pierres d'achoppement nous obliger à monter au sens spirituel où ces textes pourront trouver leur cohérence. La difficulté vient de ce que le sens littéral ou corporel n'a pas la même défini-

---

3. *ComJn* VI, 40 (24), 204.
4. Il s'agit en fait d'un qualificatif d'admiration, Sidon, la grande ville. *Jos* 11, 8 : dans *HomJos* XIV, 2.
5. *PArch* IV, 3, 4.   6. IV, 2, 3 à IV, 3, 3.

tion chez Origène et chez les modernes. Alors que nous appelons ordinairement ainsi ce que l'écrivain sacré voulait exprimer, Origène entend par cette expression la matérialité brute de ce qui est dit, préalablement, si c'était possible, à toute tentative d'interprétation. La différence est particulièrement sensible quand la Bible parle, et cela est fréquent, un langage figuré ou parabolique : l'exégète moderne appellera sens littéral ce que l'auteur sacré veut exprimer à travers cette figure ou parabole, mais cela représentera pour Origène le sens spirituel. Prenons comme exemple la parabole de l'enfant prodigue : le récit dans sa matérialité sera pour Origène le sens littéral, mais le drame des Gentils (le fils prodigue) et des Juifs (le fils aîné), avec l'affirmation de la miséricorde divine, ce que Jésus a voulu exprimer, sera le sens littéral des modernes et le sens spirituel d'Origène. Comme ce récit pris dans sa matérialité ne raconte pas une histoire réelle, il n'a pas d'historicité et Origène pourra donc affirmer que le sens littéral n'a pas de consistance historique dans ce cas : à plus forte raison quand la figure utilisée manque de cohérence. Origène cite ainsi *Pr* 26, 9 : « des épines naissent dans la main de l'ivrogne »[7].

Pour confirmer ce que nous venons de dire par la pratique même d'Origène nous avons relevé dans les Homélies sur l'Hexateuque tous les cas de ce genre et examiné les raisons pour lesquelles il trouve le sens littéral inconséquent. Dans beaucoup de cas cela tient à une traduction défectueuse de la Septante : or pour tous les Pères antérieurs à Jérôme, c'est elle qui fait foi, car c'est elle que les apôtres ont donnée à l'Eglise, et même si la comparaison avec l'hébreu ou avec la version d'Aquila lui montre le contresens, c'est elle qu'Origène suivra. Parfois il déclare un peu vite le sens littéral sans consistance parce qu'il ne se met pas dans le contexte littéral, littéraire, psychologique ou moral : mais cela est relativement rare. Ou bien encore il considère que le sens littéral n'est pas inexistant, mais insatisfaisant pour le chrétien parce qu'inutile, contraire aux préceptes du Christ, scandaleux ou impossible. On peut, certes, penser que ces jugements proviennent en partie d'une insuffisante connaissance de la langue ou de la civilisation hébraïque : il ne semble pas qu'Origène ait conscience qu'il y a eu dans l'Ancien Testament une évolution

---

7. *HomGn* II, 6.

et un progrès des exigences morales et religieuses [8]. Mais il faut aussi se rendre compte que ses homélies n'ont pas l'histoire pour but. C'est pour nous, chrétiens, comme le dit Paul en *1 Co* 10, 11, que l'Ecriture a été rédigée : elle doit nous apporter un enseignement qui nous permette de mieux vivre. Cette visée pastorale est toujours à la base de toute l'exégèse d'Origène, à plus forte raison dans sa prédication.

D'autre part l'enquête que nous avons faite montre qu'une telle contestation du sens littéral ne porte que sur des détails de peu d'importance, qui représentent parfois seulement des manières de parler venant d'une certaine rhétorique. On éprouve un peu de surprise à voir des modernes s'en formaliser, alors qu'Origène croit en fait à l'historicité de la Bible bien plus que le plus traditionnaliste de nos exégètes. Qui parmi eux voudrait sauver comme lui l'historicité de l'Arche de Noé par des explications trop subtiles, contre les objections du marcionite Apelle déclarant que les dimensions indiquées ne lui permettaient pas de contenir une telle quantité d'animaux ? [9]

D'autre part, en dépit de la réaction spontanée de bien des modernes, de ce qu'Origène allégorise un récit, on ne peut en conclure qu'il ne croit pas à l'historicité du sens littéral, parfaitement compatible pour lui avec la recherche d'un sens spirituel. Comme nous le verrons en étudiant sa doctrine de la connaissance, les êtres et les événements du monde sensible, tout en ayant leur réalité propre, sont images de ceux du monde surnaturel des mystères, et cette vision des choses combine harmonieusement le platonisme et le sacramentalisme chrétien. Lorsque Paul en *Ga* 4, 23-31 allégorise les deux épouses d'Abraham des deux alliances il ne met pas pour cela leur existence historique en doute.

Certains mots du Christ dans les Evangiles sont exprimés, estime Origène, d'une façon frappante et radicale qui n'est pas à prendre trop à la lettre. La théophanie du baptême de Jésus ou la scène de la Tentation sont à considérer comme des visions intérieures : où est la montagne d'où l'on peut voir tous les royaumes de la terre ? Les divergences des évangélis-

8. H. CROUZEL, « Pourquoi Origène refuse-t-il parfois le sens littéral dans ses Homélies sur l'Hexateuque ? », *Bulletin de Littérature Ecclésiastique* 70, 1969, 241-263.
9. *HomGn* II, 2 ; *CCels* IV, 41.

tes sont expliquées par leur intention profonde qui correspond pour Origène au sens spirituel. En dépit d'expressions qui peuvent être jugées parfois maladroites ses intuitions rejoignent assez souvent celles de la critique moderne.

L'accusation de littéralisme par ignorance du sens spirituel est adressée assez fréquemment par Origène aux Juifs — est-ce toujours à raison, ce n'est pas le moment de le rechercher —, de même aux Marcionites et aux gnostiques, nous allons voir pourquoi. Mais elle pourrait bien être retournée parfois contre Origène lui-même lorsque, sans tenir compte suffisamment du contexte littéraire du passage il montre l'absurdité du sens littéral tel qu'il l'entend et il le prend de la manière la plus absurde pour manifester la nécessité d'en faire jaillir l'allégorie. On peut donc être à la fois littéraliste et allégoriste.

Les bases scripturaires de l'exégèse spirituelle

A travers leur diversité on peut trouver habituellement aux exégèses spirituelles une base commune : l'Ancien Testament est tout entier une prophétie du Christ qui en est la clef. Tel est le principe fondamental qui différencie radicalement, l'allégorie chrétienne de l'allégorie grecque, née du désir de couvrir l'immoralité de certains mythes d'Homère et d'Hésiode en leur donnant un sens philosophique. L'exégèse chrétienne a cependant subi dans ses procédés l'influence de l'exégèse hellénique. L'exégèse spirituelle du Nouveau Testament obéit à d'autres préoccupations que nous exposerons plus loin.

Certaines intentions polémiques sont présentes dans la pratique de l'exégèse spirituelle. Selon 2 Co. 3, 4-18, qui est pour Origène un texte fondamental, les Juifs qui n'ont pas reçu le Christ ont toujours sur le visage un voile qui leur cache la vraie signification de la Bible, car ils restent dans la « lettre qui tue ». C'est seulement quand Jésus lit à son Eglise les vieilles Ecritures, lui montrant comme aux disciples d'Emmaüs qu'elles parlent de lui, que leur lettre perd son pouvoir de mort. L'exégèse allégorique donne donc son vrai sens à l'Ancien Testament. Ainsi elle affirme sa valeur face aux critiques des gnostiques et des Marcionites qui le dévaluent ou même le suppriment, en tant qu'œuvre d'un Dieu inférieur, distinct du Dieu suprême ou même son opposé. En manifestant entre les deux parties de la Bible chrétienne une relation d'image

à modèle, de signifiant à signifié, Origène affirme leur correspondance, leur unité, l'unité du Dieu dont elles parlent et de
l'Esprit qui les inspire. Et les hérétiques indiqués plus haut
séparent les deux Testaments en leur faisant subir un traitement inégal : ils refusent d'allégoriser les scènes de cruauté
de l'Ancien Testament et cela leur permet d'en faire retomber la responsabilité sur le Dieu cruel dont il parle ; mais ils
s'empressent d'interpréter favorablement les passages analogues du Nouveau Testament lorsqu'ils en trouvent.

L'exégèse spirituelle de l'Ancien Testament trouve sa principale justification dans le Nouveau Testament lui-même qui
la pratique. Mais avant de le montrer il est important de
souligner les sources indirectes, lointaines ou proches, qu'elle
a dans l'Ecriture prise dans son ensemble. D'abord dans le
langage symbolique que la Bible parle fréquemment : il est
en effet impossible de parler de Dieu autrement qu'en symboles. Les symboles abondent dans les écrits sapientiels et prophétiques, dans les apocalypses avec leur accumulation d'images plus ou moins cohérentes, dans les premiers chapitres de
la Genèse avec leur genre littéraire proche de la parabole et
leur décor cosmologique voisin des cosmologies babylonien-
nes ; pareillement dans le Nouveau Testament avec les passages apocalyptiques et les paraboles. Il faut aussi mentionner
un problème qui fut important dans l'Eglise primitive, celui
des anthropomorphismes divins de la Bible. Quoi que nous
fassions nous ne pouvons parler de Dieu qu'en le représentant en homme, même avec les concepts les plus désincarnés
de la métaphysique ou de la théodicée. La Bible représente
souvent Dieu avec des membres humains, mains, pieds, yeux,
oreilles, bouche, etc. et elle le dit aussi comme éprouvant des
sentiments humains, colère ou repentir. Parmi les chrétiens
primitifs certains, les anthropomorphites, prenaient ces anthropomorphismes à la lettre, d'autres, millénaristes ou chiliastes, concevaient charnellement la béatitude promise. Ils
n'étaient pas des hérétiques, mais des chrétiens de la Grande
Eglise. Sous des formes plus évoluées les mêmes opinions se
retrouvent chez des théologiens. Justin et Irénée sont millénaristes. Sous une influence stoïcienne Tertullien fait de Dieu
et de l'âme des corps plus subtils, sans être à proprement parler anthropomorphite. Clément et Origène interpréteront les
anthropomorphismes divins comme des symboles d'actes ou
de puissances de Dieu.

D'autre part dans bien des passages des deux Testaments, surtout de Jean et fréquemment aussi des Synoptiques, la cause du récit est une intention didactique de l'auteur sacré : pour l'exégète moderne elle fera partie du sens littéral, mais pour Origène elle constitue, redisons-le, le sens spirituel. Ainsi les miracles que rapporte le quatrième Evangile illustrent ses grands thèmes théologiques : les noces de Cana et la multiplication des pains ont un sens eucharistique ; la guérison de l'aveugle-né s'insère dans le thème du combat entre la lumière et les ténèbres. Il semble qu'on puisse parler de même de bien des miracles racontés par les Synoptiques.

Les étymologies et l'arithmétique symboliques, consistant à chercher la signification spirituelle d'une personne ou d'un lieu dans son étymologie vraie ou prétendue, ou à donner à des chiffres une valeur symbolique, sont, parmi les procédés de l'exégèse patristique, un de ceux qui étonnent et parfois agacent le plus les lecteurs contemporains. Mais il serait faux d'en faire retomber uniquement la responsabilité sur les Grecs. Car la Bible aussi agit parfois de même. Ainsi la fausse étymologie donnée à Babel en *Gn* 11, 9, « confusion », alors que le mot signifie en réalité « Porte de Dieu » : mais par là est exprimé le sens qu'a Babylone dans toute la Bible, de la Genèse à l'Apocalypse ou la *Prima Petri*. En ce qui concerne les chiffres pensons à 3 1/2 qui, camouflé en 42 mois ou en 1260 jours [10], est dans l'Apocalypse le chiffre de la persécution. Pour Origène, si deux tribus et demi restent en Transjordane au moment du partage de la Terre Sainte, c'est que l'Ancien Testament, dont le Pays d'au-delà du Jourdain est le symbole, est parvenu à une certaine connaissance, mais non complète, de la Trinité ! [11]

Plus proche de ce que sera l'exégèse spirituelle qu'inaugurera le Nouveau Testament est la mention continuelle dans l'Ancien de certains événements de l'histoire du peuple saint, par exemple l'Exode, constamment repensés dans la littérature prophétique et sapientielle à la lumière des malheurs du peuple saint : ils sont ainsi approfondis et spiritualisés comme les gages de la libération future et de la gloire définitive dans l'attente messianique. L'Exode est alors considéré comme le plus grand bienfait de Dieu à son peuple et tout au long de son histoire le peuple hébreu a relu à un niveau toujours

10. *Ap* 11, 2 ; 11, 3 ; 12, 6.   11. *HomJos* III, 2.

plus grand de profondeur et de spiritualisation certains éléments de cette histoire. Ce n'est pas encore l'exégèse spirituelle chrétienne, car il fallait la venue du Christ pour que
soit révélé celui qui est la clef des vieilles Ecritures, mais
c'en est certainement une approche. [12]

Nous allons examiner les textes essentiels du Nouveau Testament invoqués par Origène [13] pour justifier l'exégèse spirituelle de l'Ancien : d'abord ceux qui en fournissent des exemples, puis ceux qui ont servi à Origène pour en élaborer la
théorie. Parmi les premiers les plus importants sont *1 Co 10,
1-11* et *Ga 4, 21-31*. Selon *1 Co 10, 1-11*, la colonne de nuées
conduisant les Hébreux dans le désert, le passage de la Mer
Rouge, la manne, l'eau jaillissant du rocher, la mort dans le
désert de la première génération d'Hébreux, représentent le
baptême, l'eucharistie, le châtiment divin pour les péchés. Le
mot *typos*, type, figure, va devenir un des maîtres-mots de
cette exégèse et le verset 11 énonce un de ses principes fondamentaux : « Cela leur arrivait pour servir de figure (*typi-
kôs*) mais a été écrit pour nous avertir, nous qui nous trouvons à la fin des siècles. » C'est pour nous, chrétiens, que
l'Ancien Testament a été écrit et cette affirmation suppose
nécessairement une exégèse spirituelle, car une bonne part
de ses préceptes, ceux qui concernent les cérémonies et le
droit, ne nous obligent plus dans leur littéralité : cependant
eux aussi ont été écrits pour nous, ils doivent donc avoir un
sens pour nous. Les récits n'ont plus en eux-mêmes qu'un
intérêt historique et cependant ils doivent comporter une
signification qui nous concerne.

Ensuite *Ga 4, 21-31* : Sara et Agar, l'épouse et la concubine
d'Abraham, symbolisent les deux alliances, ou plutôt les chrétiens que figure Isaac, fils de Sara, la femme libre, et les
Juifs qui sont toujours dans l'esclavage de la loi et sont représentés par Ismaël, le fils de l'esclave Agar. Le mot allégorie,
un autre maître-mot de cette exégèse, se trouve dans ce passage, signifiant un langage où ce qui est dit recouvre une
autre signification que celle qui paraît en surface.

Plusieurs autres textes fournissent aussi des exemples d'exégèse spirituelle. *Dt 25, 4* « Tu ne muselleras pas le bœuf qui

12. Voir J. GUILLET, *Thèmes bibliques*, Collection Théologie 18, Paris
1951.
13. *PArch* IV, 2, 6.

foule l'aire », est appliqué deux fois par Paul [14] à l'ouvrier
apostolique qui doit normalement vivre de son apostolat. Le
Christ est la postérité d'Abraham [15] et sera la réalisation des
promesses faites au patriarche. Les cérémonies de l'ancienne
alliance sont les « ombres des réalités célestes » [16]. Le Temple
symbolise le corps du Christ [17], les trois jours que passe Jonas
dans le monstre marin ceux où Jésus restera dans le « cœur
de la terre » [18], soit le tombeau, soit l'Hadès, le séjour des
morts ; la prédication de Jonas à Ninive celle du Christ aux
Gentils [19]. L'apparition de Jésus aux disciples sur le chemin
d'Emmaüs est pour lui l'occasion d'une leçon d'exégèse spirituelle. Il leur explique « qu'il fallait que le Christ souffrît et
qu'il entrât dans la gloire. Et commençant par Moïse et par
tous les prophètes il leur expliqua dans toutes les Ecritures ce
qui le concernait » [20]. Le serpent d'airain représente le Christ
élevé en Croix [21] ; la manne le Pain de Vie qu'est Jésus,
Parole et Eucharistie [22]. Constamment l'Eglise est appelée le
nouvel Israël, le chrétien le « Juif dans le secret » [23] portant
la circoncision spirituelle. Toute l'Epître aux Hébreux est
dominée par l'idée du Christ, Grand Prêtre de la nouvelle
alliance, dont celui de l'ancienne est la figure.

On peut trouver dans des lettres pauliniennes les principaux
éléments de la théorie exégétique d'Origène. D'abord *1 Co* 10,
11 déjà signalé. Puis *2 Co* 3, 6-18 interprétant spirituellement
Ex 34, 29-35. Le voile que Moïse mettait sur son visage
quand il descendait du Sinaï où il avait contemplé Dieu, parce
que les Hébreux n'auraient pu supporter la gloire qui rayon-
nait de sa face, figure celui qui aujourd'hui encore cache aux
Juifs le vrai sens des Ecritures. C'est Jésus qui l'enlève. Lire
la Bible sans voir que Jésus en montre le sens, c'est rester
dans la lettre qui tue sans passer dans l'esprit qui vivifie.
Pour que le voile soit ôté il faut se tourner vers le Seigneur.
« Nous tous qui, le visage dévoilé, réfléchissons (ou avec
Origène " contemplons ") comme en un miroir la gloire du
Seigneur, nous sommes transformés dans cette même image de
gloire en gloire, comme sous l'action du Seigneur qui est
esprit. » Ce dernier verset [24] est chez l'Alexandrin l'origine du

14. *1 Co* 9, 9 ; *1 Tm* 5, 18.   15. *Ga* 3, 15.
16. *Col* 2, 16-17 ; *He* 8, 5.   17. *Mt* 26, 61 ; *Jn* 2, 19-21.
18. *Mt* 12, 39-40.   19. *Mt* 12, 41.   20. *Lc* 24, 26-27.
21. *Jn* 3, 14.   22. *Jn* 6, 22-59.   23. *Rm* 2, 29.   24. *2 Co* 3, 18.

thème de la contemplation transformante, c'est-à-dire modelant le contemplateur à l'image du contemplé par une sorte de mimétisme spirituel. Avant Jésus on ne pouvait donc voir la vraie signification des vieilles Ecritures et il en est de même pour les Juifs d'aujourd'hui qui ne l'ont pas reçu. Le vrai sens n'est pas dans la lettre, mais dans l'esprit quand le voile est ôté par le Christ.

Selon *He* 10, 1 la Loi a « l'ombre des biens futurs, non l'image des réalités ». Origène, suivi par Ambroise de Milan et par la tradition médiévale, va tirer de ce texte une triple gradation. Les « réalités », *pragmata,* sont, suivant une signification de source platonicienne, les réalités divines, les mystères, qui seront contemplés dans ce qu'Origène appelle, selon *Ap* 14, 6, l'« Evangile éternel », c'est-à-dire la connaissance parfaite de la béatitude. Mais la loi ne présente de ces « réalités » que l'« ombre », l'espérance, le désir, le pressentiment. Or l'Evangile prêché ici-bas, l'Evangile « temporel », donne beaucoup plus, l'« image », mot qui exprime ici selon Origène une participation réelle, quoique imparfaite, aux « réalités ». Car l'Evangile éternel et l'Evangile temporel sont un seul évangile : ils ne diffèrent pas par leur *hypostasis,* leur substance, mais seulement par l'*épinoia,* la manière humaine de les concevoir, « face à face » dans l'Evangile éternel, « à travers un miroir, en énigme » dans l'Evangile temporel. Cette dernière expression n'est jamais appliquée par Origène à l'Ancien Testament. Appliquée à l'Evangile temporel, elle exprime l'essentiel du sacramentalisme : nous possédons dès ici-bas les vraies réalités, mais nous les percevons cachées sous un voile d'image. Ce sujet sera traité plus complètement plus loin à propos de la doctrine de la connaissance.

Signalons encore *Rm* 7, 14 : « Nous savons que la loi est spirituelle. » L'usage qu'en fait habituellement Origène transpose sur un plan exégétique ce que l'apôtre disait au sens moral ou ascétique : l'épître opposait l'homme charnel, livré à la loi du péché et la loi qui est spirituelle car elle veut le faire vivre selon l'esprit. Sauf dans le commentaire qu'il fait de cette épître où il est obligé de respecter le contexte, Origène cite fréquemment cette phrase en l'entendant dans le même sens que *2 Co* 3, 6-18.

Origène cite souvent *1 Co* 2, 13 : « comparant le spirituel au spirituel ». La cohérence ou la conséquence de l'enseignement biblique n'existe pas toujours sur le plan littéral, mais c'est sur le plan spirituel qu'il faut la chercher en rapprochant les uns des autres des passages des Ecritures qui suggèrent ainsi des sens analogues. Nous verrons bientôt que cette méthode comporte une certaine faiblesse, celle de ne pas tenir suffisamment compte de l'auteur humain.

La justification théologique de l'exégèse spirituelle

La principale justification théologique vient de ce que pour nous chrétiens la révélation s'identifie au Christ. A parler en rigueur de terme le christianisme n'est pas une religion du livre, le livre est second. La révélation est d'abord une personne, le Christ. Il est selon les écrits johanniques le Verbe, la Parole, de Dieu. Il est Dieu lui-même parlant aux hommes, Dieu se révélant. Il est la Parole créatrice par qui tout a été fait, en qui est la Vie et la Lumière, la Parole qui est venue enseigner les hommes et dans ce but s'est faite chair. Il est encore la Parole de Vie que les apôtres ont vue de leurs yeux, entendue de leurs oreilles, touchée de leurs mains et celle que le voyant de l'Apocalypse voit bondir du ciel sur son cheval blanc, en cavalier victorieux, Roi des Rois et Seigneur des Seigneurs, pour écraser l'armée des suppôts de Satan. [25].

La Parole se fait homme pour traduire son message dans une personne humaine, dans des actes et des gestes humains : c'est en effet toute la vie du Verbe incarné qui est Parole.

La doctrine patristique du Logos a une double origine, hébraïque et grecque. En elle ont conflué d'une part le thème biblique de la Parole (*Dabar*) de Dieu qui exprime l'action divine dans le monde et se retrouve dans le Verbe johannique, d'autre part le thème héraclitéen puis stoïcien du Logos-Raison, le mot grec *logos* ayant les deux significations, parole et raison, et bien d'autres encore. Chez Origène le Verbe est non seulement la Parole, mais encore la Raison éternelle du Père, expression qu'il ne faudrait pas entendre dans le sens « naturel » que la théologie scolastique donne au mot « raison ».

A travers les anthropomorphismes bibliques Dieu, explique Origène, s'est déjà manifesté aux hommes à la manière d'un homme : nous ne pouvons le comprendre autrement, nous ne

25. *Jn* 1, 1-14 ; *1 Jn* 1, 1-3 ; *Ap* 19, 11-16.

pouvons sortir de notre expérience humaine. Conscients cependant de ce que Dieu est infiniment au-delà d'elle, nous ne
pouvons nous exprimer qu'à partir d'elle. La création de
l'homme à l'image de Dieu, vérité qui, dominant l'anthropologie spirituelle d'Origène, est la base de sa mystique, donne
cependant à cette connaissance anthropomorphique une certaine validité. Dieu s'est donc fait représenter en homme pour
être connu des hommes. Pour la même raison le Christ s'est
fait homme, imitant ainsi son Père en réalité, non plus en
image, pour nous faire connaître le divin sous une forme que
nous puissions recevoir.

Si la Révélation est le Christ, l'Ecriture ne sera révélation
qu'indirectement, moyennant la médiation du Christ, dans la
mesure où elle l'exprime et le montre. Cela est clair pour le
Nouveau Testament qui rapporte la vie et l'enseignement du
Christ. Mais l'Ancien ne sera lui aussi révélation que pour
autant qu'il parle *tout entier* du Christ.

Voici un autre point qu'on peut rattacher au précédent.
Les Pères des premiers siècles présentent la Bible comme
l'œuvre à la fois du Fils et de l'Esprit et ne distinguent pas
clairement leurs rôles. Elle est Parole de Dieu, mais le Fils lui
aussi est Parole de Dieu. Dieu aurait-il deux Paroles ? Une
telle affirmation aurait eu à cette époque comme à la nôtre
un sens péjoratif : le *dilogos* ou le *diglôssos* est un fourbe.
En fait l'Ecriture et le Verbe ne font qu'une seule Parole.
L'Ecriture est en quelque sorte une incarnation du Verbe
dans la lettre analogue à la chair : non une seconde incarnation, mais elle est entièrement relative à l'Unique Incarnation,
la préparant par l'Ancien Testament ou l'exprimant par le
Nouveau. Pour tous les anténicéens les théophanies ou apparitions de Dieu dans l'Ancien Testament, parfois sous forme
d'ange ou d'homme, sont attribuées au Fils puisqu'il est, pour
Origène déjà dans sa divinité, avant même son Incarnation,
l'intermédiaire entre Dieu et les hommes, celui par qui s'opère
l'activité de la Trinité au dehors. Il apparaît ainsi à Abraham
au chêne de Mambré, l'empêche d'immoler Isaac, lutte contre
Jacob, se montre à Moïse dans la flamme du buisson [26]. La
forme d'ange ou d'homme sous laquelle il se manifeste s'explique pour Origène conformément à son hypothèse favorite de
la préexistence des âmes, et de celle de l'âme du Christ : il le

26. *Gn* 18, 1-15 ; 22, 11-12 ; 32, 25-33 ; *Ex.* 3, 1-6.

fait à travers son âme qui n'ayant pas péché a gardé la forme primitive humano-angélique. Et lorsque nous lisons au début des livres prophétiques : « La parole de Dieu fut adressée à Osée, fils de Bééri », « à Jérémie », « à Ezéchiel », « à Joël », etc., cette Parole n'est autre que son Fils, Dieu n'a qu'une Parole. [27].

Le Verbe parle donc dans l'Ancien Testament et celui-ci n'est révélation que parce qu'il parle de lui, prophétise sur lui, dans son entier, et non seulement dans les quelques passages considérés comme des prophéties directes. Il est comme une prophétie indirecte dans laquelle l'exégète, marchant sur les traces du Nouveau Testament lui-même, trouvera des types du Christ, de l'Eglise, des sacrements, etc. Les principaux types du Christ sont Isaac, fils d'Abraham qui symbolise l'antique alliance, Josué, appelé en grec Jésus, successeur de Moïse qui représente la Loi, et plusieurs autres comme Salomon qui reçoit la reine de Saba, l'Eglise venue des Nations, ou encore le grand prêtre Josué ou Jésus, fils de Josédec.

L'exégèse spirituelle est d'une certaine façon le processus inverse de la prophétie : cette dernière regarde vers l'avant, mais la première se retourne de l'avant vers l'arrière. La prophétie descend le cours du temps et dans un événement historique ou contemporain voit obscurément le fait messianique ou eschatologique qu'il figure. L'exégèse spirituelle remonte le cours du temps et, partant du Messie déjà donné au peuple de Dieu elle reconnaît dans les vieilles Ecritures les préparations et les semences de l'accomplissement actuel. Mais ce dernier reste encore pour une part prophétique par rapport à celui qui trouvera place dans l'eschatologie.

Mais ici se présente un grave problème que pose l'exégèse d'Origène et celle d'autres Pères. Certes, tout l'Ancien Testament doit être considéré comme prophétie du Christ, mais faut-il en conclure que tout événement de l'ancienne alliance préfigure quelque réalité de la nouvelle et étendre ainsi à d'autres faits le caractère prophétique et préfiguratif que le Nouveau Testament reconnaît à certains ? C'est pourtant ce que fait constamment Origène. Ainsi dans les *Homélies sur le Lévitique* il donne un sens spirituel à chaque détail du culte, distinguant par exemple les cas où la viande des sacri-

27. *Os* 1, 1 ; *Jr* 1, 2 ; *Ez* 1, 3 ; *Jl* 1, 1.

fices doit être cuite au four, à la poêle ou au gril [28]. Malgré
la beauté de certaines explications données n'est-ce pas tomber dans l'artificiel et l'arbitraire ? Origène, comme bien des
Pères anciens, avait de l'inspiration scripturaire une idée insuffisante : il se la représentait un peu comme une dictée.
L'Esprit Saint est l'auteur de la Bible, l'auteur humain ne
compte guère. Or il ne sied pas à l'Esprit de dicter une parole
inutile : chaque détail doit avoir un sens, et un sens digne
de l'Esprit Saint, découvrant une infinité de mystères. Chaque
terme d'un pléonasme doit avoir un sens distinct. La Bible
n'est pas à considérer comme un livre humain, mais comme
l'œuvre de l'Esprit. Pour trouver le sens d'un mot ou le symbolisme d'un objet Origène recherche dans toute la Bible les
autres emplois de ce mot et les autres mentions de cet objet :
il semble que pour lui la Bible n'a qu'un seul auteur, l'Esprit
Saint, et que l'auteur humain n'a guère d'importance.

Certes, cette conception de l'inspiration nous rappelle ce
que nous serions parfois tentés d'oublier, que la Bible est un
livre par lequel Dieu nous parle. Mais l'inspiration divine
n'est pas une dictée : les auteurs inspirés s'expriment comme
des hommes, même si l'action de l'Esprit Saint confère à
leurs écrits un sens qui les dépasse. On peut dire que comme
le Christ est parfaitement Dieu et parfaitement homme, la
Bible est tout entière un livre humain et tout entière un livre
divin. Les figures de style, pléonasmes et autres, restent des
figures de style. Et on ne peut la comprendre qu'en se mettant
d'abord dans le contexte de l'auteur humain, qu'il soit littéral,
littéraire, psychologique ou historique. Origène le fait d'ailleurs habituellement, bien qu'on puisse parfois découvrir sur
ce point quelques défaillances dans des cas où il considère
trop rapidement le sens littéral comme inexistant, le Saint
Esprit ayant mis là comme une pierre d'achoppement pour
nous inciter à monter au sens spirituel.

Cette notion insuffisante du rôle de l'auteur humain dans
la rédaction de l'Ecriture provoque de l'étonnement, car elle
semble en contradiction avec une polémique sur l'inspiration
prophétique qui joue un certain rôle dans sa doctrine spirituelle. Elle est dirigée contre les Montanistes [29]. Dans l'inspi-

28. *HomLv* V, 5.
29. Le Montanisme naquit en Phrygie vers 170 de la prédication du
berger Montan et de deux prophétesses Priscilla et Maximilla. Il se répan-

ration prophétique, pensaient-ils, l'Esprit Saint suspend la
conscience et la liberté du prophète et le met dans un état
d'inconscience, de folie sacrée : il s'en sert comme d'un instrument pour proférer les paroles qu'il met dans sa bouche,
un instrument passif actionné par l'Esprit comme la lyre par
le plectre, suivant l'image classique conservée par Epiphane [30].
C'était là une conception souvent débattue dans la philosophie
grecque à propos de l'inspiration poétique ou mantique et qui
pouvait même invoquer en sa faveur certains textes du grand
théologien juif d'Alexandrie, Philon. Malgré son admiration
pour Philon Origène ne le suit pas sur ce point. Il tient au
contraire que le Saint Esprit met le prophète dans ce que l'on
pourrait appeler un état de surconscience et de surliberté et
que le prophète collabore consciemment et librement avec
l'Esprit qui l'inspire. Dieu n'obnubile pas la conscience ni ne
force la liberté de l'être qu'il a créé conscient et libre. Seul le
démon agit ainsi sur les énergumènes et les passionnés [31]. Il
est étonnant qu'Origène n'ait pas tiré de cette conception de
l'inspiration prophétique plus d'attention au rôle de l'auteur
humain dans la rédaction des livres saints.

Si on lui avait reproché de chercher un sens spirituel dans
tous les détails des récits de l'Ancien Testament, il n'aurait
cependant pas manqué d'arguments pour se défendre. Les
prescriptions juridiques et cérémonielles, nous l'avons vu, ont
été abolies par le Christ dans leur littéralité : si elles n'ont
pas de sens spirituel elles n'ont plus pour nous aucune signification, alors que c'est pour nous, chrétiens, selon *1 Co* 10,
11, qu'ont été écrits les livres qui les contiennent. Il est quelquefois question dans les homélies d'Origène de chrétiens qui
en gardent quelque chose à l'état de superstitions, qui ne se
baignent pas le jour du sabbat, qui mangent des azymes au
temps de Pâques : le prédicateur leur reproche ni plus ni
moins que de refuser le salut apporté par le Christ en s'atta-
chant à ces « fables judaïques ». [32] Pareillement en ce qui
concerne les récits : ils appartiennent au passé et le point de
vue d'Origène n'a rien à voir avec celui de l'historien ou de

dit rapidement dans l'Empire, au point de commencer peu après 200 de
séduire à Carthage par son rigorisme moral le grand théologien Tertullien
et de l'amener finalement à rompre avec la Grande Eglise.

30. *Panarion* 48, 4, 1 : *GCS* Epiphane II.
31. Voir notre livre *Origène et la « connaissance mystique »*, p. 197-207.
32. *Tt* 1, 14 : *HomJr* XII, 13.

l'archéologue, il est avant tout dans sa prédication un pasteur attentif au profit spirituel que ses auditeurs en pourront tirer. Le passé n'a d'importance que par le sens qu'il a pour le présent : autrement nous restons confinés dans les « fables judaïques » c'est-à-dire dans une histoire sans signification chrétienne ni application pratique. Si donc la Bible et tout ce qu'elle contient ont été rédigés pour nous, ce qui nous instruit et nous est utile n'est pas la littéralité des prescriptions ni celle des récits, mais le sens que l'exégèse spirituelle tente d'exprimer. Certes l'objection que nous avons formulée plus haut ne manque pas de fondement : il semble artificiel de vouloir trouver un sens spirituel dans tous les passages, et les détails, des livres saints. Mais la réponse que ferait Origène a elle aussi une certaine force.

L'exégèse spirituelle est spirituelle au sens le plus précis du terme

Nous avons déjà signalé cela à la fin du chapitre précédent. En Origène l'exégète, le spirituel et le spéculatif se compénètrent. Un moderne lui reprocherait parfois de ne pas distinguer entre l'intellectualité liée à la raison conceptuelle et discursive et la spiritualité de caractère intuitif : mais c'est le cas de la plupart des Pères. Si Origène utilise toutes les sciences de son époque pour expliquer le sens littéral il ne pense pas cependant que la parole adressée à l'homme par Dieu soit uniquement de la compétence de ces sciences. Elle n'appartient pas non plus seulement au théologien qui en développe les leçons doctrinales, en tire une vision chrétienne du monde, montre la cohérence de l'œuvre du salut. Pour que la Bible ne reste pas le « livre fermé » d'Isaïe et de l'Apocalypse [33], une parole intime de Dieu doit être entendue par l'âme à l'occasion de sa lecture. Le charisme de l'interprète est le même que celui de l'auteur inspiré. Pour comprendre Isaïe ou Daniel il faut avoir en soi le même Saint Esprit [34] et on n'interprète l'Evangile que si on a en soi le *noûs,* la mentalité, du Christ, que l'Esprit donne [35] : affirmation fréquente que répète aussi Grégoire le Thaumaturge :

33. *Is* 29, 11 ; *Ap* 5, 1.
34. *Fragm 1 Co* XI : *JThS* IX, p. 240, 1. 22 ; *SerMt* 40 : *GCS* XI.
35. *ComJn* X, 28 (18), 172 ; *ComMt* XIV, 11 ; XV, 30 (*GCS* X).

« La même puissance est nécessaire à ceux qui prophétisent et à ceux qui écoutent les prophètes ; et nul ne pourrait écouter un prophète si l'Esprit même qui a prophétisé en lui ne lui a pas accordé l'intelligence de ses paroles ».[36]

En effet l'inspiration divine de l'Ecriture est en quelque sorte mystiquement perceptible à son lecteur :

« Celui qui étudie avec soin et attention les écrits prophétiques ressentira à leur lecture *une trace d'enthousiasme* et ce sentiment le persuadera que ce que nous croyons être les paroles de Dieu ne sont pas des écrits d'hommes »[37].

Cet enthousiasme n'est pas à comprendre selon sa signification moderne décolorée et laïcisée : conformément à son étymologie (*en,* dans, *théos,* Dieu), c'est le sentiment éprouvé que Dieu est là.

Ce sentiment montre que les Trois Personnes interviennent constamment pour donner la compréhension des paroles sacrées. La grâce du Verbe et de l'Esprit qui rendait brûlants les cœurs des disciples sur le chemin d'Emmaüs[38] agit en nous et nous indique le sens de l'Ecriture. Mais cette grâce tombe dans une nature déjà apte à la recevoir. La doctrine de l'image de Dieu en l'homme, que nous étudierons à propos de l'anthropologie spirituelle d'Origène, tient en effet une place capitale dans sa mystique suivant un vieil adage platonicien qui n'est qu'une évidence de bon sens : seul le semblable connaît le semblable ; il faut être semblable pour connaître. C'est notre parenté avec tous les êtres de ce monde qui nous permet de les connaître, les retrouvant en quelque sorte en nous-mêmes, qu'il s'agisse de la matière inanimée, des êtres vivants ou des autres hommes : parce qu'il est un microcosme, un petit monde, l'homme peut comprendre quelque chose du macrocosme, du grand monde. De même, créé à l'image de Dieu, rencontrant Dieu dans cette image qui est en lui, il peut avoir une certaine connaissance de Dieu. Plus il développe cette ressemblance par une vie conforme à ce qu'est Dieu et que

36. *RemOrig* XV, 179.
37. *PArch* IV, 1, 6.
38. *Lc* 24, 32 : chez Origène plusieurs textes, voir *Origène et la « connaissance mystique »* p. 193 note 4.

veut Dieu, plus il est apte à recevoir de Dieu les grâces de connaissance. [39]

En conséquence l'interprétation spirituelle se comprend seulement dans un contexte de contemplation et de prière : l'incompréhension ou l'ignorance de cette vérité est cause de bien des jugements dépréciatifs et faux portés sur elle. On lui reproche souvent de ne pas observer la rigueur et l'objectivité que se propose l'exégèse scientifique de notre temps : ce faisant on met en parallèle deux formes d'interprétation qui n'ont pas le même but, celle-là partant de celle-ci et la situant dans l'histoire du salut, mais surtout il ne peut y avoir d'incompréhension plus complète du contexte de prière dans lequel l'exégèse spirituelle se situe. Certes elle a normalement à sa base le sens littéral et n'est pas à confondre avec une exégèse purement accommodatice. Mais la voix que Dieu fait entendre à l'âme n'est pas enchaînée à des mots et à leur sens objectif.

Cette réponse risque d'effrayer bien des théologiens qui y verront un danger de libre examen comme à l'époque de la Réforme : on pourrait alors considérer ses propres élucubrations comme la voix de Dieu. Mais il ne semble pas que les Pères aient eu pour le libre examen la moindre indulgence et Origène moins encore que tout autre, malgré les erreurs qui lui ont été reprochées. Parfois il prie ses auditeurs de juger, d'après l'Écriture et le sens de Dieu qui est dans le peuple chrétien, s'il a parlé « du cœur de l'Esprit Saint » ou « de son propre cœur », s'il est un orthodoxe — un « ecclésiastique », dit-il — ou un hérétique, un vrai ou un faux prophète. [40].

Certes, ces interprétations sont habituellement en accord avec la règle de foi, surtout si on pense que celle de cette époque était bien plus succincte, non seulement que la nôtre, mais même que celle qui suivra la crise arienne, à l'époque de la première querelle origéniste. Mais on peut les dire « subjectives », en prenant le mot dans son sens premier qui ne signifie pas fantaisiste, imaginaire ou purement individuel, mais veut dire qu'elles sont adressées à un sujet, à une personne. Le prédicateur en nourrit ses sermons, car elles ne sont pas tellement personnelles qu'il ne puisse les communiquer

---

39. Ce sujet sera exposé plus complètement dans le chapitre VI sur la connaissance.

40. *HomEz* II, 2 : *GCS* VIII.

aux autres, mais elles ne sont pas présentées comme les seules
interprétations possibles. Elles sont plutôt indiquées comme
des « occasions de compréhension » [41] selon une expression
fréquemment employée par Origène, c'est-à-dire un point de
départ pour la compréhension et la prière. Il faut distinguer
évidemment les cas où elles viennent du Nouveau Testament
et possèdent alors l'autorité que leur donne l'inspiration scripturaire ; autrement il s'agit d'essais personnels et hypothétiques pour voir le sens d'un passage avec le secours de la
grâce de Dieu et fournir à l'auditeur ce qui l'aidera dans sa
prière.

Il faut comprendre le rôle du prédicateur selon Origène
quand il suggère un sens spirituel d'après celui qui est attribué au directeur spirituel par la tradition chrétienne. Il est
remarquablement exprimé dans un petit fragment sur la première épître aux Corinthiens : « Le maître humain suggère
quelques idées. Prenons en exemple Paul enseignant Timothée : Timothée reçoit de Paul des suggestions et va lui-même
à la source d'où Paul est venu, il y puise et il devient l'égal
de Paul [42]. » Le maître chrétien est un intermédiaire qui aide
son disciple à entrer en contact avec Dieu dans la prière.
Quand on n'a plus besoin de lui, il se retire. Bien des connaisseurs d'Origène ont souligné la modestie avec laquelle il présente ses interprétations et fréquemment il lui arrive de dire
en substance : « Si quelqu'un trouve mieux je suis prêt à
l'accepter et à me ranger à son avis. » Il ne considère pas
son interprétation comme exprimant une signification définitivement et universellement valable, mais un essai personnel,
discutable, cependant communicable, pour atteindre le sens
profond du passage. Nous verrons de même que sa théologie
est présentée explicitement dans la préface du *Traité des Principes* comme une recherche à partir de la règle de foi et il ne
lui donne pas une valeur dogmatique.

Ces interprétations ont bien souvent pour sujet le comportement du chrétien dans le temps qui sépare les deux venues
du Christ. Si nous avons parlé jusqu'ici surtout de l'exégèse
spirituelle de l'Ancien Testament qui voit dans le Christ celui
qui en ouvre le sens, nous touchons ici un des aspects essen-

---

41. L'expression se trouve dans *HomNb* XIV, 1 et l'idée qu'elle exprime
est développée fréquemment : *PArch* II, 6, 2 ; IV, 2,2 ; *ComJn* XXXII, 22
(14), 291 (*GCS* IV) ; *ComMt* XIV, 22 (*GCS* X).
42. XI : *JThS* p. 240, 1. 5.

tiels de celle du Nouveau Testament. Certes les nouvelles
Ecritures restent prophétiques puisque l'Incarnation préfigure
la venue glorieuse de la fin des temps et fait deviner les
« vraies » réalités qui nous seront alors découvertes. Mais il
n'y a pas un strict parallélisme entre d'une part l'Ancien
Testament et l'Evangile vécu ici-bas, l'Evangile temporel et
d'autre part cet Evangile temporel et l'Evangile éternel de la
béatitude, car il n'y a en réalité qu'un seul évangile, nous
sommes déjà en possession des biens suprêmes, bien que nous
ne les contemplions qu'« à travers un miroir, en énigme » et
non « face à face » [43]. Les nouvelles Ecritures réalisent déjà
ce qu'elles prophétisent. L'exégèse du Nouveau Testament sera
donc en bonne partie l'application à chaque chrétien de ce qui
est dit du Christ, une intériorisation en chacun des faits, des
actes et des vertus du Christ. « Que me sert-il à dire que le
Christ est venu sur terre dans la seule chair qu'il a reçue de
Marie, si je ne montre pas qu'il est venu aussi dans ma
chair ? [44] » Cette phrase revient plusieurs fois dans l'œuvre
d'Origène sous des formes diverses. Pour que la naissance de
Jésus à Bethléem produise en moi et dans les autres ses
effets de salut, elle doit se reproduire en chacun par une adhésion personnelle à la Rédemption. Dieu respecte la liberté
des hommes : ses sollicitations ont pour but une adhésion personnelle à lui. Nous avons déjà aperçu cela à propos de l'opposition d'Origène à la conception montaniste de l'extase prophétique : le diable possède, Dieu respecte la liberté. La
plupart des grands thèmes spirituels dont Origène a été le
créateur ou du moins le propagateur dans la tradition chrétienne expriment l'intériorisation du Christ dans le chrétien,
l'appropriation au chrétien de ce qui est dit du Christ.

Plusieurs convictions sont à la base de l'exégèse origénienne
du Nouveau Testament et de ses thèmes mystiques. D'abord
celle de la liberté de l'homme voulue par Dieu : nous en
avons déjà parlé [45]. Dieu ne gouverne pas l'homme en maître
comme le reste de la création, mais en père : il lui demande
d'adhérer librement à l'union divine à laquelle son amour
prévenant le destine. Ensuite une position équilibrée entre
l'individuel et le collectif. La Rédemption n'est pas seulement

43. Voir plus loin pp. 149-156.
44. *HomGn* III, 7 : la traduction est de nous.
45. Par exemple p. 85. Mais l'idée reviendra constamment dans la suite
de cet ouvrage.

affaire collective, ni seulement affaire individuelle, mais indissociablement les deux : le salut est à la fois personnel et ecclésial. Le *Commentaire sur le Cantique des Cantiques* passe sans problème, quelquefois même sans transition, de l'Eglise-Epouse à l'âme-épouse. Origène semble penser que loin de s'opposer l'une à l'autre, elles dépendent l'une de l'autre : l'âme fidèle est épouse du Christ parce qu'elle fait partie de l'Eglise-Epouse ; et plus elle se comporte en épouse par la perfection de sa vie chrétienne, plus l'Eglise est Epouse.

Ce qui a été dit à propos de *He* 10, 1 de la distinction de l'Evangile temporel et de l'Evangile éternel, identiques par l'*hypostasis*, la substance, différents seulement par l'*épinoia*, la manière humaine de les considérer [46], s'applique aussi aux sacrements. Le baptême, suivi d'une vie chrétienne qui lui est conforme, constitue une « première résurrection » [47] qui reste partielle, « à travers un miroir, en énigme », pour la distinguer de la seconde, la résurrection finale, qui sera « face à face » [48]. Il en est de même des purifications d'ici-bas et de la purification eschatologique dont Origène est le premier grand théologien [49]. La même distinction peut s'appliquer à tous les sacrements d'ici-bas et à leur réalisation parfaite dans la béatitude.

Origène défend, quelquefois avec exagération, l'ancienne alliance contre le mépris des Marcionites : il semble vouloir égaler la connaissance dont jouissaient ses saints à celle des apôtres : ainsi dans le Livre VI du *Commentaire sur Jean*, le Livre XIII rétablissant l'équilibre [50]. Si l'Ancien Testament est ombre, s'il ne possède pas les « vraies » réalités, s'il ne voit même pas « à travers un miroir, en énigme », il a été changé en Nouveau Testament par la venue du Christ et l'exégèse qu'elle inaugure, comme l'eau est devenue vin aux noces de Cana [51] : il suffit pour cela que Jésus lise à son Eglise les vieilles Ecritures lui montrant qu'elles parlent de

---

46. Voir plus loin pp. 149-156.
47. *Rm* 6, 3 ss. ; *Ap* 20, 5-6. De ce dernier texte Origène s'efforce de supprimer le sens que lui donnaient les millénaristes.
48. *1 Co* 13, 9-11 : *Fragm 1 Co* XXIX, *JThS* XIII, 363.
49. *ComMt* XV, 23 (*GCS* X), en supprimant la correction incompréhensive du traducteur latin que E. Klostermann a introduite dans le texte grec. Voir *infra* p. 315-317.
50. VI, 3-6, 15-31 ; XIII, 48, 314-319.
51. *ComJn* XIII, 63 (60), 438.

lui. Aux saints qui l'ont précédée l'Incarnation a révélé le
« jour du Seigneur » : il s'est manifesté à Moïse et à Elie sur
la montagne de la Transfiguration et aux autres quand le
Christ après sa mort est descendu dans l'Hadès les libérer et
les emmener avec lui dans son Ascension glorieuse. [52]

Multiplicité des sens et essais de classement

Nous nous en sommes tenus jusqu'ici aux lignes centrales de
l'exégèse spirituelle, soit de l'Ancien, soit du Nouveau Testament. En fait il s'agit d'une réalité très complexe qui a subi
de nombreuses influences culturelles. Car Alexandrie, la ville
natale d'Origène, était le principal centre culturel de l'Empire
romain et le carrefour de toutes les sagesses de l'Orient : capitale de l'hellénisme vivant face à Athènes, ville du passé,
capitale du judaïsme hellénistique de la Diaspora, capitale
d'une Egypte hellénisée. Dans toutes ces cultures le symbolisme et l'allégorie avaient leur place.

Les plus importantes influences sont évidemment hébraïques et helléniques. Nous avons parlé du langage figuré de
l'Ancien Testament, des anthropomorphismes nécessairement
interprétés par une conscience religieuse évoluée, de ses grands
thèmes que développe et spiritualise la littérature sapientielle
et prophétique. Mais il y a aussi les exégèses rabbiniques qui
ont déjà influé sur le Nouveau Testament par l'intermédiaire
de Paul et qui agiront encore sur Origène qui en manifeste
une connaissance très poussée [53], venue de rabbins amis. L'influence de divers courants juifs comme de celui que révèlent
les écrits de Qumran est peut-être elle aussi perceptible. Plus
sûrement celle des apocalypses, canoniques ou non, et de la
littérature apocryphe de l'Ancien Testament.

L'ambiance culturelle est grecque. L'exégèse allégorique des
mythes païens, d'Homère et d'Hésiode, a son origine dans la
volonté de les disculper des reproches d'immoralité qui leur
ont été faits en y voyant les symboles de vérités philosophiques conformes à l'école à laquelle appartient l'interprète : on
retouve dans l'exégèse spirituelle des Pères plusieurs de leurs
procédés, notamment le principe que l'exégèse doit être *digne*

52. *Hom 1 R (1 S)*, 28 (*GCS* III) sur Saül chez la nécromancienne.
53. N. de LANGE, *Origen and the Jews*, Cambridge 1976.

de Dieu. Outre les éléments philosophiques que le platonisme, avec le stoïcisme et, à un moindre degré, d'autres écoles, apporte à sa théologie, le contexte de l'exégèse d'Origène est une vision du monde exemplariste, dominée par la relation du modèle et de l'image, qui l'apparente à celle de Platon. Le monde divin des mystères, analogue à celui des idées, possède l'existence et l'intelligibilité parfaite : le monde sensible, image des mystères, a une réalité participée et intentionnelle [54]. Platon emploie aussi parfois un langage imagé et mythique quand il ne peut s'exprimer plus fermement : l'explication donnée à ces mythes n'est pas sans rapport avec l'exégèse d'Origène.

Philon, qui présente une première synthèse de judaïsme et d'hellénisme, utilise les disciplines philosophiques grecques dans son exégèse psychologique et morale et les allégories de type philonien ne sont pas rares chez Origène. Ce dernier subit aussi inévitablement l'influence de ses principaux adversaires, les gnostiques, surtout les disciples de Valentin, dont la théologie est dominée par les événements d'un monde en trois plans, le « plérôme », lieu du plein, où se trouvent les entités divines que sont les Eons, l'« intermédiaire » (*mésotès*) où règne le Démiurge, le Dieu créateur, le « kénôme », ou lieu du vide, dominé par le Prince de ce monde, le Diable. Enfin Origène connaît la littérature apocryphe du Nouveau Testament. Peut-être faudrait-il encore y ajouter les traditions égyptiennes que conserve cette gnose païenne qu'est l'hermétisme, des traditions mésopotamiennes, iraniennes, indiennes. Sur des esprits aussi encyclopédiques que Clément et Origène ont pu s'exercer bien des influences.

On a essayé à plusieurs reprises de mettre un certain ordre dans cet ensemble. Origène lui-même dans le *Traité des Principes* [55] et dans plusieurs passages d'homélies a formulé la théorie du triple sens à partir de son anthropologie trichotomique qui distingue en l'homme le corps, l'âme et l'esprit : le sens littéral correspondra donc au corps, le sens moral, qui concerne la vie en ce monde, à l'âme, le sens mystique qui devine déjà les mystères, à l'esprit. Cette classification n'éclaire pas beaucoup l'exégèse d'Origène : élaborée à partir d'une réalité différente, l'anthropologie, on a l'impression qu'elle est

---

54. Voir plus loin pp. 139-164 à propos de la connaissance.
55. IV, 2, 4-6.

comme appliquée du dehors. On ne voit guère si le sens psychique ou moral concerne une morale naturelle, indépendante de la venue du Christ, ou la vie du chrétien après la venue du Christ. En fait Origène n'explique guère habituellement les trois sens, mais après le sens littéral soit le moral soit le mystique. Son vocabulaire, qui exprime surtout la vision du monde exemplariste, ne permet pas à lui seul de distinguer les deux derniers sens. Il y a d'une part le symbole, le type, l'image, l'énigme, ainsi que les adjectifs sensible, corporel, visible, etc., de l'autre le mystère, la vérité, les réalités, ainsi que les adjectifs mystique, vrai, intelligible (opposé à sensible), spirituel (opposé à corporel), raisonnable, invisible (opposé à visible). On ne voit guère de différence de signification entre ces mots quand ils sont appliqués à l'exégèse spirituelle. On n'en trouve pas davantage entre les trois mots essentiels qui expriment la méthode allégorique, en dépit d'images étymologiques diverses et même opposées : *allègoria,* le fait de dire autre chose que ce qu'on dit, *anagogè,* celui de monter au-dessus de la lettre, *hyponoia* celui de comprendre par-dessous la lettre.

Dans *Exégèse Médiévale* [56] H. de Lubac désigne Origène comme l'auteur véritable d'une autre classification qui correspond davantage à sa pratique, mais dont il n'a jamais fait la théorie, la doctrine du quadruple sens. Formulée pour la première fois par Cassien, exprimée dans le fameux distique du dominicain Augustin de Dacie, elle traversera le Moyen Age. Après le sens littéral le sens allégorique est l'affirmation du Christ comme clef de l'Ancien Testament et centre de l'histoire. Puis viennent deux corollaires, le sens moral ou tropologique qui régit la vie morale du chrétien dans l'entretemps des deux venues du Christ et le sens anagogique qui fait pressentir les réalités eschatologiques. Le sens allégorique fait passer de l'Ancien Testament au Nouveau, il correspond à l'exégèse spirituelle des vieilles Ecritures. Le sens tropologique concerne l'Evangile temporel : il applique au chrétien ce qui est dit du Christ et c'est là un aspect important de l'exégèse spirituelle du Nouveau Testament. L'autre aspect de cette même exégèse, le rôle prophétique que conservent les nouvelles Ecritures vis-à-vis des biens eschatologiques, selon une prophétie qui rend déjà présent ce qui est prophétisé, est

56. I/1, Paris 1959, pp. 198-219.

le sens anagogique, situé à la charnière de l'Evangile temporel et de l'Evangile éternel. Mais ces deux derniers sens peuvent être aussi trouvés dans l'Ancien Testament, après que le sens allégorique l'a transformé en Nouveau Testament.

Une troisième distinction a eu un certain succès assez récemment, celle de la « typologie » et de l'« allégorie ». Si nous mettons ces deux mots entre guillemets, c'est pour éviter la confusion entre l'« allégorie » dont il est question ici et le sens allégorique de la doctrine du quadruple sens : en effet ce dernier correspond plutôt à la « typologie » qu'à l'« allégorie » de la nouvelle distinction. L'« allégorie » est ainsi appelée par analogie avec l'exégèse allégorique des Grecs à laquelle elle est rattachée par les auteurs de la distinction, mais cette appellation est malheureuse car elle modifie un sens traditionnel et engendre une regrettable confusion de termes. Le point de départ est une théorie du temps chrétien. Celui des philosophes grecs qui professent les retours perpétuels peut être représenté graphiquement par une série de cercles fermés où les mêmes événements se répètent. A l'inverse le temps des chrétiens peut l'être par une ligne droite allant dans une seule direction, avec un événement irréversible, la première venue du Christ, et tendant vers la seconde venue et la fin des temps. Toute exégèse répondant à ce schème est dite « typologique » et appartiendrait à l'essence de la révélation chrétienne.

Mais, à partir des Alexandrins chrétiens, un second schéma interfèrerait avec le premier : il serait lié au symbolisme et à un exemplarisme, non plus horizontal, mais vertical, supposant au-dessus du monde sensible un autre monde divin et angélique et des relations constantes de l'un à l'autre. Cette exégèse « allégorique » ne serait pas d'origine chrétienne, mais platonicienne ou apocalyptique. Partout où est souligné le rapport de l'Ancien Testament au Nouveau nous resterions donc dans la tradition chrétienne. Partout au contraire où est supposé un monde d'êtres surnaturels dont les événements ont leur reflet dans notre univers terrestre, nous serions en dehors de la tradition chrétienne, en présence d'une hellénisation, ou, au mieux, sous l'influence de l'apocalyptique. Les uns considèrent que l'« allégorie » dénature le christianisme, les autres qu'elle est un fait de culture, non illégitime, mais cependant étranger.

Distinguer des formes littéraires différentes peut être justifié, bien que les anciens et les médiévaux ne semblent pas les avoir perçues. Autre chose est de porter sur chacune un jugement de valeur et surtout de considérer l'« allégorie » comme manquant d'authenticité chrétienne. Ce verdict vient d'une conception du temps chrétien trop étroite, le réduisant à la seule ligne horizontale, alors que la verticale est l'expression du sacramentalisme, de la présence anticipée des biens eschatologiques dans l'Evangile temporel. Le temps chrétien a les deux dimensions, la verticale aussi bien que l'horizontale : il ne peut être exprimé que par des antithèses, comme le Royaume de Dieu, à la fois présent et futur selon l'Evangile.

Le Nouveau Testament lui-même donne des exemples d'« allégorie » au sens qu'a ce mot dans la distinction. Le quatrième Evangile, pour ne pas parler de l'Apocalypse de Jean, renvoie plusieurs fois à un monde supérieur divin, celui où le Verbe est dès le début auprès de Dieu, celui d'où vient le Christ et qu'ignorent les Juifs, celui où le Christ va revenir et où les apôtres ne peuvent encore le suivre, la maison du Père où il y a beaucoup de demeures et où Jésus va préparer une place à ses disciples [57]. Certains répondront peut-être que ces expressions sont dans l'Evangile de Jean un signe d'hellénisme. Mais la présence de cet Evangile dans le Nouveau Testament suffit à empêcher de dire que l'« allégorie » n'est pas dans la tradition chrétienne. Du reste, la dépendance de cet Evangile vis-à-vis de l'hellénisme est fortement contestée par bien des exégètes. On ne peut donc affirmer sans nuance l'influence de l'hellénisme sur l'« allégorie » des Pères alexandrins, car chez Origène elle se manifeste le plus clairement dans son *Commentaire sur Jean*. Plus que Platon la source n'en serait-elle pas cet Evangile lui-même, dont Origène est le premier commentateur « ecclésiastique » ?

Paul fournit lui aussi des exemples d'« allégorie ». Sara n'est-elle pas dans *Ga* 4, 22-31 la figure de la « Jérusalem d'en haut », qui « est libre et est notre mère » [58], expression qui évoque à la fin de l'Apocalypse la « Jérusalem nouvelle », « descendant du ciel d'auprès de Dieu, prête comme une épouse parée pour son époux » ? [59]

La dimension horizontale ne suffit donc pas à caractériser l'exégèse chrétienne et la verticale n'est pas moins nécessaire. Dans la période qui sépare l'Incarnation de la venue glorieuse

57. *Jn* 1, 1 ; 8, 21-23 ; 8, 42 ; 14, 2-5.   58. *Ga* 4, 26.   59. *Ap* 21, 22.

du Christ le fidèle se réfère naturellement dans sa foi aux
biens célestes qui sont déjà sacramentellement à sa disposition,
il se situe dans ce monde divin et angélique où il a sa citoyenneté, son *politeuma* [60], autre expression paulinienne qui traduit la verticalité de l'« allégorie ». Dans ses jugements de
valeur la distinction de l'« allégorie » et de la « typologie »
est trop systématique et sacrifie pour cette raison un aspect
essentiel de la réalité chrétienne. [61]

Portée historique et actuelle de l'exégèse spirituelle

L'exégèse spirituelle a aidé fortement l'Eglise à prendre
conscience de sa tradition, c'est-à-dire de la transmission de
la pensée du Christ jusqu'à nous, considérée comme source
de la foi et de la théologie. Il ne s'agit pas ici des nombreuses
traditions qui ne sont pas sources de la foi et par ailleurs
tout dans la tradition n'a pas la même valeur : il faut distinguer les affirmations fondamentales des explications qui en
sont données, ce qui demande un discernement. Au sens fort,
précisons-le, la tradition n'est pas un processus de répétition
littérale : elle est vivante. C'est un courant qui est à la fois un
et divers.

En effet le Christ, Parole de Dieu, a parlé et a vécu avec
ses apôtres et sa doctrine est transmise à la fois par sa vie et
par ses paroles. Il a expliqué l'Ancien Testament en montrant,
comme aux disciples d'Emmaüs, que les anciennes Ecritures
avaient parlé de lui. L'Esprit Saint qu'il leur a promis devait
leur enseigner toutes choses et les faire souvenir de son enseignement, leur rendre témoignage à son sujet, les guider vers
la vérité complète [62]. Ce message n'est pas parvenu aux apôtres sous la seule forme d'un ensemble de propositions qu'ils
auraient pu exprimer. Ils l'avaient reçu, certes, mais seul
l'Esprit pouvait les mener à une conscience plus parfaite. Il
y a ainsi dans l'histoire de l'Eglise une prise de conscience
progressive du message du Christ avec tout ce qu'il implique,

60. *Ph* 3, 20.
61. Sur cette question : H. de LUBAC, « Typologie » et « allégorisme »,
Recherches de science religieuse 34, 1947, 180-226 ; H. CROUZEL, « La distinction de la "typologie" et de l'"allégorie"», *Bulletin de Littérature
Ecclésiastique* 65, 1964, 161-174.
62. *Jn* 14, 26 ; 15, 26 ; 16, 13.

et elle commence dès l'Eglise apostolique à travers son enseignement, sa catéchèse, sa liturgie, avant même la rédaction du Nouveau Testament qui en constituera, à cause de l'inspiration, un témoignage privilégié.

La croissance de l'Eglise est comparable à celle d'un enfant qui à mesure qu'il grandit prend une conscience plus nette de ce que d'une certaine façon il porte en lui dès le début. L'Esprit Saint est en quelque sorte l'agent intérieur de ce développement, mais ce dernier se produit à la faveur d'occasions extérieures qui entraînent au cours des âges un accroissement de l'expérience de l'Eglise : y contribuent la rencontre de nouvelles civilisations, les problèmes nouveaux propres à chaque époque, les hérésies qui obligent l'Eglise à envisager plus clairement des points de doctrine qu'elle voyait auparavant plus obscurément, la pensée des théologiens et les exemples des saints. Parmi ces facteurs se situe, dans l'antiquité chrétienne et dans une bonne partie du Moyen Age, l'exégèse spirituelle à laquelle Origène a donné toute sa force d'expression. Elle a été l'un des moyens privilégiés de cette prise de conscience et dans une large mesure la théologie est sortie d'elle.

Pour l'expliquer partons de la réaction qu'éprouve souvent le lecteur moderne non averti devant les homélies d'Origène ou d'autres Pères. Il est tenté de les accuser d'interprétations arbitraires, trouvant trop grande la distance entre ce que le sens littéral dit et ce que l'exégète en tire. Il peut admirer les explications données, mais cependant soupçonne le commentateur d'exposer ses idées propres à l'occasion d'un passage et de ne pas se mettre à l'écoute de la parole de Dieu. Ce reproche aurait été certainement considéré par les Pères comme injuste, du moins dans la plupart des cas. Il y a, certes, des cas où il serait justifié, car la « règle de foi » des premiers siècles, c'est-à-dire les points de doctrine parvenus à la conscience claire de l'Eglise et qu'on ne pouvait se dispenser de croire était beaucoup moins développée qu'elle ne le sera plus tard. Il est possible qu'un théologien des premiers siècles ait exposé des idées personnelles qu'il croyait compatibles avec la foi de l'Eglise : ainsi Origène en ce qui concerne la préexistence des âmes. L'incompatibilité ne s'est révélée que plus tard, par suite des progrès du dogme. Lorsque des exégèses ont été constamment reprises par les générations postérieures, qu'elles se sont incorporées dans l'enseignement commun, elles ne proviennent pas d'opinions personnelles mais de la mentalité de foi que l'interprète porte en lui comme membre de l'Eglise. Même si, comparée à la lettre, son interprétation paraît plus ou moins lointaine, à nos yeux de modernes, elle est liée à la tradition par une relation qui n'est pas arbitraire. Ce ne sont pas alors des opinions propres substituées à celles du Seigneur, mais elles découlent du message confié par le Christ à son Eglise. On peut comprendre ainsi le rôle de révélateur, on pourrait dire aussi de catalyseur, qu'a joué l'exégèse spirituelle dans l'explicitation de la foi, au moins dans l'antiquité et le haut Moyen Age.

Mais devons-nous aujourd'hui considérer seulement cette sorte d'exégèse comme un fait de culture passé, qui a eu, certes, sa grandeur, ou reste-t-elle encore dans une certaine mesure valable pour nous, alors que l'exégèse contemporaine semble toute différente. On peut remarquer cependant qu'il n'y a pas tellement de temps, après trois siècles d'incompréhension presque complète, qu'ont été retrouvés le sens et la valeur de cette sorte d'interprétation. Par ailleurs la Bible joue un rôle bien plus grand dans la piété commune des chrétiens que dans les temps précédents et on peut se demander si parfois nous ne faisons pas de l'exégèse spirituelle sans le savoir, comme Monsieur Jourdain faisait de la prose.

Ce n'est pas méditer l'Ancien Testament en chrétien que de ne pas y voir la préfiguration du Christ. Quelque valables que soient les leçons qui peuvent être tirées de bien des passages de l'Ancien Testament, on reste dans ce cas un homme de l'antique alliance qui n'est pas encore un chrétien, on est incapable de voir comment Jésus donne son sens à toute l'histoire qui le précède. Pareillement le Nouveau Testament me demande une adhésion personnelle à ce Jésus dont il parle et à cause de cela son histoire n'est comparable à aucune autre. La vie d'un grand homme peut m'intéresser intellectuellement, voire affectivement, mais qu'elle soit vraie ou fausse ne changera fondamentalement rien à la mienne. Même un incroyant ne peut étudier Jésus comme un autre personnage, car l'Evangile montre qu'il prétend avoir action sur sa vie, même s'il le refuse. La prière à partir du Nouveau Testament doit traduire à la fois cette assimilation au Christ pour entrer librement dans l'œuvre du salut et l'aspect prophétique de la nouvelle alliance réalisant déjà ce qu'elle prophétise. Et si la prédication actuelle ne peut se permettre les mêmes libertés que celles des orateurs anciens, l'explication des deux Testaments conformément aux idées fondamentales de l'exégèse spirituelle n'en reste pas moins cependant un de ses buts essentiels.

On a parfois opposé l'exégèse scientifique de nos contemporains à l'exégèse spirituelle comme si elles étaient incompatibles. Or cette opposition n'est pas aussi tranchée. Origène et Jérôme ont pratiqué l'une et l'autre sans se poser de problème. L'exégèse littérale, selon sa définition moderne, vise à retrouver ce qu'a voulu dire l'auteur sacré. Ceci établi, l'exégèse spirituelle le situe dans le mystère du Christ. Expliquer la Bible comme on le ferait de tout livre profane n'est qu'une première étape. La seconde est celle qui fournit au chrétien une nourriture spirituelle. Il n'y a pas à opposer ce qui est complémentaire.

TROISIÈME PARTIE

Le spirituel

Chapitre cinquième

L'ANTHROPOLOGIE SPIRITUELLE

Dans la quatrième partie, en étudiant la spéculation théologique d'Origène, nous exposerons ce qui concerne l'origine de l'humanité, c'est-à-dire l'hypothèse de la préexistence des âmes et de leur chute, ainsi que l'eschatologie. Pour le moment nous nous en tenons à l'aspect proprement spirituel : qu'est-ce qui dans la structure même de l'homme permet le contact et le dialogue de l'homme avec Dieu ? Deux grandes doctrines d'Origène y répondent : l'anthropologie trichotomique et la participation de l'homme à l'image de Dieu.

L'anthropologie trichotomique [1]

L'antropologie trichotomique dérive de l'énumération que fait Paul dans la salutation finale de la première épître aux Thessaloniciens [2] : « Que tout votre esprit et votre âme et votre corps soient gardés sans reproche dans la venue de notre Seigneur Jésus-Christ. » On la trouve, d'une manière assez désordonnée et variable chez la plupart des auteurs antérieurs

---

1. Nous avons exposé ce sujet beaucoup plus en détail dans « L'anthropologie d'Origène dans la perspective du combat spirituel », *Revue d'ascétique et de mystique* 31, 1955, 364-385, et il a été dans la suite encore approfondi par J. DUPUIS, « *L'esprit de l'homme* » : *Etude sur l'anthropologie religieuse d'Origène*, Bruges, 1967.
2. 5, 23.

à Origène et elle reçoit un commencement de systématisation avec Irénée d'une part, les gnostiques valentiniens de l'autre. Origène en fait une synthèse cohérente qui se retrouve pratiquement inchangée à tous les moments de son existence. Il est curieux de constater qu'elle disparaît rapidement après lui, même chez ses principaux disciples, Didyme l'Aveugle qui présente plusieurs formules, Evagre le Pontique, qui la déforme, supprimant la délicate dialectique qui la caractérise, en confondant le *pneuma* avec le *noûs*.

En dépit de préjugés tenaces on ne peut assimiler la trichotomie d'Origène à celle de Platon : celle-ci concerne l'âme seule, celle-là l'homme dans son entier. Et les termes sont différents de part et d'autre : chez Platon *noûs*, intelligence, *thymos* la colère, *épithymia* la convoitise ; chez Origène *pneuma*, l'esprit, *psychè*, l'âme, *sôma*, le corps. Bien que des données helléniques se greffent, nous le verrons, sur la trichotomie origénienne, son origine est essentiellement biblique, car le concept dominant qui lui donne forme est le *pneuma*, l'esprit, qui dérive à travers Paul de la *ruah* hébraïque, exprimant l'action de Dieu. Le *pneuma* d'Origène est absolument immatériel, alors que chez les Grecs il conserve toujours une matérialité subtile.

Il y a donc trois éléments : le *pneuma* ou *spiritus* à qui nous réserverons la traduction « esprit », pour ne pas le confondre avec le *noûs* ; puis l'âme (*psychè, anima*) et le corps (*somâ, corpus*). Mais l'âme contient elle-même un élément supérieur et un élément inférieur : le terme élément ou partie est inadéquat, il vaudrait mieux parler de tendance, car l'anthropologie trichotomique d'Origène est plutôt d'ordre dynamique ou tendentiel qu'ontologique, tout en ayant une base ontologique. L'élément supérieur est appelé, soit d'un terme platonicien, le *noûs* ou la *mens* que nous nommerons « intelligence » pour éviter à son sujet le mot « esprit » ; soit d'un terme stoïcien, l'*hégémonikon,* traduit en latin par *principale cordis* ou *mentis* ou *animae*, « la faculté hégémonique » ou « principale » ; soit d'un terme biblique *kardia* ou *cor,* le « cœur ». L'élément inférieur a plusieurs noms que nous découvrirons dans la suite.

L'esprit est l'élément divin présent dans l'homme et ainsi il se trouve réellement en continuité avec la *ruah* hébraïque. En tant que don de Dieu il ne fait pas à proprement parler partie de la personnalité de l'homme, car il n'assume pas la responsabilité de ses péchés, qui le mettent cependant en état de torpeur, l'empêchant d'agir sur l'âme. Il est le pédagogue de l'âme, ou plutôt de l'intelligence : dans la pratique des vertus, car c'est en lui que réside la conscience morale [3] ; dans la connaissance de Dieu et la prière. Distingué de l'Esprit Saint il en est cependant comme une participation créée et son lieu quand il est présent dans l'homme. Il est une des multiples expressions origéniennes approchant de ce qui sera appelé plus tard grâce sanctifiante, mais il diffère cependant de la conception scolastique, d'abord par le fait qu'il se trouve en tout homme et non dans les seuls baptisés, ensuite parce qu'il ne délaisse pas le pécheur tant qu'il est ici-bas : il reste chez ce dernier dans un état d'atonie, mais comme une possibilité de conversion.

L'âme est le siège du libre arbitre, du pouvoir de choix, donc de la personnalité. Si elle se livre à la conduite de l'esprit, elle s'assimile à lui, devient toute spirituelle, même dans son élément inférieur. Mais si elle se refuse à l'esprit et se tourne vers la chair, l'élément inférieur ôte au supérieur son rôle hégémonique et rend l'âme tout entière charnelle. Cet élément supérieur, intelligence, cœur ou faculté hégémonique, constituait l'âme à lui tout seul dans la préexistence, selon l'hypothèse favorite d'Origène. Créée selon l'Image de Dieu qui est son Verbe, contenant donc la participation de l'homme à l'image de Dieu, elle est apparentée au divin à qui elle devient de plus en plus semblable par la pratique de la vie chrétienne. Elle est l'élève par excellence du *pneuma* : ce dernier représente l'aspect actif de la grâce, il est un don divin, alors que l'intelligence en est l'aspect passif et réceptif, c'est elle qui reçoit et accepte ce don. Elle est l'organe de la vie morale et vertueuse, de la contemplation et de la prière, le tout sous la conduite de l'esprit. Elle porte la « sensibilité divine », vue, ouïe, toucher, odorat, goût spirituels [4]. Entre l'esprit et l'intelligence, notions nettement distinctes et cependant inséparables ici-bas, une délicate dialectique exprime les deux aspects fondamentaux de la grâce, le don de Dieu et son accueil par l'homme.

---

3. La dualité du *pneuma* et du *noûs* traduit celle que fait éprouver l'expérience du remords, celle d'une déchirure entre la conscience morale qui reproche et l'homme qui refuse d'accepter ces reproches. Le repentir, qui est l'acceptation des reproches, rétablit l'unité et la paix intérieure.
4. Le thème des cinq sens spirituels sera étudié au chapitre VII.

L'élément inférieur de l'âme lui a été ajouté après la chute primitive : il correspond à la tentation permanente de l'âme de se détourner de l'esprit pour se livrer à l'attraction du corps. C'est le principe des instincts et des passions, parfois assimilé aux deux éléments inférieurs de la trichotomie platonicienne, le *thymos* et l'*épithymia,* sans qu'Origène ne distingue en eux des tendances nobles et des tendances viles. Il est aussi nommé selon *Rm* 8, 6-7, *to phronèma tès sarkos,* « la pensée de la chair », expression rendue par les traducteurs latins en *sensus carnis* ou *sensus carnalis.* Souvent aussi c'est lui que recouvre le mot *sarx,* ou *caro,* « chair », dont le sens toujours péjoratif n'est pas à confondre avec celui de corps : la « chair » est la force qui attire l'âme vers le corps. Tout cela correspond plus ou moins à ce que la théologie postérieure nommera concupiscence, mais seulement dans une certaine mesure, car la « pensée de la chair » englobe, en plus de l'attirance au péché des fonctions naturelles, qui ne sont pas mauvaises en elles-mêmes, et elle peut être spiritualisée sans être détruite, lorsque l'intelligence adhère à l'esprit. Tout cela est clairement montré par les réflexions d'Origène sur l'humanité du Christ. L'âme jointe au Verbe dès la préexistence est absolument impeccable, car elle lui est unie par l'intensité de la charité jusqu'à être dans une certaine mesure transformée dans le Verbe comme le fer plongé dans le feu devient feu et jusqu'à se trouver comme lui « sous la forme de Dieu » [5], possédant le bien de manière substantielle, réservée à la divinité, et non de manière accidentelle comme les créatures. Cependant dans son Incarnation elle a cette partie inférieure sans laquelle Jésus ne serait pas un homme semblable à nous : car il a participé aux faiblesses humaines, à l'exception du péché. La partie inférieure de l'âme ne peut donc être pour lui source de tentation, mais elle l'est de trouble, de tristesse, de souffrance, comme l'Evangile en témoigne.

La notion origénienne du corps (*sôma, corpus*) n'est pas facile à cerner et se présente pleine d'ambiguïtés. Le *Traité des Principes* affirme trois fois que seule la Trinité est absolument incorporelle [6] : le corps est donc la caractéristique de la créature. Cela ne signifie pas pour Origène, comme c'est le cas pour Tertullien, que l'âme soit corporelle : son incor-

5. *Ph* 2, 6 : *PArch* II, 6, 6.   6. *PArch* I, 6, 4 ; II, 2, 2 ; IV, 3, 15.

poréité est clairement affirmée, mais elle est toujours unie à un corps. Le corps, signe de la condition de créature, exprime son accidentalité, opposée à la substantialité des Trois Personnes [7], c'est-à-dire le fait qu'elle a reçu tout ce qu'elle possède, et qu'elle le possède de façon précaire, dépendante des mouvements du libre arbitre. D'autre part la fin de la préface du *Traité des Principes* [8] remarque que le mot incorporéité peut avoir deux sens différents : celui d'incorporéité absolue qui est d'ordre philosophique et celui d'une incorporéité relative correspondant à une corporéité plus subtile, comme lorsqu'on dit dans l'usage courant que l'air est incorporel. En fait Origène applique le mot corps, soit au corps terrestre seul, soit aux corps plus subtils qu'il distingue dans ses spéculations sur l'histoire des êtres raisonnables : corps « éthérés » ou « étincelants » des intelligences préexistantes, des anges, des ressuscités pour la béatitude, corps « sombres » des démons et des ressuscités pour la damnation. Mais le mot incorporéité qui peut exprimer soit l'absence de tout corps, même subtil, soit seulement celle de corps terrestre, a encore un troisième sens, celui d'une manière de vivre sans égard aux désirs illégitimes du corps, un sens qui est donc d'ordre moral : appliqué aux bienheureux dans la béatitude, il l'est aussi assez souvent, d'une manière évidemment relative, aux justes vivant encore sur terre.

Nous avons vu qu'il ne faut pas confondre le sens de corps et celui, presque toujours péjoratif, de chair, qui exprime un attachement indu au corps et se rattache ainsi plutôt à la partie inférieure de l'âme. Certes, nous le verrons, le corps éthéré de la préexistence a revêtu à la suite de la chute une « qualité » terrestre qui fait de lui, comme tout le sensible, à cause de l'égoïsme de l'homme, une tentation permanente, celle d'arrêter au sensible l'élan de l'âme qui devrait aller au mystère dont le sensible est l'image. Mais le corps terrestre, comme tout le sensible, est bon en lui-même : créé par Dieu, il appartient à ces réalités dont la Bible dit, considérant leur essence profonde : « Dieu vit que cela était bon. [9] » Selon

7. Sur l'opposition de l' « accidentalité » de la créature et de la « substantialité » de la Trinité, selon les termes d'origine aristotélicienne employés par Rufin (en grec *ousiôdôs, kata symbébèkos*), voir le début du chapitre X, « Trinité et Incarnation ».

8. §§ 8-9 ; et dans le même livre IV, 3, 15.

9. *Gn* 1, versets 10, 12, 18, 21, 25, 31 : *ComJn* XIII, 42, 280.

l'exemplarisme qui est à la base de la vision origénienne du monde il est comme tous les êtres de ce monde l'image de réalités divines. Si la participation de l'homme à l'image de Dieu réside dans l'âme et non dans le corps, sa dignité cependant rejaillit sur le corps qui est comme le sanctuaire qui contient cette image : et c'est pourquoi, conformément à *1 Co* 6, 13-20, les péchés de la chair sont une profanation de ce corps qui est sacré. Le corps éthéré de la préexistence subsiste dans le corps terrestre consécutif à la faute à l'état de *logos* spermatique, de raison séminale, d'où il germera pour donner le corps glorieux : ou en d'autres termes, la « substance » du corps reste la même, seule change la qualité, céleste, puis terrestre, puis de nouveau céleste. Chez le juste vivant encore sur terre le corps grossier est lui aussi entré dans le rayonnement de l'esprit qui se manifeste à travers lui, comme Origène le remarque à propos de l'action de l'Esprit Saint sur les prophètes [10].

La composition trichotomique se vérifie à chaque étape de l'existence de l'humanité. Dans la préexistence, où les êtres raisonnables, créés tous égaux, étaient absorbés dans la contemplation divine, avant la chute qui les a différenciés en anges, hommes et démons, les intelligences, que la baisse de leur ferveur refroidira en âmes, étaient menées par leurs esprits et vêtues de corps éthérés. Ce dernier point n'est guère affirmé directement dans ce qui subsiste de l'œuvre d'Origène. Il est supposé, d'une part par l'affirmation que l'incorporéité absolue est le privilège de la Trinité seule, ensuite par la mention des corps éthérés des anges et des corps sombres des démons, ainsi que par les spéculations d'Origène sur les corps ressuscités. Enfin, dans son *Commentaire sur la Genèse*, renvoyant à celui d'Origène, Procope de Gaza mentionne et combat l'interprétation que celui-ci donnait du chapitre second de la Genèse où il voyait la création du corps « étincelant » (*augoeidés*) qui « véhiculait » l'intelligence préexistante créée selon le premier chapitre. Le mot « véhiculait » est emprunté à la doctrine méso- et néoplatonicienne du « véhicule de l'âme » dont Origène fait, nous le verrons, plusieurs fois usage. Et Procope continue en montrant qu'après la faute ce même corps, tout en restant le même, cache son éclat sous

10. *CCels* VII, 4.

les « tuniques de peau » [11] qui symbolisent la « qualité » terrestre qu'il revêt. Nous envisagerons dans la suite de ce chapitre les problèmes que posent les textes d'Origène qui semblent indiquer dans le second chapitre de la Genèse la création du corps terrestre, cependant présentée comme consécu-
tive à la chute, figurée par le chapitre trois du même livre.

Après la mort, avant même la résurrection, l'âme conserve
un certain revêtement corporel qu'Origène déduit de la parabole du mauvais riche et de Lazare et de l'apparition de
Samuel à Saül, selon un texte cité par Méthode d'Olympe
dans son *Aglaophon ou De la Résurrection* [12] : il l'assimile
expressément au « véhicule de l'âme » et c'est d'ailleurs une
conséquence logique de l'affirmation que la Trinité seule est
absolument incorporelle. La doctrine origénienne du corps
ressuscité, très calomniée à la suite d'un contresens du même
Méthode, sera étudiée plus loin [13] : disons simplement qu'elle
vise à maintenir, à la suite de la comparaison paulinienne de
la graine et de la plante [14], à la fois une identité de substance
et une altérité de qualité entre le corps terrestre et le corps
glorieux, qu'elle assimile aux corps éthérés des anges. Une
différence essentielle entre ceux qui ressuscitent pour la gloire
et ceux qui ressuscitent pour la damnation est que ces derniers n'ont plus de *pneuma* : Dieu leur a repris le don qu'il
leur a fait. Origène l'explique à trois reprises [15] en interprétant
Mt 24, 51 ou *Lc* 12, 46 : si le maître surprend le mauvais serviteur en train de battre ses compagnons et de boire avec les
ivrognes, il le « coupera en deux » (*dichotomèsei*) selon l'expression utilisée par les deux évangélistes, c'est-à-dire selon
Origène il lui reprendra le *pneuma*, alors que l'âme et le corps
iront dans la géhenne, l'âme gardant cependant sa participation indélébile à l'image de Dieu, devenue la source de son
tourment.

Le contexte dominant de cette anthropologie trichotomique est plus moral et ascétique que mystique : c'est le combat

---

11. *Gn* 3, 21: voir M. SIMONETTI, « Alcune osservazioni sull' interpre-
tazione origeniana di Genesi 2, 7 e 3, 21 », *Aevum* 36, 1962, 370-381.
12. III, XVII, 2-5, selon le grec conservé par PHOTIUS, *Bibl* 234 (*CUFr* V),
300 b-301 a, et la version paléoslave : le tout dans *GCS* Méthode.
13. Voir pp. 319-331.
14. *1 Co* 15, 35-38.
15. *PArch* II, 10, 7 qui indique en outre deux autres interprétations,
mais celle-ci est la seule signalée en *SerMt* 62 (*GCS* XI) et en *ComRm* II,
9 (*PG* 14).

spirituel. L'âme est disputée entre l'esprit et l'attirance au corps terrestre, la chair : elle est le champ-clos et l'enjeu de leur lutte et c'est elle, avec son libre arbitre, qui doit décider pour l'un ou pour l'autre. Et elle a en elle-même dans les deux éléments ou tendances qui la partagent une complicité avec chaque parti.

La participation de l'homme à l'image de Dieu [16]

Le thème de la création de l'homme à l'image de Dieu découle de trois passages de la Genèse : 1, 26-27 qui lie l'image de Dieu à la domination de l'homme sur l'animal ; 5, 1-3 où l'image exprime une certaine filiation ; 9, 6 où l'image fait de l'homme un être sacré dont il est interdit de répandre le sang. Mais la version des Septante en traduisant *selem*, image, et *demut*, ressemblance, par *eikôn* et *homoiôsis* a projeté dans le texte biblique les spéculations philosophiques dont ces termes sont l'expression. Avec *eikôn* pénètre l'exemplarisme platonicien qui fait des êtres sensibles l'image des réalités divines et suprêmes qui sont pour Platon les idées : certes ce dernier n'emploie pas *eikôn* pour exprimer la parenté de l'âme avec les êtres divins car chez lui ce mot garde toujours une signification sensible : il utilise *syngeneia*, parenté, ou bien *oikeiôsis*, familiarité. Mais l'*homoiôsis*, la ressemblance avec Dieu, est déjà pour les présocratiques et pour Platon dans le célèbre passage du *Théétète* [17] le but de la vie humaine. Il n'y a donc pas à s'étonner qu'une doctrine de l'image de Dieu en l'homme soit présente, d'abord chez Philon le Juif, ensuite chez un grand nombre des Pères antérieurs ou postérieurs à Origène.

Pour les chrétiens le témoignage de la Genèse doit se concilier avec plusieurs textes pauliniens, surtout *Col* 1, 15 qui appelle le Christ « image du Dieu invisible ». Pour Origène cette conciliation est facile. Seul le Christ est au sens propre image de Dieu, image parfaite : il l'est par sa divinité seule, « image invisible du Dieu invisible », car Dieu, invisible et incorporel, ne peut avoir qu'une image invisible et incorporelle.

16. Sur tout ce qui suit voir notre livre *Théologie de l'image de Dieu chez Origène*, Paris 1956 (désigné dans la suite par *Image*).
17. 176-177.

Tout autrement raisonnait Irénée qui voyait l'Image de Dieu dans le Verbe Incarné avec sa double nature, présent de toute éternité dans les desseins divins, car l'image de Dieu ne peut être pour lui qu'une traduction dans le visible. Mais le rapport du Verbe avec l'homme sous l'aspect de l'image est le même chez les deux théologiens : « Dieu dit : Faisons l'homme selon notre image et notre ressemblance. » Laissant pour le moment de côté le terme « ressemblance » que nous allons retrouver bientôt, nous pouvons expliquer ainsi cette phrase. D'abord le fameux pluriel « Faisons » est interprété habituellement par Origène comme par la plupart des Anténicéens d'une conversation entre le Père et le Fils, son collaborateur dans la création. L'homme est donc créé selon l'Image de Dieu qui est le Verbe, à la fois agent et modèle de la création de l'homme, comme d'ailleurs, d'une autre façon, de celle du monde. Ainsi — et c'est là un des rares points sur lesquels la terminologie d'Origène jamais ne varie —, seul le Fils sera appelé Image de Dieu, l'homme sera seulement « selon l'image » ou « image de l'image » et l'expression « le selon-l'image » (to kat'eikona) est fréquemment utilisée par Origène pour désigner la participation de l'homme à l'image de Dieu.

Si l'humanité du Christ n'est pas comprise par Origène dans l'Image de Dieu, elle est, comme tous les hommes, « selon l'image » ou « image de l'image ». Elle jouit cependant d'un rôle à part dans la transmission de l'image, elle est comme une seconde image intermédiaire, le Verbe étant la première, entre Dieu et nous, car elle est le modèle le plus immédiat offert à notre imitation, et, selon l'interprétation origénienne de *Lamentations* 4, 20 que nous expliquerons plus loin, l'Ombre du Christ Seigneur sous laquelle « nous vivons parmi les nations ». En revanche nous ne connaissons aucun texte d'Origène qui implique le Saint Esprit dans le rapport d'image. Bien qu'Origène fasse venir l'Esprit du Père par l'intermédiaire du Fils qui lui communique toutes ses dénominations (ses *épinoiai*), autrement dit ses attributs [18], jamais il ne le dit image du Fils. Le premier qui tirera cette conclusion sera son plus cher disciple, Grégoire le Thaumaturge, dans l'*Exposition de Foi* que conserve sa *Vie* écrite par Grégoire de Nysse [19].

18. *ComJn* II, 10 (6), 75-76.   19. *PG* 46, 912 D.

Origène comprend les deux premiers chapitres de la Genèse, non comme deux récits différents de la création, mais comme deux créations distinctes, la première se rapportant à l'âme, seule créée selon l'image, l'âme incorporelle et invisible image du Verbe incorporel et invisible, la seconde se rapportant au corps qui est seulement le contenant de l'image. Nous avons vu, à propos de l'anthropologie trichotomique que, d'après le témoignage de Procope de Gaza, Origène dans son *Commentaire sur la Genèse* voyait racontée au chapitre second la création du corps éthéré de la préexistence : puisque seule la Trinité est sans corps, ces deux créations, logiquement distinctes, doivent être chronologiquement concomitantes. Il ne faut pas cacher cependant que dans les textes qui nous sont parvenus directement il n'est pas précisé s'il s'agit du corps éthéré ou du corps terrestre : sur les huit textes où Origène parle ainsi de la double création un seul mentionne le péché à propos de la seconde, les sept autres ne précisent pas de quel corps il s'agit. S'il était question du corps terrestre, cela poserait un grave problème d'interprétation. Puisque la « qualité » terrestre du corps lui a été donnée, selon l'hypothèse origénienne de la préexistence, après la chute qui se situe dans cette préexistence et est figurée par le chapitre trois de la Genèse, on ne comprend guère comment la création du corps terrestre serait rapportée au chapitre deux, donc racontée avant la chute. C'est pourquoi l'information de Procope de Gaza résout l'énigme en transportant le passage du corps de sa qualité céleste à sa qualité terrestre à l'épisode des tuniques de peau [20]. Peut-on supposer que si Origène a été attentif à cette difficulté dans son *Commentaire sur la Genèse* parce qu'il y expliquait le texte lui-même, il l'était un peu moins ailleurs ? Plusieurs des textes où il ne précise pas la nature de ce corps sont d'ailleurs tirés d'homélies destinées à un auditoire populaire : Origène ne se préoccupe pas de l'embarrasser avec son hypothèse de la préexistence.

Origène met donc le « selon-l'image » non dans le corps — dans ce cas Dieu serait corporel comme le prétendent les Anthropomorphites —, mais dans l'âme, ou plutôt dans son élément supérieur, l'intelligence ou faculté hégémonique, quelquefois aussi dans le *logos*, la raison qui est dans l'homme,

---

20. *Gn* 3, 21 : Procope de Gaza dans *PG* 87/1, 221. Voir l'article de M. Simonetti cité note 11.

participation au Logos divin : mais ce *logos* représente la même réalité que l'intelligence.

Le « selon-l'image » est participation au Père et au Fils. Il est participation au Père, « Celui qui est », selon la parole entendue par Moïse du sein du Buisson ardent [21] : tous ceux qui *sont* participent au Père, source de l'être. Mais la notion d'être est souvent prise par Origène dans un sens plus surnaturel que naturel, pour faire appel à une distinction dont l'Alexandrin témoigne incidemment, mais qui n'intervient guère dans sa manière de penser : ainsi le mal est un « non étant », ce « rien » qui selon *Jn* 1, 3 a été fait sans le Verbe [22]. Les démons qui à l'origine étaient des « étants », créés par Dieu, ont renié leur relation à Dieu et sont devenus des « non étants ». Mais le « selon-l'image » est aussi participation à Dieu en tant qu'il est Dieu : les créatures raisonnables, dans l'« accidentalité » même de leur être de créature, c'est-à-dire leur contingence, reçoivent la divinisation et y progressent : par l'action du Fils ils deviennent ces « dieux » dont parle le Psaume 81 (82), des dieux en devenir pour ainsi dire dont la divinisation ne sera complète que dans la béatitude quand le « selon-l'image » aura progressé en « ressemblance » parfaite. Car la participation à Dieu qu'il exprime est un concept dynamique : l'image tend à rejoindre le modèle et à le reproduire. De même que l'esprit qui est en l'homme, le « selon-l'image » est une des nombreuses approximations origéniennes de la grâce sanctifiante.

Le « selon-l'image » est aussi participation au Fils, et cela selon les nombreuses dénominations (*épinoiai*) du Fils qui jouent un rôle capital dans la christologie origénienne : ce sont les titres donnés au Christ par le Nouveau Testament, mais aussi par l'Ancien lu selon l'exégèse spirituelle ; ils correspondent aux divers attributs du Fils, en lui-même et par rapport à nous. Au premier rang il nous communique dans le « selon-l'image » la qualité de fils : fils adoptifs du Père devenus tels par l'action du Fils Unique. De même sa qualité de Christ, d'Oint. Il nous donne ce qu'il est, Sagesse, Vérité, Vie, Lumière, etc. Enfin en tant que Logos il fait de nous des êtres *logika,* mot dont le sens, avant tout surnaturel, est mal rendu par « raisonnables ». Seul le saint est *logikos,* est-il affirmé. Les démons, de *logika* qu'ils étaient, sont devenus par

21. *Ex* 3, 14.   22. *ComJn* II, 13 (7), 91-99 ; *PArch* I, 3, 6.

leur refus de Dieu des *aloga*, des êtres sans raison, et se sont ainsi assimilés aux animaux, devenant comme des bêtes spirituelles.

Le « selon-l'image » est, dit expressément Origène, « notre principale substance » [23], le fond même de notre nature : l'homme se définit, au plus profond de son être, par sa relation à Dieu et par le mouvement qui le porte à devenir semblable à son modèle, grâce à l'action divine, qui se manifeste dès le début et à chacune des étapes de ce développement, grâce aussi à la liberté que Dieu a donnée à l'homme en le créant. Cette liberté dans laquelle le libre arbitre, le pouvoir de choisir, tient une place importante, ne se réduit pas cependant à lui, mais présente, à travers la doctrine spirituelle de notre auteur, toutes les nuances de l'*éleuthéria* paulinienne. En effet l'adhésion à Dieu libère, le refus de Dieu asservit. Le « selon-l'image » est en outre « source de connaissance » : certes, toute connaissance de Dieu est révélation, mais la première de ces révélations est celle que Dieu nous a faite en nous créant à son image : dans ce « selon-l'image » qui est le plus profond de notre être nous trouvons Dieu. Origène reproduit ici un principe de la philosophie grecque qui est une affirmation de bon sens : seul le semblable connaît le semblable. Nous l'avons déjà signalé en étudiant l'exégèse d'Origène.

Mais, puisque l'homme est libre, il peut arriver, et il arrive, qu'au lieu de choisir Dieu, il choisisse contre Dieu. Que devient donc le « selon-l'image » aux prises avec le péché ? Le péché le recouvre d'images adverses, le cache en quelque sorte sous leur amoncellement. Ces images sont diverses. L'image du Terrestre se superpose à celle du Céleste : mais dans la plupart des textes le Terrestre n'est pas Adam, comme en *1 Co* 15, 49, c'est le démon, origine de la chute des intelligences préexistantes. L'image et la filiation du diable, filiation qui n'est pas naturelle, car Dieu seul est père par nature, et le diable lui vole ses enfants. L'image de César qui orne la monnaie du tribut [24] et représente le Prince de ce monde, le diable : aperçu assez négatif, mais il y en a de plus positifs, sur la théorie politique origénienne. Enfin le péché impose des images de bêtes qu'Origène détaille suivant les principales caractéristiques de chaque espèce, créant ainsi toute une

23. *ComJn* XX, 22 (20), 182.   24. *Mt* 22, 15-22.

ménagerie théologique. Cette assimilation aux bêtes qui reste
d'ordre moral explique probablement l'étrange accusation de
Jérôme prêtant à Origène la métempsychose, malgré les textes
fréquents et indiscutables, tirés d'œuvres conservées en grec,
où l'Alexandrin traite cette doctrine de stupidité et la montre
en contradiction avec l'enseignement de l'Eglise [25].

Cependant ces images diaboliques ou bestiales ne peuvent
détruire l'image de Dieu. Celle-ci reste sous celles-là comme
l'eau dans les puits d'Abraham que les Philistins ont remplis
de fange [26]. Peinte par le Fils de Dieu, elle est indélébile [27].
Mais, comme il a fallu qu'Isaac vienne déblayer les puits
creusés par son père, seul le Christ, notre Isaac, peut débarrasser les puits de notre âme des immondices qu'ont accu-
mulés nos péchés pour que coule à nouveau l'eau vive. La
permanence du « selon-l'image » en l'homme malgré ses fautes assure par la grâce du Christ la possibilité de la conversion : il en est de même de la permanence de l'esprit, élément
de l'anthropologie trichotomique.

Le « selon-l'image » est, avons-nous dit, une réalité dynamique et il tend à rejoindre son modèle pour s'assimiler à lui. Il
est un point de départ, un germe en quelque sorte, qui doit se
développer. Le terme de ce développement, qui n'atteindra la
perfection que dans la béatitude, c'est la ressemblance. Origène remarque que lorsque en *Gn* 1, 26 Dieu annonce son
projet de créer l'homme il mentionne à la fois l'image et la
ressemblance, mais lorsque le livre saint en *Gn* 1, 27 montre
cette création faite, il n'est plus question que d'image, non
de ressemblance : c'est que cette dernière est réservée pour
la fin, elle sera l'aboutissement de l'image. Pareillement — et
là le soutien scripturaire est plus solide, car il n'est pas l'objet
d'une interprétation — Jean écrit dans sa première épître [28] :
« nous savons que quand il se sera manifesté (le Christ dans
sa parousie), nous serons semblables (*homoioi*) à lui, car nous
le verrons tel qu'il est » [29]. La ressemblance (*homoiôsis*) coïn-
cidera avec la connaissance du Christ et de Dieu face à face
comme le « selon-l'image » a coïncidé avec les débuts de la
connaissance. Cette notion de ressemblance rejoint, redisons-
le, celle des présocratiques et de Platon qui en faisaient le but
de la vie humaine. Elle est déjà présente chez Clément, tandis

25. Voir *Image* 181-215.   26. *HomGn* XIII, 3-4.   27. *Ibid.*
28. 3, 2.   29. *PArch* III, 6, 1.

qu'Irénée donne à la distinction image/ressemblance un autre
sens qui évoque plutôt celle du naturel et du surnaturel.

Le chemin du « selon-l'image » à la ressemblance est celui
du progrès spirituel. Les thèmes qui l'expriment en relation
avec la théologie de l'image mettent en relief, sans qu'Origène tente une synthèse ou se pose un problème, tantôt l'action
propre de l'homme, tantôt celle de la grâce divine. Dans le
premier cas on voit surtout l'imitation de Dieu et du Christ [30].

Mais d'autres thèmes mettent davantage l'accent sur l'action
divine. Le Verbe *forme* (verbe *morphoun*) son fidèle comme
Jésus encore dans le sein de sa mère va, porté par elle, chez
Elisabeth former Jean qui se trouve en son sein [31]. Bien mieux
le Verbe *se forme* dans le chrétien : nous avons déjà signalé
cela en étudiant l'exégèse spirituelle du Nouveau Testament
et nous en reparlerons plus abondamment à propos du grand
thème mystique de la naissance et de la croissance de Jésus en
chacun. Le Verbe se forme dans le chrétien par la pratique
des vertus. En effet parmi les dénominations (*épinoiai*) du
Christ se trouvent les vertus : il est la vertu et il est chaque
vertu, les vertus sont le Christ. Suivant une formule saisissante
il est « la Vertu tout entière animée et vivante » [32], ces deux
derniers qualificatifs signifiant que la Vertu en général et
chaque vertu en particulier sont la Personne divine du Fils.
Aussi la pratique de la vertu — mais on ne peut en pratiquer
une sans les pratiquer toutes, disaient déjà les Grecs — est-elle
une participation d'ordre existentiel à la personne même du
Christ. Enfin, nous l'avons signalé à propos de l'exégèse spirituelle, la contemplation de la gloire du Christ transforme,
selon *2 Co* 3, 18, le contemplateur en l'image même du contemplé : ce contemplateur c'est l'intelligence, la faculté dominante

---

30. L'imitation et la « suite » de Dieu se trouvent déjà dans la philosophie grecque, chez Platon, les Stoïciens des diverses périodes, le Moyen et
le Néo-Platonisme. Presque absentes de l'Ancien Testament hébraïque,
abondamment représentées chez Philon, l'imitation et la « suite » de Dieu,
auxquelles se joignent l'imitation et la « suite » du Christ, peuvent être
lues dans bien des pages des Evangiles, de Paul, de l'Epître aux Hébreux
et des Epîtres Catholiques. De là elles passent chez les Pères du second
siècle et deviennent un lieu commun de la littérature martyrologique. Chez
Origène elles occupent une place considérable. Voir notre article « L'imitation et la "suite" de Dieu et du Christ dans les premiers siècles chrétiens
ainsi que leurs sources gréco-romaines et hébraïques ». *Jahrbuch für Antike
und Christentum*, 21, 1978, 7-41.

31. *ComJn* VI, 49 (30), 252-256.   32. *ComJn* XXXII, 11 (7), 127.

ou le cœur, élément supérieur de l'âme, quand, s'étant tourné vers le Seigneur, il a déposé le voile qui cache le vrai sens de la loi ancienne, voile de l'attachement au sensible, du péché, de l'intelligence grossière de l'Ecriture. Quelques textes signalent aussi l'action de l'Esprit Saint comme la puissance qui mène à maturité la semence, qui fait croître le « selon-l'image » en ressemblance parfaite [33].

La ressemblance sera donc achevée, avec la connaissance parfaite, dans la résurrection et la béatitude. Nous n'insistons pas ici sur ce point qui sera étudié plus complètement avec l'eschatologie d'Origène. Disons simplement que la ressemblance aboutira à l'unité avec le Christ, une unité qui n'est pas comprise d'une manière panthéistique, car elle respectera les « hypostases » des anges et des hommes comme Origène le précise face à la « conflagration » des Stoïciens. Mais tous, devenus des fils, intérieurs en quelque sorte au Fils Unique, verront le Père de la même manière que le Fils le voit. Tous devenus un seul Soleil dans le Soleil de Justice, le Verbe, brilleront de la même gloire. Il ne faudrait pas en conclure, comme on l'a fait parfois avec trop de rapidité, qu'il n'y aura plus alors de médiation du Verbe. Elle existera toujours, mais elle aura changé de mode : c'est en devenant intérieurs au Fils que les saints verront le Père comme lui et brilleront de sa gloire. [34]

Avant même d'exposer la spéculation théologique d'Origène sur l'anthropologie, les doctrines du début et de l'eschatologie, nous pouvons mesurer la richesse spirituelle de ces conceptions. L'anthropologie trichotomique commande, à travers le thème du combat spirituel, la doctrine ascétique et morale. La théologie de l'image de Dieu, fondant la possibilité de la connaissance de Dieu, est la base de toute la mystique d'Origène.

33. *SchLc* 13, 27 (*PG* 17, 357 C) ; *FragmEp* III sur *Ep* 1, 5 (*JThS* III, p. 237, l. 21).
34. *ComJn* I, 16, 92 ; *ComMt* X, 2 ; *ComJn* XX, 7, 47.

Chapitre sixième

LA DOCTRINE DE LA CONNAISSANCE [1]

La seule connaissance qui intéresse vraiment Origène est celle qu'il qualifie de « mystique » : *mystikos* étant l'adjectif correspondant à *mystérion*, mystère, le sens des expressions « connaissance (*gnôsis*) mystique » ou « contemplation (*théôria*) mystique » est essentiellement celui de connaissance ou de contemplation du mystère. A la fin de ce chapitre seulement nous nous interrogerons sur la nature mystique, au sens moderne, de cette notion de connaissance. Nous parlons de « connaissance » à propos de *gnôsis* qui est le terme commun correspondant à ce mot. Il arrive souvent qu'on l'appelle, chez Origène comme chez Clément, « gnose ». Nous ne le ferons pas. D'une part nous ne voyons aucune raison de distinguer ainsi par un terme spécial la connaissance selon Origène de celle dont il est question tout le long de la tradition spirituelle chrétienne en la rapprochant ainsi dangereusement, *volens nolens,* de ce qu'il appelle après Paul [2] et Irénée la « gnose au faux nom », celle des gnostiques hétérodoxes. D'autre part si cette appellation pouvait revêtir pour Clément une certaine apparence de légitimité à cause de son usage constant du terme *gnostikos* pour désigner le spirituel, elle est

1. On peut trouver la justification de tout ce qui est dit dans ce chapitre et toutes les références dans notre livre *Origène et la « connaissance mystique »*, Bruges/Paris 1961 (désigné par *Connaissance*). Consulter aussi M. HARL, *Origène et la fonction révélatrice du Verbe incarné,* Paris 1958.
2. *1 Tm* 6, 20.

d'autant plus inadéquate pour Origène que ce dernier ne désigne *jamais* de ce terme le spirituel chrétien, voulant certainement, par réaction contre Clément, séparer clairement l'idéal qu'il présente de celui des hérétiques en question ; il emploie des termes pauliniens, *téleios,* parfait, ou *pneumatikos,* spirituel.

Il ne faut pas non plus perdre de vue que la théologie origénienne reste toujours synthétique en ce sens, nous le verrons, que le connaître s'identifie pour lui avec l'union et avec l'amour. Poser à Origène le problème de savoir si la béatitude consiste dans la connaissance ou dans l'amour serait pour lui dénué de sens, car la connaissance c'est l'amour. On a souvent parlé à son sujet de « mystique intellectuelle » : cette qualification est acceptable si on veut dire qu'il aborde habituellement le problème de la vie spirituelle par le biais de la connaissance ; non si on met entre intellectuel et spirituel une distinction qu'il ne fait pas ou encore si on veut lui attribuer par là une « mystique » de valeur inférieure, ce qu'infirmeront, croyons-nous, les pages qui suivent.

De cette « mystique » le cadre est une vision exemplariste du monde, dominée, comme dans le platonisme en conséquence de la doctrine des idées, par la relation de l'image et du modèle : on la retrouve dans son exégèse. Car si l'homme a été créé selon l'Image de Dieu, le Verbe, tous les êtres sensibles qui l'entourent sont eux aussi les images des réalités divines, les mystères, objet suprême de la connaissance [3]. Et la notion origénienne du péché s'inscrit elle aussi dans cette perspective.

Le sujet connaissant

En exposant l'anthropologie d'Origène, et surtout sa création selon l'image de Dieu, nous avons vu l'essentiel de ce qui concerne le sujet connaissant. Puisque seul le semblable connaît le semblable, la participation de l'homme à l'image de Dieu, qui est déjà elle-même grâce, permet à l'homme de recevoir les grâces de la connaissance de Dieu et des réalités divines. Et plus le « selon-l'image » progresse dans la direction de la « ressemblance », plus l'homme devient capable de

3. *ComCt* III (*GCS* VIII, 208, 1. 14).

connaître. L'aboutissement est la connaissance « face à face » coïncidant avec la « ressemblance » parfaite.

La connaissance est la rencontre de deux libertés, celle de Dieu et celle de l'homme. Celle de Dieu d'une part, car un être divin ou angélique n'est vu que s'il veut se faire voir [4]. Le *Contre Celse* [5] affirme clairement, dans une confrontation avec des textes de Platon invoqués par Celse, toute la distance qui sépare la grâce chrétienne des approximations qu'en ont connues Platon et les platoniciens. Certes, pour ces derniers, on ne peut voir les réalités divines que dans la lumière de Dieu [6], mais cette lumière parviendra nécessairement à qui se met dans certaines conditions d'ascèse. Or, rappelle Origène, la grâce de connaissance est un don libre de l'amour divin. Elle doit être reçue librement par l'homme et l'ascèse est le témoignage de cette volonté de l'homme. Comme le montre la critique origénienne d'une extase conçue comme inconscience, telle que celle des Montanistes, Dieu ne s'empare pas d'une âme malgré elle.

L'homme doit donc se préparer à recevoir la grâce : d'abord par la lecture et la méditation de l'Ecriture, qui se fait dans la prière et que la grâce divine vient éclairer : c'est ce que le monachisme postérieur appellera la *lectio divina*. Il faut en même temps écarter les obstacles qui s'opposent à la réception de la lumière divine : l'attachement au corps et au sensible, ainsi que le péché. Car il est impossible de connaître les réalités divines si on vit mal. C'est pourquoi les démons ne peuvent rien comprendre de ce qui a trait à l'œuvre du salut. Le péché est incompatible avec le charisme prophétique et le Saint Esprit ne repose sur le prophète qu'en passant, car tout homme, Jésus excepté, est pécheur : sur le Christ seul l'Esprit a reposé en permanence parce qu'il n'y avait pas en lui de péché. La vertu liée le plus étroitement à la connaissance est la pureté du cœur, du cœur c'est-à-dire de l'intelligence ou faculté principale : cette vertu, elle aussi, est grâce et a supprimé de l'âme l'attachement au péché. L'humilité et la charité l'accompagnent nécessairement. L'action et la contemplation, Marthe et Marie à qui pour la première fois Origène les identifie, sont inséparables. La vie apostolique du prédicateur et du didascale n'a de valeur spirituelle que si elle a pour but

---

4. *HomLc* III, 1.   5. VII, 42.
6. *CCels* VII, 45 renvoyant à PLATON, *République* VI, 508 b.

la contemplation ; et cette dernière s'épanouit d'elle-même en action apostolique. Pour voir Jésus transfiguré sur la montagne, pour contempler ainsi la divinité du Verbe transparaissant à travers son humanité — la Transfiguration est le symbole de la plus haute connaissance de Dieu dans son Fils qui soit possible ici-bas —, il faut avec les trois apôtres faire l'ascension de la montagne, figurant l'ascension spirituelle. Ceux qui restent dans la plaine voient Jésus « sans forme ni beauté » [7], même s'ils croient en sa divinité : pour ces infirmes spirituels il est seulement le Médecin qui les soigne. Ou pour prendre une autre image évangélique Jésus parle au peuple en paraboles au-dehors de la maison ; il les explique à ses disciples à l'intérieur de la maison : il faut donc entrer dans la maison pour commencer à comprendre [8].

L'objet de la connaissance

L'objet de la connaissance est le Mystère. Désigné par *mystérion* et son adjectif *mystikos,* il l'est aussi par Vérité, *alètheia* et ses adjectifs *alèthès* et *alèthinos* — selon un vocabulaire platonicien la Vérité est habituellement opposée à l'image, non à l'erreur et au mensonge — et par d'autres termes encore, substantifs et adjectifs. Des couples d'adjectifs, à la fois opposés et relatifs les uns aux autres, expriment l'exemplarisme origénien, l'un se rapportant à la réalité sensible qui est image, l'autre au mystère dont elle est image. Ainsi *aisthètos,* sensible, s'oppose à *noètos,* intelligible ; *sômatikos,* corporel, à *pneumatikos,* spirituel ; *horatos,* visible, à *aoratos,* invisible. Le pain sensible ou corporel ou visible sera l'image du pain intelligible ou spirituel ou invisible, le Verbe qui nourrit les âmes [9].

Origène voit donc dans les êtres sensibles, surtout ceux dont témoigne l'Ecriture, des images des mystères divins, les reliant aux mystères un peu comme Platon les relie aux idées. Dans une certaine mesure les mystères correspondent aux idées platoniciennes et les contiennent. Car les idées au sens platonicien, plus ou moins confondues avec les « raisons » au sens stoïcien, malgré le fait qu'originairement les premières sont générales et les secondes individuelles, entrent pour Origène dans la catégorie des mystères : elles constituent comme

7. *Is* 53, 2.   8. Voir *Connaissance* 399-442.   **9.** *Ibid.* 24-46.

les plans et les germes de la création future et, de même que les philosophes du Moyen Platonisme en faisaient les idées de Dieu, Origène en fait un « monde intelligible » que contient le Fils en tant qu'il est Sagesse, son titre premier, antérieur logiquement à celui de Logos. Ainsi la science du monde ne peut être que religieuse, comme l'atteste l'œuvre même d'Origène et le *Remerciement* de Grégoire le Thaumaturge. La « physique » ou « physiologie » consiste à retrouver l'idée divine qui correspond à chaque chose pour l'utiliser selon la volonté du Créateur : elle montre, certes, l'insuffisance du sensible, la vanité de celui qui met en lui sa confiance, mais aussi sa valeur d'image du divin, celle que lui donne la volonté divine qui est en lui. Le monde sensible a été créé, certes, nous le verrons, à la suite de la chute des intelligences préexistantes, mais il a pour but d'indiquer à l'homme la direction de ces mystères dont il est l'image, de lui en donner le désir par sa beauté, et aussi de le diriger vers celui qui contient tous les mystères, le Fils, Image du Père. On rencontre parfois dans les exégèses d'Origène de petites dissertations d'histoire naturelle prises aux naturalistes grecs, mais ce qui lui importe, c'est la leçon spirituelle ou morale qu'on en peut tirer. Par là Origène inaugure une tradition qu'on retrouvera non seulement chez les Pères postérieurs — pensons aux *Homélies sur l'Hexahéméron* de Basile —, mais même chez les auteurs spirituels de temps plus récents — ainsi le *Traité de l'Amour de Dieu* de François de Sales.

A côté du monde sensible les êtres spirituels. L'âme humaine a ses mystères : de même l'angélologie et la démonologie particulièrement développées chez notre auteur. Le monde d'en-haut a sa géographie symbolique dont celle de la Terre Sainte avec Jérusalem au centre, les autres villes de Judée et les nations qui les entourent représentent l'image [10]. Tels sont aussi les mystères du Royaume des cieux, ceux du Verbe dans sa divinité et dans son Incarnation, ou dans chaque événement de sa vie terrestre, enfin les mystères du Père. De même que la science du monde visible, celle du monde céleste est elle aussi contenue dans le Fils, Image du Père. En dernière analyse le Mystère n'est pas une idée, mais une Personne, le Fils, et malgré la multiplicité des « théorèmes », c'est-à-dire des objets de contemplation, qu'il fournit, le Monde Intelligible

10. Ainsi *PArch* IV, 3, 6-9.

trouve sa perfection dans l'unité de la personne du Fils, un et multiple, comme nous le verrons en étudiant la christologie d'Origène [11].

Mais voir dans le mystère l'objet suprême de la connaissance n'est-ce pas une affirmation paradoxale, au point même de paraître absurde ? Le mystère n'est-il pas par définition l'inconnaissable ? Origène est conscient du paradoxe. Il répondrait que le mystère n'est pas inconnaissable en lui-même puisque la Trinité le connaît. Le Père se connaît, connaît le Fils et le Fils connaît le Père [12]. Sur ce dernier point les textes sont assez nombreux pour faire ressortir l'absurdité de l'accusation portée par Epiphane et par Jérôme contre Origène, coupable à leurs yeux d'avoir dit que même le Fils ne voit pas le Père alors que le texte du *Traité des Principes* [13] qui l'affirme en effet vise les Anthropomorphites qui prêtent au Père et au Fils dans sa divinité un corps et des sens corporels. Epiphane et Jérôme l'entendent comme si Origène voulait dire que le Fils ne connaît pas le Père et y voient une preuve de l'infériorité du Fils vis-à-vis du Père. Quant au Saint Esprit il connaît aussi le Père et le Fils, mais de même qu'il procède du Père par le Fils, il connaît le Père par l'intermédiaire du Fils. Le Père et le Fils se connaissent réciproquement par l'acte même, à la fois éternel et continuel, par lequel le Père engendre le Fils.

En ce qui concerne les anges et les hommes — la connaissance des anges dépassant de beaucoup celle des hommes — il y a des degrés divers dans la connaissance des mystères, tenant à la fois à leur nature et au niveau spirituel du connaissant. Bien qu'Origène voie davantage Dieu comme Lumière que comme Ténèbre, il fait quelquefois allusion à la Ténèbre où Dieu se cache [14]. Mais elle est relative à notre ignorance : en lui-même Dieu est Lumière. Notre ignorance tient à notre condition charnelle : dans la résurrection nous aurons une connaissance semblable à celle des anges, sans qu'Origène puisse se prononcer clairement sur son degré de perfection. Pour le moment nous montons vers Dieu à partir de la création dont le Verbe contient, en tant qu'il est Sagesse, les idées et les raisons, et surtout à travers le Verbe Incarné qui est

---

11. Voir *Connaissance* 47-84.
12. Entre autres textes *FragmJn* XIII (*GCS* IV, 495).
13. I, 1, 8.
14. *Ps* 17 (18), 12 et *Ex* 20, 21 : ainsi *ComJn* II, 28 (23), 172-174.

l'intermédiaire habituel de toute connaissance de Dieu, tel
que le présente l'Ecriture.

Mais la grâce est nécessaire pour toute connaissance de
Dieu : l'être divin n'est connu que si librement il se fait
connaître [15]. Aussi les Trois Personnes ont-elles un rôle dans
cet enseignement. Toute sagesse vient de Dieu ; ce mot est
parfois entendu même d'une habileté technique. A travers les
deux autres Personnes c'est toujours le Père, source de la
Trinité, qui enseigne : il le fait aussi à travers les maîtres humains. C'est lui qui donne la compréhension profonde à celui
qui en accueille la grâce. Mais à un certain degré le maître
humain n'est plus nécessaire et le spirituel est enseigné directement par Dieu. Pour comprendre les Evangiles il faut posséder le *noûs,* c'est-à-dire la mentalité, du Christ [16] et avoir en
soi la source d'eau vive que la parole de Jésus met dans l'âme.
Le Fils n'est pas seulement le Médecin qui guérit la cécité ou
la surdité de l'âme pour qu'elle puisse voir et entendre, il est
le Révélateur en personne qui communique aux hommes la
connaissance qu'il a du Père. L'Esprit dévoile le sens spirituel des Ecritures qu'il a inspirées et il agit à l'intérieur de
l'âme. Le rôle de chaque personne divine dans cet enseignement n'est pas toujours nettement distingué. On peut dire
cependant que le Père est l'origine, le Fils le ministre, l'Esprit
le milieu où se produit la connaissance. Ce rôle d'enseignement est aussi très souvent exprimé par le thème de la lumière
signifiant les grâces de connaissance : nous l'étudierons parmi
les grands thèmes spirituels [17].

Un dernier trait est à souligner : il est dangereux pour le
maître spirituel de révéler prématurément ou inconsidérément
le mystère, à quelqu'un qui n'est pas préparé à le recevoir.
« Ne livrez pas aux chiens ce qui est saint, ne jetez pas les
perles devant les porcs, de peur qu'ils ne les foulent aux
pieds et que, se retournant, ils ne vous écrasent. [18] » En effet,
à quelqu'un qui n'est pas prêt, cette révélation peut faire du
mal, comme une nourriture trop forte donnée à un fiévreux.
Et, pis encore, il est arrivé qu'une mauvaise compréhension
de ces mystères, divulguée partout, se retourne contre la foi :
la lecture des apologètes du IIe siècle montre les calomnies
répandues parmi les païens du fait d'une intelligence fausse

---

15. *HomLc* III, 1.   16. *1 Co* 2, 6.   17. Voir *Connaissance* 85-154.
18. *Mt* 7, 6 : *HomJos* XXI, 2.

du mystère eucharistique et explique la prudence de l'Eglise primitive pour en parler. Mais ces recommandations d'Origène ont été souvent comprises à contresens comme supposant dans son enseignement l'existence de traditions secrètes, comme celles qu'invoquaient les Gnostiques, transmises aux seuls initiés. C'est qu'on se représentait les mystères selon Origène comme des doctrines d'ordre intellectuel et non comme une compréhension d'ordre spirituel. Or il n'est pas question dans l'œuvre d'Origène de traditions secrètes qui circuleraient à l'intérieur de la Grande Eglise : il en connaît chez les Gnostiques et chez les Juifs, non dans le christianisme orthodoxe. Il ne s'agit pas non plus d'ésotérisme philosophique, de quelque chose de semblable à ce que, suivant la *Vie de Plotin* de Porphyre, Ammonios Saccas réservait à ses trois disciples préférés. C'est simplement un conseil de prudence que tout directeur spirituel est capable de comprendre. [19]

D'autres caractéristiques du mystère seront étudiées avec les thèmes spirituels : le mystère est lumière ; le mystère est nourriture ; le mystère est un vin qui réjouit l'âme.

Le point de départ de la connaissance

Puisque les êtres sensibles sont images des mystères ils constituent le point de départ de la connaissance. Les termes principaux qui expriment cette relation sont *eikôn*, image, *skia*, ombre, *typos*, type, figure, *symbolon*, symbole, *ainigma*, énigme, ainsi que les couples d'adjectifs qui ont été signalés à propos du vocabulaire du mystère [20]. Ces mots s'appliquent donc aux êtres sensibles du monde qui nous entoure, et spécialement à ceux dont parle l'Ecriture. En ce qui concerne les premiers nous signalerons seulement un long fragment du livre III du *Commentaire sur la Genèse* conservé par la *Philocalie* [21] au sujet des astres. Origène y réfute les croyances astrologiques qui en font les agents du destin des hommes, professant un déterminisme qui supprime tout libre arbitre. Mais s'ils n'en sont pas agents, ils en sont cependant, selon Origène, des signes, que seuls les anges peuvent lire, non les hommes. C'est par eux que Dieu communique aux anges ce qu'il veut leur faire savoir : le ciel étoilé est ainsi la Bible

19. Voir *Connaissance* 155-166.   20. *Ibid*, 216-235.   21. *Philoc* 23.

des anges. Des anges déchus ont communiqué à des hommes
la science qu'ils avaient ainsi acquise avant la chute et donné
ainsi naissance à l'astrologie, science diabolique et trompeuse,
même dans les cas où elle dit vrai, car elle est employée pour
le malheur des hommes.

L'Ecriture est symbolique : cela ressort de tout ce qui a été
dit sur Origène exégète. L'Ancien Testament est figure du
Nouveau et à travers lui et comme lui de l'Evangile éternel
de la béatitude. La vérité ultime de l'Ecriture ne saurait être
d'ordre historique, mais d'ordre spirituel, et quand Origène
rattache, ce qui lui arrive rarement, un fait historique de
l'ancienne alliance à un fait historique de la nouvelle, il a en
vue l'unique réalité mystérieuse figurée par les deux, compte
tenu des rapports différents de chaque Testament à l'égard du
mystère.

Deux problèmes se greffent sur le fait que non seulement
l'Ecriture dans son ensemble est symbole, mais que le mot
lui-même de l'Ecriture l'est : nous avons discuté le procédé
consistant à chercher des mystères dans le moindre détail du
texte sacré. Le premier problème est celui, fort débattu par la
philosophie grecque — pensons au *Cratyle* de Platon — de
l'origine des mots. Pour Origène le rapport du signifiant au
signifié n'est pas conventionnel, il résulte de la nature des
choses. C'est pourquoi Origène cherche dans l'étymologie des
noms de personnes et de lieux le mystère que symbolise la
personne ou le lieu. La magie à qui il accorde une certaine
réalité, tout en la condamnant comme diabolique et malfai-
sante, lui montre que les noms ont vraiment un pouvoir et il
explique de façon analogue la puissance des noms divins dans
les exorcismes. Dans un texte assez étonnant [22] il encourage
à continuer sa lecture de la Bible celui qui est tenté de l'abandonner sous prétexte qu'il n'a pas l'impression d'y comprendre
quelque chose : la lecture de l'Ecriture agira cependant en lui,
détruisant les aspics et les vipères qui sont dans son âme. En
dépit des apparences il ne s'agit pas ici réellement de magie,
en ce que la magie tente de prendre pouvoir sur les choses,
sans égard à la soumission à Dieu. La lecture de l'Ecriture est
dans ce cas un acte de bonne volonté inspiré par le désir de
comprendre : elle agit même si on n'a pas l'impression de
comprendre, mais non si on ne le veut pas, parce qu'elle est

22. *HomJos* XX, 1-2 ou *Philoc* 12.

fondamentalement une prière. La lecture de la Bible est un acte sacramentel dans lequel Dieu répond à la prière de l'homme.

Le second problème est celui des anthropomorphismes attribués soit à Dieu, soit à cette réalité spirituelle qu'est l'âme humaine. Nous avons dit plus haut comment le problème se posait dans l'Eglise primitive. Certes les membres corporels et les passions attribués à Dieu par la Bible ne peuvent être pris à la lettre, mais ils n'en sont pas pour cela vides de sens : ils correspondent à certaines activités ou facultés divines. La mention des yeux de Dieu exprime sa science universelle, celle de ses pieds sa présence par toute la terre, etc. Mais il y a une passion que le Père éprouve vraiment, de même le Fils avant l'Incarnation, celle de l'amour qui donne leur sens aux deux Testaments et à toute l'œuvre de la Rédemption. Car, contrairement à ce qu'affirment les philosophes, « le Père lui-même n'est pas impassible » [23]. Les anthropomorphismes attribués à Dieu et à l'âme sont images de réalités mystérieuses. Il y a une « loi d'homonymie » qui applique les mêmes termes à l'homme intérieur et à l'homme extérieur : le chapitre privilégié en est le thème des cinq sens spirituels que nous exposerons plus loin.

Mais pourquoi Dieu a-t-il parlé aux hommes à travers des symboles et ne leur a-t-il livré la vérité que sous cette forme obscure ? D'abord parce que l'homme est corps, rivé à un monde corporel qui est un monde d'images. Il y a une liaison étroite entre littéralité et corporéité : la même raison a inspiré les anthropomorphismes divins de la Bible et l'Incarnation du Fils. Or la corporéité terrestre, donc la nécessité du symbolisme, est une conséquence de la chute : cela sera expliqué avec la pensée d'Origène sur les débuts de l'humanité, la préexistence, la faute originelle comme refroidissement de ferveur et satiété de la contemplation. Et c'est pourquoi, à mesure de l'ascension spirituelle, les symboles perdent de leur opacité, livrent de plus en plus clairement les mystères qu'ils contiennent. Le symbole s'inscrit ainsi dans les longs cheminements de la pédagogie divine. A l'homme emmuré dans son corps, incapable de comprendre sinon par le truchement de ses organes corporels, Dieu ne pouvait se révéler qu'à l'aide de figures sensibles qui l'amèneraient peu à peu à découvrir sa vraie

23. *HomEz* VI, 6 : *GCS* VIII.

nature. A la foule Jésus parle en paraboles, mais il explique ces paraboles à l'intérieur de la maison à ses apôtres qui sont un peu plus avancés et ont au moins le désir de les comprendre. Les paraboles elles-mêmes laissent filtrer une certaine lumière qui peut mener à ce désir. La pédagogie de l'image est une loi de notre condition actuelle : elle conduit l'homme déchu à une certaine contemplation et l'habitue progressivement au divin par la lumière tamisée qui filtre du symbole [24].

En conséquence le symbole dans les desseins divins a une fonction transitoire : il doit être dépassé. S'arrêter au symbole comme s'il était la vérité — au sens platonicien d'Origène —, comme s'il était le but du voyage, alors qu'il n'en est que l'instrument, tel est essentiellement le péché selon Origène. Le propre des créatures c'est d'être dépassées : l'élan de l'âme doit viser au-delà des créatures. C'est dans cette volonté de dépassement que les créatures montrent le Créateur et en donnent le désir. Qu'on ne dise pas que cette attitude méprise les créatures : au contraire elle leur donne leur pleine valeur, une valeur d'éternité, puisqu'elles mènent à la vraie éternité, au lieu de leur conférer, en les prenant pour ce qu'elles ne sont pas, un faux absolu et une fausse éternité. Tel est le péché des idolâtres qui prennent la créature, moyen de connaissance, pour l'absolu qu'on recherche, la transformant en idole. D'une certaine manière tout péché est idolâtrie. Origène stigmatise ainsi les « sagesses du monde », le matérialisme de la morale épicurienne ou de la physique stoïcienne, la dévotion astrale, à laquelle il reconnaît cependant une noblesse particulière, la théorie aristotélicienne des trois sortes de biens qui considère comme biens, non seulement ceux de l'âme, les vertus, mais encore ceux du corps et ceux du « dehors ». Il reconnaît la valeur de la dialectique platonicienne qui monte des créatures à Dieu, tout en reprochant à Platon comme à Socrate d'avoir pratiqué l'idolâtrie, malgré ses belles pensées sur Dieu [25].

Ce qui est vrai des créatures s'applique aussi à l'Ecriture, mais d'une manière différente s'il s'agit de l'Ancien et du Nouveau Testament. En ce qui concerne le premier, redisons-le, sa lettre est périmée, sa lettre « tue ». Les préceptes céré-

---

24. Voir *Connaissance* 236-272.
25. *CCels* VI, 4, renvoyant à PLATON, *République* I, 327 a et *Phédon* 118 a.

moniels et législatifs sont abolis. La ruine de Jérusalem par
Titus en a marqué la fin. Le culte ancien était une maquette
qui a perdu son utilité quand a été institué le culte nouveau.
Jérusalem et son temple, la maquette, ont été détruites pour
que rien ne détourne de ce qu'ils préfiguraient, l'Eglise. Il y
a cependant des préceptes dont la lettre subsiste, le Décalo-
gue. Pour les autres il faut voir la « volonté » de l'Esprit
Saint, le « sens » voulu par Dieu qui est le sens spirituel :
seul le spirituel avec l'aide divine saura le tirer du puits des
Ecritures et le communiquer aux autres comme Rébecca donnant à boire au serviteur d'Abraham [26]. Telle est la « loi spirituelle » dont parle Paul, la loi considérée dans son sens spirituel. Cependant cette loi spirituelle elle-même est à dépasser.
La gloire de Moïse et d'Elie à la Transfiguration n'est pas
égale à celle de l'Homme-Dieu qui, au contraire, les illumine.
Les présents apportés par les prophètes et les anges à la fiancée, l'Eglise de l'ancienne alliance, ne sont que des « imitations d'or » [27] : seul l'Epoux à sa venue apportera l'or vrai.
Même comprise selon sa signification spirituelle la Loi ne
constitue qu'un rudiment que le Christ en un certain sens
détruira, en un autre mènera à sa perfection : elle est comme
un enfant qui doit devenir adulte. Elle est symbolisée par
Jean-Baptiste, son plus haut sommet. Comme lui elle prépare
la révélation du Christ. Comme lui aussi elle doit être dépassée : « il faut qu'il croisse et que je diminue » [28].

Ce sens spirituel de l'Ancien Testament, cette « Loi spirituelle », les grands hommes de la vieille alliance, patriarches
et prophètes, l'ont connu. Ils ont su que l'Incarnation se pro-
duirait, mais il leur a fallu attendre sa réalisation pour voir
« le Jour du Seigneur » [29]. L'Israël infidèle est devenu aveugle, sourd et muet : pour lui la Bible est le livre fermé
d'Isaïe [30], car il n'en voit plus le sens et Dieu a fait cesser en
lui toute sagesse et toute prophétie. En effet il s'arrête à la
lettre, à l'image. Les Pharisiens sont ces Philistins qui ont

26. *Gn* 24, 15-27 : *HomGn* X.

27. *Ct* 1, 11 : *ComCt* II : *GCS* VIII, pp. 156-165.

28. *Jn* 3, 30.

29. Nous avons mentionné plus haut les avis apparemment divergents
du livre VI et du livre XIII du *Commentaire sur Jean* sur la comparaison
entre la connaissance des saints antérieurs au Christ et des apôtres : voir
p. 111.

30. 29, 9-13.

rempli de terre les puits creusés par Abraham. Ils n'ont pas
su écouter « de façon mystérieuse ». Aussi ont-ils été aban-
donnés du Seigneur, châtiment qui pourrait bien nous atteindre
aussi si nous imitons leur infidélité, atteindre non l'Eglise,
mais telle Eglise particulière. Ils n'ont pu profiter de l'enseignement de Jésus parce qu'ils ne l'interrogeaient pas pour
s'instruire, mais pour le prendre en faute. Enfin ils l'ont mis
à mort et cela veut dire : « la figure veut pour subsister empêcher la manifestation de la Vérité » [31]. Comme les vignerons
révoltés de la parabole ils croyaient « qu'ils seraient les maîtres des réalités [32] (*pragmatôn*) ». Avec ces deux expressions
nous retrouvons ce qui est pour Origène l'essentiel du péché :
s'arrêter à l'image comme si elle était le mystère, mettre l'image
à la place du mystère.

Désormais le sens littéral de la loi, coupé par eux de la
Vérité qu'il prophétisait, a perdu pour eux son rapport aux
mystères, donc sa vérité et son intelligibilité : il est devenu une
fable, un mythe, il n'a plus ce qui lui donnait consistance et
réalité. Tel est le sens qu'Origène donne à l'expression paulinienne « les fables judaïques » [33]. Il ne prétend pas contester
la valeur historique des récits bibliques, qu'il défend à plusieurs reprises dans le *Contre Celse,* mais leur valeur de révélation quand ils ne sont pas lus dans la perspective du Nouveau Testament : le mythe c'est l'interprétation des Juifs en
tant qu'elle s'arrête à la lettre. Ce sens n'est pas sans analogie
avec celui de Vérité opposée à symbole, non à mensonge. Le
symbole n'est pas mensonger tant qu'il participe à son modèle.
Mais si on s'arrête à lui, sans suivre le mouvement naturel
qui porte vers la vérité, si on en fait une fin ultime, un être
autonome, captant les hommages destinés à son mystère, on
s'installe dans l'erreur et le symbole devient mensonger. Dans
ce cas le sens littéral, bien qu'historiquement vrai, est mythe,
parce qu'il ne suit pas la volonté de l'Esprit, parce qu'il
refuse de s'effacer devant ce qu'il représente. Le péché des
Juifs rejoint celui des païens, ils mettent des fables à la place
de la Vérité [34].

Le problème que pose l'Evangile temporel, celui que nous
vivons ici-bas, par rapport aux mystères que livre l'Evangile
éternel [35] de la béatitude est bien plus complexe. Trois séries

31. *ComJn* XXVIII, 12 (11), 95.   32. *ComMt* XVII, 11 (*GCS* X).
33. *Tt* 1, 14.   34. Voir *Connaissance* 273-323.   35. *Ap* 14, 6.

de textes sont à distinguer, qu'on peut classer sous le schème thèse/antithèse/synthèse. Thèse : le Nouveau Testament a apporté la Vérité, a mis fin aux images des anciennes Ecritures. Antithèse : l'Evangile temporel reste encore image par rapport à l'éternel. La synthèse est faite par quelques textes qui envisagent expressément les trois périodes et précisent le rapport de l'Evangile temporel à l'Evangile éternel.

D'une part l'Incarnation a ôté le voile qui est sur la loi : elle a ainsi aboli les figures, le chrétien vit déjà en esprit et en vérité, il est déjà dans la connaissance eschatologique. Le moment désigné est soit l'Incarnation en général, soit la Passion, soit la Résurrection jointe à la Passion, soit la venue de l'Esprit Saint, soit même la Transfiguration qui découvre à Moïse et à Elie le Jour du Seigneur, transformant la loi spirituelle en Nouveau Testament. Des comparaisons multiples illustrent de nombreuses façons ce dépassement.

Mais d'autre part l'Evangile temporel est encore image et doit être dépassé. Il a lui aussi une lettre, une lettre qui ne tue pas comme celle de l'Ancien et qui sauve les plus simples, mais qui n'en doit pas moins être dépassée. Origène signale certes dans l'Evangile quelques cas de « lettre qui tue », en réalité ils représentent de fausses interprétations ou des manières de parler comprises sans égard à l'intention du Christ. L'Evangile lui-même exprime des mystères sous sa lettre. L'Evangile temporel est encore ombre, mais cette ombre est celle du Christ, son humanité, « sous laquelle nous vivons parmi les nations » [36], guidés et protégés par son âme humaine, image et ombre du Verbe. Les vertus, dénominations (*épinoiai*) du Fils, nous les recevons à travers cette ombre qu'est son âme. L'Evangile temporel nous apporte une connaissance personnelle du Christ, mais elle reste indirecte : la divinité est perçue dans la mesure où nous pouvons la voir transparaître à travers l'humanité qui la contient, mais aussi la cache à ceux qui sont incapables de la voir. Il faut s'habituer à percevoir de plus en plus à travers l'homme Jésus la lumière divine, jusqu'à gravir la Montagne comme les trois apôtres pour contempler l'humanité glorifiée et transfigurée par elle. Les nouvelles Ecritures, pas plus que la vue de l'homme Jésus, ne livrent pas à n'importe qui sa divinité. S'il avait suffi de le voir pour contempler le Verbe et à travers lui le Père, Pilate,

---

36. *Lm* 4, 20 : voir *infra* p. 257.

Judas, Hérode, les Juifs qui réclamaient sa mort, auraient vu Dieu, ce qui est absurde, car ils n'avaient pas les dispositions nécessaires. Une personne divine n'est vue que lorsque elle veut se faire voir et cela suppose que celui qui la perçoit y est préparé. C'est ainsi que l'humanité du Christ se situe dans les desseins de la pédagogie divine et Origène voit dans la kénose de l'Incarnation la « folie de Dieu, plus sage que tous les hommes ». [37]

Que l'Evangile temporel soit encore image et doive être dépassé est encore montré par les passages innombrables où se retrouvent les oppositions pauliniennes « le partiel/le parfait » et surtout « à travers un miroir, en énigme/face à face », appliquées à la connaissance dans l'Evangile temporel et dans l'Evangile éternel. Jamais « à travers un miroir, en énigme » n'est rapporté à la connaissance dans l'Ancien Testament, encore inférieure à celle de l'Evangile temporel. Cette distinction qualifie dans la plupart des textes la connaissance, conformément au passage paulinien, mais Origène l'étend aussi à d'autres réalités de la vie chrétienne comme la foi, la manière de vivre, les vertus, l'adoration, la liberté, la présence du Seigneur, etc. et elle en vient même à distinguer le sacrement de baptême qui est « à travers un miroir, en énigme » du baptême eschatologique de feu et d'esprit, correspondant à ce que nous appelons le Purgatoire, qui est « face à face ». Une autre distinction lui est équivalente. Dieu dit de Moïse [38] : « Je lui parlerai bouche à bouche, *en eidei* et non par énigmes. » Et Paul oppose de même [39] la conduite par la foi à celle *dia eidous*. Origène interprète ce mot *eidos* contrairement à son sens vulgaire d'apparence, mais conformément au sens métaphysique attesté par Platon et par Aristote de la vision directe des « réalités » telles qu'elles sont, c'est-à-dire des mystères. L'opposition est donc établie habituellement par ces mots entre l'Evangile temporel et l'Evangile éternel, quelquefois cependant quand il s'agit de l'expression *en eidei*, entre l'Ancien Testament et le Nouveau.

La synthèse entre ces deux séries de textes est faite par les quelques passages envisageant expressément les trois périodes, illustrant la distinction ombre/image/réalité [40], ou l'interpré-

---

37. *1 Co* 1, 25 : *HomJr* VIII, 7-8.   38. *Nb* 12, 8.   39. *2 Co* 5, 7.
40. *He* 10, 1 : *HomPs 38*, II, 2 (*PG* 12, 1402 C).

tation des tentes et des maisons [41] qui oppose, soit la loi à
l'Evangile, soit l'Evangile temporel au spirituel. On adore soit
dans les figures (Ancien Testament), soit en esprit et en vérité,
mais dans ce dernier cas de deux façons : « à travers un
miroir, en énigme », selon les arrhes de l'Esprit, à l'heure présente (Evangile temporel), ou bien « face à face », selon
l'Esprit, à l'heure future (Evangile éternel) [42]. Dans l'Ancien
Testament les « amis de l'Epoux » n'apportaient à l'Epouse
que des imitations d'or : c'est seulement ceux qui seront devenus conformes à la Résurrection du Christ qui recevront l'or
pur [43] ; mais cette conformité est acquise de deux façons, « à
travers un miroir, en énigme » par la « première résurrection »
obtenue par le baptême et une vie qui lui est conforme, « face
à face » par la « seconde résurrection », la finale [44]. A l'inverse
de l'« ombre de la loi », l'« ombre du Christ », son humanité,
apporte la Vie, nous met sur la Voie, conduit à la Vérité,
donne déjà les réalités qui sont le Christ et elle protège du
mauvais soleil, le Diable [45] : il s'agit donc d'une possession
des mystères, dès ici-bas, alors que nous sommes encore exposés aux attaques du Malin. Dans la Passion du Christ s'est
déchiré le premier rideau du Temple, celui du Saint, et les
mystères ont été dévoilés, non parfaitement cependant : car le
second rideau, celui du Saint des Saints, ne sera ôté qu'à la
fin du monde [46]. D'autres textes peuvent être présentés. Selon
le *Commentaire sur Jean* [47] l'Evangile sensible d'une part et
l'Evangile intelligible et spirituel de l'autre, en d'autres termes
le temporel et l'éternel, se distinguent par l'*épinoia,* mot qui
exprime toujours chez Origène une vision humaine des choses
et est habituellement opposé à *hypostasis,* substance, parfois à
pragma, réalité. Si c'est l'*épinoia* qui distingue les deux Evangiles, ils ne sont qu'un par la substance ou la réalité : il n'y a
donc réellement qu'un seul Evangile et nous sommes donc dès
ici-bas en possession des « vraies » réalités. Mais nous les percevons encore cachées sous un voile d'image, nous ne les
verrons face à face que dans le monde futur. Au contraire

41. *HomGn* XIV, 1-2 ; *HomNb* XVII, 4.
42. *ComJn* XIII, 18, 109-113.
43. *ComCt* II (*GCS* VIII, p. 161-162).
44. *FragmRm* XXIV : *JThS* XIII, p. 363 l. 12.
45. *ComCt* III (*GCS* VIII, p. 182).
46. *SerMt* 138 (*GCS* XI).
47. I, 8 (10), 44.

l'Ancien Testament en avait seulement le pressentiment, l'espérance : il ne les possédait pas. Cette doctrine de l'Evangile temporel et de l'Evangile éternel exprime, précisons-le, le sacramentalisme chrétien, le sacrement étant à la fois selon sa définition classique, *sacramentum et res*, c'est-à-dire signe et réalité, *res* traduisant *pragma* qui représente le mystère eschatologique.

Il faut ajouter encore que, selon la mesure du progrès spirituel, le voile d'image qui recouvre encore le mystère dans l'Evangile temporel devient de plus en plus transparent à la vérité qu'il contient. Quand on se tourne vers le Seigneur, le voile est ôté [48], progressivement sans doute, et la divinité du Christ apparaît de plus en plus à travers son humanité, la chair ne constituant plus un écran pour ceux qui possèdent les « yeux spirituels » capables d'apercevoir la divinité [49].

Le chemin de la connaissance

Un texte de la *Lettre VII* de Platon, cité par Celse [50], distinguait cinq éléments permettant la connaissance : le nom (*onoma*), la définition (*logos*), l'image (*eidôlon*), la science (*épistèmè*), enfin « l'objet qui est connaissable et vrai », c'est-à-dire l'idée au sens platonicien. Origène fait de ce texte une exégèse, à vrai dire très accommodatice, mais qui résume admirablement sa propre conception de la connaissance.

Au nom correspond « la voix de celui qui crie dans le désert, Jean », symbolisant l'Ancien Testament, précurseur du Christ. Au *logos* celui que Jean montre, Jésus, le Logos fait chair, le Jésus historique. En ce qui concerne l'image, « puisque nous employons ce mot (*eidôlon*) dans un autre sens (= idole) », il s'agit « de l'empreinte des plaies qui se forme en chaque âme après la Parole (le Logos), c'est-à-dire le Christ qui est en chacun provenant du Logos-Christ ». Le Christ devient intérieur à l'âme et dans cette phrase s'unissent deux des grands thèmes mystiques que nous étudierons bientôt, celui de la naissance et de la croissance du Christ dans l'âme, celui du trait et de la blessure d'amour. Quant à la quatrième étape, la science, c'est toujours « le Christ, Sagesse

48. *2 Co* 3, 16.   49. Voir *Connaissance* 324-370.
50. *CCels* VI, 9 citant *Lettre VII* 342 ab.

qui se trouve dans ceux que nous considérons comme parfaits » [51] : il s'agit alors, comme à la Transfiguration, de la
plus haute connaissance de Dieu en son Fils que puisse avoir
un homme encore sur terre. Il n'est pas possible de dire pourquoi Origène n'a pas achevé son interprétation et indiqué un
équivalent au cinquième élément ; l'« objet qui est connaissable et vrai » correspond en effet toujours au Christ, Monde
Intelligible des mystères, des idées au sens platonicien et des
« raisons » au sens stoïcien, contemplé dans le « face à face »
de la vision béatifique.

Telles sont les cinq étapes de la connaissance : elles se
ramènent à cinq aspects successifs du Christ, le premier étant
Jean-Baptiste, l'Annonciateur, Voix de la Parole, avec l'Ancien Testament qu'il représente. Il ne sera pas difficile d'indiquer le chemin qui va de l'une à l'autre : de l'Ancien Testament au Christ historique l'exégèse spirituelle de l'Ancien
Testament ; du Christ historique au Christ présent dans
l'âme l'exégèse spirituelle du Nouveau Testament avec cette
intériorisation du Christ en chaque chrétien qui la caractérise ;
du Christ présent dans l'âme au Christ Sagesse dont on parle
parmi les parfaits, au Christ transfiguré, l'ascension spirituelle
symbolisée par celle des trois apôtres gravissant la Montagne ;
du Christ Sagesse dont on parle parmi les parfaits au Christ
Sagesse en tant que Monde Intelligible, la vision béatifique [52].

Origène aime beaucoup souligner les gradations qu'il tire
de textes scripturaires, sans toujours les interpréter avec une
cohérence parfaite : il a bien remarqué les trois charismes distingués par Paul [53], le discours de sagesse, le discours de
connaissance, la foi, tous trois venant de l'Esprit. La foi est
croyance en tant que confiance, elle suffit pour le salut : ce
n'est pas un pur acte intellectuel, mais elle s'exprime par ses
œuvres. Il y a en elle des progrès possibles : croire au nom de
Jésus est moins parfait que croire en Jésus. Mais la perfection
de la foi est la connaissance qui en retour suppose la foi
comme son fondement et son début. La foi garde un caractère
indirect, mais la connaissance, accomplissement de la foi, est
d'une certaine façon un contact direct avec le Christ et les
mystères qu'il contient. On peut croire sans voir : on ne peut
pas voir sans croire. La connaissance est un progrès sur la foi
en ce qu'elle donne une évidence plus grande, une perception

51. *1 Co* 2, 6.   52. Voir *Connaissance* 213-215.   53. *1 Co* 12, 8-9.

directe des réalités mystérieuses par les cinq sens spirituels : c'est une véritable expérience de Dieu présent dans l'intelligence. On ne saurait évidemment mettre la connaissance origénienne qui est d'ordre mystique en opposition avec la réponse du Christ ressuscité à Thomas : « Parce que tu m'as vu, tu as cru ; bienheureux ceux qui n'ont pas vu et qui ont cru » [54]. La vision qu'a exigée Thomas pour croire était d'ordre sensible et elle est devenue la cause de sa foi : la connaissance selon Origène part au contraire de la foi dont elle est en quelque sorte la perfection.

Il est plus difficile de voir comment se distinguent selon lui le charisme de connaissance et le charisme suprême, celui de sagesse. La Sagesse est la dénomination première du Fils, ontologiquement et logiquement, mais non chronologiquement, antérieure à toutes les autres, et c'est par elle que le Fils est le Monde Intelligible, le Mystère par excellence, le Modèle de la création. La sagesse, la plus parfaite des vertus de l'homme, est une participation à la Sagesse qu'est le Fils. Elle semble surtout être un *habitus* au sens scolastique, un état de l'âme, comportant une certaine connaturalité avec les réalités divines qui permet de connaître, tandis que la connaissance s'applique plutôt à l'acte. Il ne semble donc pas que pour Origène connaissance et sagesse soient vraiment à distinguer comme deux degrés différents, mais comme deux aspects d'un même degré, supérieur à la foi.

Mais à l'intérieur de la foi d'une part, de la connaissance-sagesse de l'autre, il y a encore bien des degrés. Le départ est toujours la connaissance donnée par l'Incarnation : il faut partir du Logos incarné pour parvenir au Logos-Dieu et il n'y a pas de stade, même dans la béatitude, où l'humanité du Christ puisse être perdue de vue ; même si l'attention se porte de plus en plus sur la divinité cette dernière est contemplée à travers l'humanité transfigurée. Le progrès de l'âme dans la connaissance est sans fin : plus elle avance, plus elle voit qu'il y a encore à avancer. L'« épectase » de Grégoire de Nysse est déjà chez Origène : il suffit pour s'en convaincre de lire le magnifique texte de l'*Homélie sur les Nombres* XVII, 4. Origène applique aussi au développement de l'âme des images prises à la croissance de l'enfant et montre dans un passage du *Traité des Principes* [55] ce progrès continuant après la

---

54. *Jn* 20, 29.   55. II, 11, 5-7.

mort sous la conduite d'anges-tuteurs dans différentes « demeures » [56] situées sur les sphères planétaires, puis sur celle des fixes : il se poursuit ensuite sous la conduite du Christ avant de parvenir au Père. Chacun connaît Dieu à travers son Fils selon le degré de croissance où il se trouve, dans la mesure où il est capable de le connaître : cela explique l'affirmation à première vue étonnante que le Christ est vu sous diverses formes selon le niveau spirituel de chacun, affirmation que nous retrouverons aussi à propos du thème mystique des nourritures. Ces différentes formes ne concernent pas sa vue en tant qu'homme, car quiconque le rencontrait le voyait, mais la perception de la divinité à travers son humanité. N'oublions pas en effet ce que nous avons dit au début de ce chapitre sur la connaissance rencontre de deux libertés : la liberté divine qui veut se révéler, la liberté humaine qui se prépare à cette révélation. Certains ont subodoré ici un vague reste de docétisme, mais à tort : c'est en effet une vue de théologie spirituelle qu'on ne saurait juger comme s'il s'agissait de cosmologie ou d'anthropologie naturelle. C'est une constatation très profonde que vérifie l'expérience de la vie spirituelle et apostolique : plus on fait confiance au spirituel, plus on le prend au sérieux et on le vit, plus on le perçoit.

Les chrétiens se trouvent donc à différents niveaux. Cette affirmation d'Origène lui a valu une accusation imméritée d'aristocratisme parce qu'il distingue les « plus simples » des spirituels ou parfaits, deux termes pauliniens. S'il avait été vraiment l'aristocrate qu'on l'a accusé d'être il n'y aurait pas eu dans ses homélies prêchées devant le tout-venant des chrétiens de Césarée tant d'exhortations à un progrès moral les rendant aptes à recevoir les illuminations d'en-haut. La vivacité de ses polémiques contre les « amis de la lettre » montre qu'il ne se résigne pas à voir la masse des chrétiens s'arrêter à mi-chemin dans cette préparation et dans cette connaissance : une attitude plus aristocratique lui aurait donné davantage de sérénité et un vrai dédain plus de repos.

Il n'y a d'ailleurs, selon plusieurs de ses déclarations, que peu de distance entre le simple chrétien et le spirituel si on les compare l'un et l'autre au spirituel de la béatitude. Celui que l'on peut admirer ici-bas n'est en somme, au regard de celui de l'au-delà, pas plus qu'un enfant par rapport à un

56. *Jn* 14, 1.

adulte ou même qu'un animal vis-à-vis d'un homme raisonnable [57]. Quand Origène fait le portrait du spirituel et du
parfait, il regarde en fait son idéal jamais vraiment réalisé en
cette vie.

Ce ne sont pas uniquement des raisons intellectuelles, mais
des raisons morales et spirituelles, qui font que la plupart
des chrétiens en restent à la simple foi sans progresser en
quelque manière vers la connaissance : il ne s'agit pas non plus
de grands pécheurs, mais de tièdes n'ayant pas complètement triomphé du péché qui a encore prise sur eux. Aussi
leur compréhension spirituelle est-elle très limitée, car ils mettent bien de la négligence et de la paresse dans leur réponse
à Dieu. Même parmi ceux qui manquent de culture humaine
on trouve de vrais spirituels qui le montrent par leur vie et
par l'affirmation de leur foi jusqu'au martyre, bien qu'ils ne
soient pas capables de rendre compte de leur foi par leurs
paroles [58]. De toute façon le chrétien qui croit et ne pèche pas
gravement sera sauvé. La lettre de l'Evangile ne tue pas, mais
sauve, même celui qui s'y arrête : la foi est la condition nécessaire et suffisante du salut.

Comme nous l'avons déjà dit, les termes de spirituel et de
parfait ne conviennent que très relativement à des hommes
vivant sur terre et leur idéal ne sera complètement réalisé que
dans la béatitude. Origène en décrit les caractéristiques et les
charismes en utilisant des textes pauliniens. Ils ont « leur
citoyenneté dans le ciel » [59], même quand ils habitent sur
terre, c'est-à-dire tous leurs désirs les portent en haut et c'est
pourquoi, à cause de la pureté de leur vie, les mystères se
découvrent à eux dans une certaine mesure. Les portraits de
spirituels ne manquent pas, hommes et femmes : de l'Ancien
Testament comme Abraham, Moïse et son achèvement, Jean-
Baptiste ; du Nouveau Testament les apôtres, avec une préférence pour Paul ; enfin et surtout Marie dont Origène souligne les vertus et les charismes, bien que, pour des raisons
essentiellement théologiques, l'universalité de la Rédemption,
il ne la croie pas absolument indemne de péché. Parmi les
charismes du spirituel Origène souligne le discernement des
esprits et des doctrines, une participation au mystère divin qui

---

57. *HomIs* VII, 1 (*GCS* VIII) ; *HomEx* III, 1 : *ComMt* XVI, 16 (*GCS* X) ;
SelPs 22, 5 (*PG* 12, 1264 A).
58. *ComMt* XVI, 25 (*GCS* X).   59. *Ph* 3, 20.

fait qu'il ne peut être vraiment jugé par personne, la présence de l'Esprit Saint qui l'élève au-dessus de la condition humaine, une pureté de vie sans laquelle l'Esprit ne pourrait demeurer en lui, enfin l'exigence apostolique qui le pousse à donner aux autres ce qu'il a reçu. [60]

L'acte de connaître

La contemplation est désignée par *théa* et *théoria* et les mots de même racine. La compréhension spirituelle par *noein* qui, avec les mots de même racine, a presque exclusivement ce sens : de même par *chôrein* qui signifie à la fois contenir et comprendre, ou, suivi d'un verbe à l'infinitif « être capable de » ; l'expression *chôrètikos theou* sera rendue par les traducteurs latins en *capax Dei*, « capable de Dieu ». Enfin la connaissance par *gnôsis* et les mots de même racine avec un sens presque toujours spirituel : *gnostikos* est très rare et on ne le trouve qu'une fois appliqué au spirituel, dans un fragment, avec une intention manifestement ironique à l'égard des tenants de la « prétendue gnose » [61].

L'analyse de l'acte de connaître y dénote une activité d'ordre décidément mystique : la connaissance est une vision ou un contact direct, elle est participation à son objet, bien mieux elle est union, « mélange » avec son objet, et amour. Dans la béatitude les sauvés seront, redisons-le, devenus comme intérieurs au Fils, sans panthéisme cependant, et ils verront Dieu avec les yeux mêmes du Fils.

La connaissance est donc vision ou contact direct, dépassant la médiation du signe, de l'image, du mot, que rend nécessaire ici-bas notre condition corporelle. Elle est souvent mise en relief, chez Origène comme chez son condisciple païen Plotin, par le mot *prosbolè* qui exprime l'élan de la vision ou de la pensée vers son objet. La branche suprême de la « divine philosophie » suivant le prologue au *Commentaire sur le Cantique des Cantiques* est l'« énoptique », ou peut-être mieux, car le mot diffère suivant les manuscrits, l'« époptique », terme traduit par Rufin en « inspective », c'est-à-dire la science de la vision, de la contemplation. Non seulement la sagesse des bienheureux caractérisée par la *prosbolè* est

---

60. Voir *Connaissance* 443-495.   61. *Ibid.* 375-398.

« dépouillée de sons, de paroles, de symboles et de types » [62], mais il peut exister déjà sur terre une prière tendue vers Dieu que ne trouble aucun phantasme d'imagination [63]. Par là le contemplateur devient un spectateur direct (*autoptès*) du Verbe. Tout cela se résume dans le fameux thème origénien des cinq sens spirituels, vue spirituelle, ouïe spirituelle, toucher spirituel, goût spirituel, odorat spirituel, qui attribue entre autres choses à l'« intelligence » de l'homme désignée par ces termes la même relation directe entre le sujet et l'objet que l'on croit habituellement exister entre l'organe des sens et ce sur quoi il s'applique.

Mais le thème des cinq sens spirituels est bâti sur la dualité du sujet et de l'objet. L'idéal origénien est plus exigeant : cette opposition doit être surmontée. Elle le sera d'abord partiellement par le fait que la connaissance est participation, supposant une communauté ou une communion de nature. Cela est dit aussi par le thème des cinq sens spirituels qui affirme encore, selon Origène, que l'organe du sens pour apercevoir son objet doit avoir une analogie, une similitude avec lui : l'œil est apparenté à la lumière, à la couleur, etc., l'oreille aux sons et ainsi de suite. Nous rencontrons-là de nouveau le principe que seul le semblable connaît le semblable : de même la présence en l'homme du « selon-l'image » qui l'apparente à Dieu et lui fait connaître Dieu retrouvé en quelque sorte en soi-même, d'une manière d'autant plus intense qu'on s'assimile aux mystères, qu'on progresse vers la ressemblance eschatologique. Le signe de cette parenté avec Dieu c'est « le désir de piété et de communion avec lui qui conserve, même chez les déchus, quelques traces de la volonté divine », ou encore ce « désir ineffable de connaître la raison des œuvres de Dieu que nous voyons », désir qui sans aucun doute a été « mis en nous par Dieu » [64]. Les deux textes dont nous tirons ces citations contiennent l'amorce d'un argument de philosophie blondélienne. Progresser vers la ressemblance, c'est progresser dans la filiation divine et par là connaître que Dieu est Père, connaître avec le sens d'expérimenter : celui qui ne voit en Dieu que le Maître, parce qu'il garde à son égard des sentiments d'esclave, ne peut expérimenter Dieu en tant que Père. Mais si la filiation permet de connaître, il y a

---

62. *ExhMart* XIII (*GCS* I).   63. *HomNb* XI, 8.
64. *ExhMart* XLVII (*GCS* I) ; *PArch* II, 11, 4.

entre ces deux termes une relation réciproque : la connaissance développe la filiation et ainsi la glorification.

La dualité du sujet et de l'objet sera surmontée encore
davantage, car la connaissance est union, ou, pour employer
un terme fortement réaliste plusieurs fois utilisé, mélange.
Commentant quelques passages des deux Testaments et en
pleine conscience cependant de l'omniscience divine, de la
pédagogie divine et de ses longues patiences à l'égard du
pécheur, Origène affirme à plusieurs reprises que Dieu, et le
Christ, ne connaissent pas le pécheur : ils le connaissent certes en tant que créature, par l'acte même qui l'a créé, par le
« selon-l'image » qu'il ne peut jamais perdre, mais ils ne le
connaissent pas en tant que pécheur, parce qu'ils n'ont pas
créé le péché, ce « rien » qui selon le prologue de l'Evangile
de Jean [65] a été fait sans le Verbe, et surtout parce qu'ils ne
peuvent pas « se mélanger » à lui. Tout cela est en liaison
avec une conception surnaturelle de l'exister que nous avons
déjà soulignée. La connaissance mène à l'union et mieux, est
l'union. Et par là la connaissance est l'amour. Origène s'appuie
pour le montrer sur un sens hébraïque du verbe connaître,
utilisé pour exprimer l'acte de l'amour humain : « Adam
connut Eve son épouse » [66]. Telle est la définition ultime du
connaître, confondu avec l'amour dans l'union. Cette dernière citation exclut tout panthéisme : comme l'homme et la
femme sont « deux dans une même chair » [67] ainsi Dieu et le
croyant deviennent deux dans « un même esprit » [68].

Cette conception du connaître est de nature mystique au
sens actuel le plus fort du terme : un désir mystique indiscutable soulève puissamment et oriente cette œuvre, donne
forme à cette pensée, explique cette vie [69].

Origène mystique

Peut-on voir cependant dans Origène un mystique au sens
propre du terme ? On pourrait en effet imaginer théorique-
ment qu'il aurait toute sa vie désiré une telle connaissance
sans jamais l'obtenir. C'est pourquoi on peut lire chez ceux
qui le connaissent des avis assez divers à ce sujet.

65. *Jn* 1, 3 : *ComJn* II, 13 (7), 91-99.
66. *Gn* 4, 1 : *ComJn* XIX 4 (1), 22-23.
67. *Gn* 2, 24.   68. *1 Co* 6, 16-17.   69. Voir *Connaissance* 496-523.

Une des difficultés de la réponse est dans le fait qu'Origène dans ses œuvres, comme d'ailleurs la plupart des Pères, ne parle presque jamais de lui. Quelques rares témoignages laissent deviner une expérience mystique personnelle. Nous n'en citerons qu'un, le plus clair, souvent invoqué dans ce sens, de la première *Homélie sur le Cantique des Cantiques*[70], à propos de ce que l'on pourrait appeler « les jeux de cache-cache » de l'Epoux :

« Ensuite (l'Epouse) cherche du regard l'Epoux qui, après s'être montré, a disparu. Cela arrive souvent, dans tout ce cantique, et seul peut le comprendre qui l'a lui-même éprouvé. Souvent, Dieu m'en est témoin, j'ai senti que l'Epoux s'approchait, et qu'il était autant qu'il se peut avec moi ; puis il s'en est allé soudain, et je n'ai pu trouver ce que je cherchais. De nouveau je me prends à désirer sa venue, et parfois il revient, et lorsqu'il m'est apparu, que je le tiens de mes mains, voici qu'une fois de plus il m'échappe et une fois évanoui, je me mets encore à le rechercher. Il fait cela fréquemment, jusqu'à ce que je le tienne vraiment et que je monte appuyée sur mon bien-aimé. »

On a essayé d'enlever sa force à ce texte, et à beaucoup de passages du *Commentaire sur le Cantique des Cantiques*, en parlant de « genre littéraire » comme si Origène avait ici adopté un langage conventionnel qui ne correspondrait pas à une expérience. On a dit la même chose à propos de la dévotion fortement affective qu'il témoigne envers le Verbe incarné, dévotion qu'on ne retrouve guère en dehors de lui avant le Moyen Age. Mais un genre littéraire suppose un ou des modèles préexistants et quels modèles pouvait bien avoir Origène. Il y a eu, certes, avant lui des écrivains mystiques dans la tradition chrétienne, les apôtres Paul et Jean, Ignace d'Antioche ou Clément d'Alexandrie, mais rien ne ressemble exactement chez eux au son que rendent de nombreux passages origéniens, notamment dans le *Commentaire sur le Cantique des Cantiques* avec son affectivité ardente, différente cependant de celle de ses prédécesseurs comme Ignace. Quant aux mystiques philonienne, gnostique ou mésoplatonicienne on ne voit guère ce qui en elles pourrait préparer sur ce point Origène : il y manque en tout cas un aspect fondamental, la relation *personnelle* d'amour entre le fidèle et le Christ. Si on ne trouve pas avant Origène de modèle, comment parler alors de « genre littéraire » ? Ne serait-ce pas là une évasion, un moyen trop facile de se fermer les yeux à ce que disent tout simplement les textes.

En fait l'énorme influence exercée par Origène sur la spiritualité postérieure rend invraisemblable l'absence de toute expérience propre. D'une part Origène est après Clément, mais sur une plus grande échelle, le premier dans la tradition chrétienne à exprimer dans toute son étendue un idéal de connaissance de nature mystique : où l'aurait-il trouvé sinon dans sa propre expérience ? Dans le chapitre suivant nous étudierons certains des grands thèmes mystiques dont il est soit l'inventeur, soit le propagateur. Il a tiré tout cela de la Bible, mais a donné à des phrases isolées une vaste orchestration spirituelle, prenant certains textes dans un sens allégorique, découvrant dans des phrases rapides de Paul une profondeur de vie spirituelle qui n'apparaît pas au premier venu. Est-il vraisemblable que, sans vivre dans la familiarité de ces mystères dont il parle sans cesse, il ait possédé une telle justesse d'intuition qu'il ait inventé de lui-même les expressions utilisées dans la suite par d'authentiques inspirés ? Comment a-t-il pu être si sensible, dans la création de ses thèmes spirituels, à toutes les touches mystiques de l'Ecriture, inventer le langage qu'utiliseront tant et tant de spirituels, s'il n'a rien éprouvé lui-même. Seul le spirituel peut connaître le spirituel, écrit-il souvent à la suite de Paul. Ne faut-il pas en déduire que le langage dans lequel un mystique retrouve sa propre expérience et qu'il utilise pour l'exprimer est aussi l'œuvre d'un mystique ?

Nous conclurons donc avec H. de Lubac :

> « Quant à savoir s'il fut lui-même un mystique, il nous semble que seuls pourront le mettre sérieusement en doute ceux qui auront commencé par poser une certaine dichotomie de la doctrine et de l'expérience, telle qu'elle a cours depuis quelques siècles. Mais cette dichotomie se justifie-t-elle absolument ? Ne constitue-t-elle pas en tout cas un anachronisme ? Par l'étoffe même et par l'élan de sa pensée, qui n'est pas séparable du plus intime de sa vie, il nous semble qu'Origène est un des plus grands mystiques de la tradition chrétienne ». [71]

---

71. Préface à H. CROUZEL, *Origène et la « connaissance mystique »*, p. 11.

Chapitre septième

LES THÈMES MYSTIQUES

Origène est un des créateurs du langage mystique. Il a créé certains de ces thèmes en partant de l'Ecriture et en utilisant aussi des données philosophiques et de même l'imagerie hellénistique. Il a trouvé d'autres thèmes dans la tradition chrétienne antérieure, mais alors qu'ils étaient jusque-là employés assez modérément, il leur a donné une orchestration souvent considérable. Après lui ils ont été répétés par des générations de mystiques qui s'en sont servis pour traduire leur expérience.

Nous touchons là au problème de la transmission et de l'expression de l'expérience mystique. La connaissance que reçoit le mystique est par essence inexprimable : c'est un contact direct entre l'Esprit divin et l'esprit humain, par-delà, au moins dans une certaine mesure, tout intermédiaire de concept, de signe et de mot. Et cependant le bénéficiaire essaie de la décrire pour la communiquer. Ce faisant, il ne peut pas ne pas la dénaturer plus ou moins, car il essaie de traduire en paroles ce qui est par définition ineffable. Et il l'exprime en fonction de sa culture, avec les termes et les images qu'elle lui fournit. Interviennent peut-être quelquefois certaines influences polémiques. Par exemple on a souvent opposé Origène et Grégoire de Nysse en attribuant au premier une mystique de la lumière, au second une mystique de la ténèbre : cela peut se défendre pourvu de ne rien absolutiser. Or, il n'est pas exclu que dans la mystique origénienne de la

lumière intervienne la polémique contre la conception montaniste de l'extase comme inconscience, alors que la mystique
nyssénienne de la ténèbre découle peut-être en partie de la
réaction de Grégoire, après son frère Basile, contre le néo-
arianisme d'Eunome soutenant que la nature divine était strictement définie par le fait que le Père est inengendré. Par-delà
les expressions divergentes il n'est pas sûr que l'expérience de
l'un et de l'autre ait été tellement différente. D'autre part,
les mystiques lisent les mystiques et les thèmes se transmettent
ainsi d'une génération à l'autre, chacun les enrichissant de
son expérience et de sa culture propre.

Les thèmes nuptiaux

A la suite d'Osée les prophètes ont fréquemment représenté
l'alliance de Iahvé et d'Israël comme un mariage [1] : Israël est
l'épouse de Iahvé. Quoi qu'il en soit des origines, profanes ou
sacrées, de ce poème d'amour qu'est le *Cantique des Cantiques*
— on ne peut dire que les exégètes contemporains soient parvenus à un accord sur ce point — il a été entendu par les
Juifs eux-mêmes de l'amour réciproque de Dieu et d'Israël.
Le Nouveau Testament en hérite et l'applique au Christ et à
l'Eglise. Le premier commentaire chrétien du Cantique des
Cantiques, celui d'Hippolyte, en reste à la signification collective de l'Epouse.
Mais une signification individuelle du même thème, où
l'Epouse représenterait aussi l'âme fidèle, est suggérée par
deux passages de la première épître aux Corinthiens [2]. Trois
textes de Tertullien, qui restent isolés dans son œuvre, présentent des vierges et des veuves comme épouses de Dieu et
du Christ [3]. Chez Origène les deux significations de l'Epouse,
la collective, l'Eglise, l'individuelle, l'âme fidèle, se trouvent
abondamment représentées. Leur principal lieu est constitué,
comme on peut s'y attendre, par le *Commentaire* et les deux
Homélies sur le Cantique des Cantiques, mais on les rencontre fréquemment dans tout le reste de l'œuvre. Loin de s'oppo-

1. Voir notre article : « Le thème du mariage mystique chez Origène et
ses sources », *Studia Missionalia* 26, 1977, 37-57.
2. 6, 15-17 ; 7, 32-34.
3. *Ad Uxorem* I, 4, 4 ; *De Resurrectione* 61, 6 ; *De Virginibus velandis*
16, 4 (*CChr* 1-2).

ser l'une à l'autre ces deux explications sont au contraire liées et complémentaires. L'âme fidèle est épouse parce qu'elle fait partie de l'Eglise qui est épouse. Si les progrès de l'âme dans la ressemblance du Christ la rendent plus parfaitement épouse, l'Eglise, communauté des croyants, devient elle aussi plus parfaitement épouse.

Dans le *Commentaire sur le Cantique*, à chaque verset qu'il explique, Origène débute par une brève explication littérale, dans le cadre de ce drame d'amour qu'est selon lui le poème. Ensuite, dans le plus grand nombre des cas, commençant tantôt par l'Eglise-Epouse, tantôt par l'âme-épouse, continuant par l'aspect qu'il n'a pas traité en premier, il explique en bon ordre le verset dans chaque perspective. Il y a à cela quelques exceptions : certains versets sont interprétés seulement selon une des deux acceptions ; pour d'autres elles sont plus ou moins mélangées et le passage de l'une à l'autre se fait sans transition, alors que dans la plupart des cas les transitions sont bien marquées.

Les noces du Christ avec l'Eglise comme les noces du Christ avec l'âme recouvrent toute une histoire. Elles commencent dès la préexistence, quand l'âme jointe au Verbe, autrement dit l'humanité préexistante du Christ, est l'Epoux de l'Eglise de la préexistence formée de toutes les « intelligences », celles que la chute originelle transformera en anges, hommes et démons. Cette chute sépare l'Epoux de l'Epouse. Dans l'Ancien Testament l'Epouse est représentée par l'Ancien Israël : c'est un temps de fiançailles où la fiancée reçoit la visite des « amis de l'Epoux », patriarches et prophètes, qui la préparent ; parfois même celles de l'Epoux lui-même, car c'est lui qui apparaît dans les théophanies sous forme humaine ou angélique. A l'Incarnation l'Epoux revêt un corps de chair, bien qu'il n'ait pas péché, pour rejoindre par amour son Epouse tombée dans la chair par sa faute. Mais l'union ne sera parfaite que dans la béatitude, lorsque s'accomplira la parabole des invités aux noces [4] et que le Roi, le Père, unira définitivement son Fils à l'humanité glorifiée.

Mais le mariage mystique a son revers, tant sur le plan individuel que sur le plan collectif. Si l'union au Christ est un mariage, tout péché est une infidélité à l'Epoux légitime et un adultère avec Satan. Osée traitait d'adultère envers Iahvé, son Epoux, l'idolâtrie d'Israël. Origène applique cela à l'âme

4. *Mt* 22, 2-14.

qui renie dans la persécution, qui se souille par des pensées charnelles ; mais aussi au drame de la Synagogue qui a forniqué avec le démon, comploté contre son Epoux légitime qu'elle a mis à mort. La fornication spirituelle avec les démons est l'antitype du mariage mystique sous ses deux formes. Tout péché est à la fois adultère et idolâtrie : adultère parce qu'infidélité envers le seul époux légitime ; idolâtrie parce qu'il prend la créature sensible, image des réalités célestes, pour ces réalités mêmes [5].

Le mariage mystique met avant tout l'accent sur l'union du Christ avec l'Eglise et l'âme et sur l'amour réciproque qui est leur lien. Un autre thème lui est étroitement joint, centré sur l'amour, celui du trait et de la blessure d'amour [6]. On n'en voit pas de trace avant Origène. C'est donc lui selon toute vraisemblance qui le premier a rapproché l'un de l'autre les deux versets de l'Ancien Testament qui en sont la source. C'est d'abord *Is* 49, 2 selon la Septante, faisant dire au « Serviteur de Iahvé » qui est pour toute la tradition chrétienne le Christ prophétisé : « Il m'a placé comme une flèche élue, il m'a caché dans son carquois ». Le second texte est *Ct* 2, 5 qui, toujours selon la même version, prête à l'Epouse ces paroles : « Je suis blessée de charité (*agapè*) ». Il n'est pas impossible que l'image hellénistique du petit Eros avec son arc et ses flèches, évoquée au début du *Commentaire sur le Cantique des Cantiques* dans le contexte de l'amour charnel [7], n'ait joué un certain rôle dans l'établissement du thème, par projection de cette image sur l'Eros céleste du *Banquet* de Platon [8] rappelé dans le même prologue et sur le Christ qu'Ignace d'Antioche aurait, selon Origène, appelé Eros. [9]

Le thème que nous étudions est attesté par des œuvres appartenant à toute la vie d'Origène, depuis le livre I du *Commentaire sur Jean* ou le *Commentaire sur les Lamentations*, œuvres composées à Alexandrie, jusqu'aux homélies prononcées dans les dernières années. On en trouve l'écho dans le

---

5. Voir H. Crouzel, *Virginité et Mariage selon Origène*, 1963, pp. 17-24, 39-44.

6. Du même : « Origines patristiques d'un thème mystique : le trait et la blessure d'amour chez Origène », dans *Kyriakon : Festschrift Johannes Quasten*, Münster i. W. 1970, tome I, 309-319.

7. Prol. (*GCS* VIII, p. 67, l. 1).

8. *Ibid.* p. 63, l. 12.

9. *Ibid.* p. 71, l. 26, citant Ignace, *Romains* 7, 2 (*SC* 10).

Remerciement de Grégoire le Thaumaturge. Les plus beaux passages, soulevés par une éloquence ardente qui transparaît à travers les traductions de Rufin et de Jérôme, sont les explications de *Ct* 2, 5 dans le Commentaire (version rufinienne) et dans la seconde homélie (version hiéronymienne) sur ce poème [10]. L'archer est soit le Père, soit le Fils ; la flèche est évidemment le Fils ; mais ce dernier devient aussi la plaie que la flèche fait dans l'âme selon un passage du *Contre Celse* dont nous avons déjà parlé [11], « l'empreinte des plaies qui se forme en chaque âme après la Parole, c'est-à-dire le Christ qui est en chacun provenant du Logos-Christ ». L'Epouse que blesse le trait n'est jamais l'Eglise dans les textes parvenus jusqu'à nous, mais seulement l'âme fidèle. Mais le Christ n'est pas le seul à être une flèche choisie, car il communique cette qualité à tous ceux qui portent sa parole, Moïse, les prophètes, les apôtres, les prédicateurs de l'Evangile : ces diverses flèches ne font pas cependant nombre avec l'unique Flèche choisie, car en toutes c'est le Christ qui parle. Cette flèche représente donc surtout l'amour : parfois aussi il s'agit des traits qui provoquent chez l'auditeur pénitence et contrition. A l'opposé il est quelquefois question des traits enflammés du Malin qui produisent, s'ils sont acceptés par celui qui les reçoit, les péchés et les vices : mais sur ce point Origène est moins original, car l'idée est déjà chez Paul [12] et à plusieurs reprises chez Philon.

Jusqu'ici il n'a été question à propos de ces thèmes nuptiaux que d'union et d'amour, non encore de génération. C'est l'objet d'un troisième thème déjà aperçu quand nous avons parlé de l'exégèse spirituelle du Nouveau Testament, celui de la naissance et de la croissance du Christ dans l'âme : elle conçoit du Verbe et elle conçoit le Verbe, le Verbe présent en elle. Ce thème n'est pas une création d'Origène, car on le trouve chez Paul [13] et il est proche de celui de l'inhabitation du Christ ou de la Trinité dans l'âme attesté plusieurs fois chez Paul et chez Jean. Il a été aussi utilisé par l'*Ecrit à Diognète* [14] et à plusieurs reprises par Hippolyte. Mais Origène lui a donné une extension considérable [15]..

---

10. *ComCt* III (*GCS* VIII, p. 194, l. 6) ; *HomCt* II, 8.
11. VI, 9 : cf. pp. 155-156.   12. *Ep* 6, 16.   13. *Ga* 4, 19.
14. XI, 4 ; XII, 7 (*SC* 23).
15. Voir G. AEBY, *Les missions divines de Saint Justin à Origène*, Fribourg (Suisse) 1958, pp. 164 ss.

Si l'âme doit enfanter le Verbe, Marie est son modèle : « Et toute âme vierge et incorrompue, ayant conçu de l'Esprit Saint afin d'engendrer la Volonté du Père, est la Mère de Jésus. [16] » Ce bref fragment commente *Mt* 12, 46-50. La Volonté du Père est le Fils, Puissance du Père, engendré comme la Volonté qui sort de l'Intelligence [17]. Cette naissance du Christ dans l'âme est liée essentiellement à la réception de la Parole et d'une certaine façon Jésus naît ainsi continuellement dans les âmes. Le Père est à l'origine de cette génération. Elle se manifeste par les vertus, car le Christ est toute vertu et chaque vertu, les vertus s'identifient à lui d'une manière pour ainsi dire existentielle. Mais si le Christ ne naît pas en moi, je suis exclu du salut : Origène exprime cela à plusieurs reprises sous des formes équivalentes. La naissance de Jésus à Bethléem ne tire ses effets dans l'ordre de la Rédemption que si Jésus naît aussi en chaque homme, si chacun adhère personnellement à cette venue de Jésus en ce monde et par là en lui [18]. Tel est « le Christ qui est en chacun venant du Logos-Christ ». [19]

Quand Jésus du haut de la Croix a dit à Marie en désignant Jean : « Voilà ton fils », il ne voulait pas dire qu'il faisait ainsi de Jean un autre fils de sa mère, car Marie n'a jamais eu qu'un fils, mais que Jean devenait ainsi Jésus lui-même, tellement qu'on ne peut comprendre l'Evangile de Jean qu'en ayant en soi-même la mentalité, le *noûs,* du Christ [20]. De même que le Fils est engendré par le Père, non seulement de toute éternité — « Il n'y a pas eu de moment où il n'était pas » —, mais continuellement, de même le juste est engendré par Dieu, engendré dans son Fils, en chacune de ses bonnes actions [21]. Et le résultat sera la condition de la béatitude où tous les hommes, devenus en quelque sorte intérieurs au Fils Unique, verront le Père comme le Fils le voit [22].

Mais ce Jésus qui naît en nous est tué par le péché : il ne peut être contenu dans les âmes que le péché rend trop étroites et il vivote comme un bébé anémique dans les âmes tièdes ; dans les autres il grandit [23]. Il peut même arriver que certaines lui offrent en elles une telle place qu'il se promène en

---

16. *FragmMt* 281 : *GCS* XII/1.   17. *PArch* I, 2, 6.
18. *HomGn* III, 7 ; *HomJr* IX, 1 ;*HomLc* XXII, 3.   19. *CCels* VI, 9.
20. *ComJn* I, 4 (6), 23.   21. *HomJr* IX, 4.   22. *ComJn* X, 16, 92.
23. *ComJn* XX, 6, 40-45.

elles, qu'il y couche, qu'il y mange, avec toute la Trinité[24]. C'est en notre cœur qu'il faut préparer une route pour le Seigneur, à la fois par la pureté de la vie morale et par le développement de la contemplation[25]. En chacun Jésus peut progresser en sagesse, en âge et en grâce.

Une conclusion est à tirer de ces trois thèmes nuptiaux. D'abord en présence de Dieu et de son Christ toute âme humaine est féminine, Epouse et Mère. Son rôle est de recevoir pour engendrer. Malgré certaines expressions que des théologiens postérieurs trouveront maladroites, contrebalancées par d'autres qui respectent toutes les nuances des rapports de la liberté et de la grâce, Origène est loin du pélagianisme et même du semipélagianisme. Quant au « synergisme » dont on parle parfois à son sujet comme au sujet d'autres Pères grecs, le mot ne paraît guère adapté à la doctrine origénienne de la grâce. Il donne l'impression que la grâce divine et l'homme agissent en collaborateurs comme deux hommes tirant ensemble une charette. Comme le montrent les thèmes que nous venons d'étudier et ceux que nous allons étudier c'est Dieu et son Christ qui agissent ; le rôle de l'homme est de laisser Dieu agir en lui ou de s'y opposer.

Les symboles de la grâce

La doctrine origénienne de la grâce dépasse de beaucoup les quelques emplois qu'il fait du mot *charis* ou *gratia*. Elle s'exprime aussi à travers toute une série d'expressions symboliques. En examinant l'anthropologie d'Origène nous en avons déjà étudié deux, l'« esprit (*pneuma*) qui est en l'homme » et la participation de l'homme à l'image de Dieu dont le sens est principalement surnaturel.

La lumière[26] désigne les grâces de connaissance : elle en est l'analogie la plus naturelle et se trouve aussi bien dans la Bible[27] que chez Platon. Le livre VI de la *République*[28] développe des idées que Celse résumait dans son *Discours Véridique*[29] : de même que le soleil permet à l'œil de voir en

---

24. *ComCt* II (*GCS* VIII, p. 164, l. 20).   25. *HomLc* XXI, 5 et 7.
26. Voir M. MARTINEZ PASTOR, *Teologia de la Luz en Origenes*, Comillas 1963. Et notre *Origène et la « connaissance mystique »*, pp. 130-153.
27. *Os* 10, 12.   28. 18-19. 506-509.   29. *CCels* VII, 45.

éclairant les objets, de même Dieu est la Lumière qui rend possible la connaissance des réalités intelligibles. Origène approuve et ne manifeste pas à cette occasion — il le fait à propos d'autres passages de Platon cités par Celse — la distance qui sépare la grâce chrétienne de son approximation platonicienne, distance tenant au caractère volontaire et libre du don divin.

Chacune des personnes divines a son rôle dans le don de cette lumière. Le Père est la Lumière dont le Fils est le reflet : cette Lumière agit par l'intermédiaire de la Lumière qu'est Fils. « Nous verrons la lumière dans ta lumière » [30] : pour Origène cela signifie : nous verrons la Lumière qu'est le Père à travers celle qu'est le Fils. Mais c'est surtout à ce dernier que sont attribuées les dénominations ou *épinoiai* lumineuses attestées dans la Bible : Lumière du Monde, Vraie Lumière, Lumière des Hommes, Lumière des Nations, Soleil de Justice, Orient. Le soir et le matin, la nuit et le jour, correspondent aux périodes où disparaît ce Soleil, ou bien où il brille, soit ici-bas, « à travers un miroir, en énigme », soit dans l'au-delà, « face à face » [31]. Le Saint Esprit n'est guère appelé Lumière, mais l'illumination lui est aussi attribuée. L'Eglise elle aussi a été dite, en la personne des apôtres, Lumière du Monde. Elle est la lune transmettant aux hommes par son enseignement la clarté que lui donne le soleil. Car la lumière du Christ s'intériorise en celui qui la reçoit : ce dernier devient lui-même lumière en se conformant au Christ. Dans la béatitude tous les saints deviendront dans le Soleil de Justice une unique lumière solaire.

Mais Satan, Prince des Ténèbres, singe la Lumière. Pour duper les âmes il se transforme en ange de lumière [32]. Il se fait ainsi un mauvais soleil, avec sa lune, l'assemblée des méchants. En réalité il est ténèbres. En opposition avec la ténèbre louable, où Dieu se cache, les ténèbres blâmables sont ignorance volontaire et refus de la lumière qu'elles persécutent et s'efforcent de détruire ; mais elles ne le peuvent car les ténèbres se dissipent quand s'approche la lumière.

Le thème de la Vie [33] déborde celui de la Lumière en ce

---

30. *Ps* 35 (36), 10 : *PArch* I, 1, 1.

31. *ComJn* VI, 52 (33-34), 270-272 ; *HomLv* XIII, 2.

32. *2 Co* 11, 14 ; *ComCt* III (*GCS* VIII, p. 183, l. 17).

33. Voir G. GRUBER, *ZΩH, Wesen, Stufen und Mitteilung des Wahren Lebens bei Origenes*, Munich 1962.

qu'il englobe toute la vie surnaturelle de l'âme et rejoint ce qui sera appelé plus tard grâce sanctifiante. Contrairement aux trois sortes de morts que distingue Origène, la mort au péché qui est bonne, la mort du péché qui est mauvaise et la mort physique qui est moralement indifférente — Origène suit ici une distinction morale fondamentale des Stoïciens —, on trouve trois sortes de vies, la vie naturelle, indifférente, la vie du péché et la « vraie vie », de même que deux immortalités, une immortalité de nature qui empêche l'âme de mourir de la mort physique, une immortalité de grâce qui prolonge la « vraie vie ». Nous reviendrons sur les trois morts et les deux immortalités en étudiant l'eschatologie d'Origène [34]. Il s'agit surtout ici de la « vraie vie », distinguée de la vie naturelle et sensible qui nous est commune avec les animaux.

Or la « vraie vie » n'est pas seulement comme dans le Moyen Platonisme une vie orientée vers le monde des réalités intelligibles distinguées des sensibles. La source d'Origène est principalement, sans exclure les influences philosophiques, l'emploi constant du mot vie pour désigner la vie bienheureuse, « éternelle », dans presque tous les écrits du Nouveau Testament : un rapide coup d'œil sur une Concordance montre clairement que ce sens de vie surnaturelle domine très largement celui de vie naturelle. La vie « éternelle » n'est pas pour les auteurs sacrés le privilège exclusif de la béatitude, où elle recevra sa plénitude : elle est déjà participée dès ici-bas d'une manière imparfaite, mais progressive. Comme le Royaume de Dieu ou des cieux elle est une réalité à la fois présente et future. Origène parle surtout de la « vraie vie » en commentant des textes du Nouveau Testament, principalement de l'Evangile de Jean.

L'homme reçoit la vraie vie de sa participation au Christ qui est la Vie et qui lui transmet cette vie qu'éternellement et continuellement il reçoit du Père. Dans la hiérarchie des *épinoiai* ou dénominations du Christ, tirée du début du prologue johannique, la Vie occupe la troisième place après la Sagesse qui est le « Principe », et après le Logos, avant la Lumière. C'est Jésus qui transmet l'eau vive, l'eau qui donne la vie : elle apporte la mort au péché, détache de la chair et du sensible, donne la vertu et la connaissance : dans cette dernière acception la Vie se confond avec la Lumière. Le don

34. Voir pp. 304-310.

de la Vie par le Christ est ici bas progressif et apporte avec lui les biens de la Vie. L'action de l'Esprit Saint est aussi marquée dans le don de l'eau vive [35].

Le thème des nourritures spirituelles [36] n'est pas sans rapport avec les précédents et le Christ y joue toujours le rôle central. Souvent Origène rappelle les menaces divines communiquées par Amos [37] d'envoyer sur la terre la faim ou la soif d'entendre la Parole de Dieu. Il s'agit là d'un châtiment : la faim et la soif ne sont pas le désir de cette Parole, mais la famine et la sécheresse, Dieu enlevant au peuple tous les ministres de sa parole. Châtiment qui a atteint les Juifs, châtiment qui pourrait bien atteindre non l'Eglise dans sa généralité, mais telle ou telle fraction de l'Eglise à cause de ses fautes.

Cette nourriture spirituelle est constituée par la révélation des mystères et aussi celle de la nature divine elle-même : les anges en sont nourris par le Christ et ce dernier est constamment nourri par son Père dans sa génération qu'Origène représente comme éternelle et continuelle et qui lui communique sa divinité. De même le Fils distribue aux hommes la nourriture qu'il reçoit du Père, car « l'unique aliment de toute la création c'est la nature de Dieu » [38].

Mais il y a parmi les nourritures spirituelles possibles une grande diversité dans le cadre de l'enseignement moral ou de l'enseignement mystique. Les mêmes aliments ne conviennent pas à tous : ils varient selon l'âge spirituel, selon la santé spirituelle. Et cependant le Christ est toute nourriture et chaque sorte de nourriture : il prend en effet des formes diverses pour s'adapter aux nécessités de chacun. Pour l'âme encore animale, brebis qui a besoin d'un berger pour la conduire et la faire paître dans de verts pâturages [39], il se fait herbe. Pour l'âme enfantine il se fait lait : Origène fait allusion à trois textes du Nouveau Testament pris dans leur sens propre, car le lait y est présenté comme la nourriture des enfants spirituels [40]. Pour les malades spirituels il est légumes : Origène s'appuie sur *Rm* 14, 1-2, non interprété selon le sens de l'apôtre comme

35. *ComJn* II, 16-19 (10-13), 112-132.
36. Voir C. BLANC, « Les nourritures spirituelles d'après Origène », *Didaskalia* (Lisbonne) 6, 1976, 3-19 ; et *Origène et la « connaissance mystique »* pp. 166-184.
37. 8, 11.   38. *HomIs* III, 3 (*GCS* VIII).   39. *Ps* 22 (23).
40. *1 Co* 3, 2 ; *He* 5, 12-13 ; *1 P* 2, 2.

pour les textes précédents, mais selon une signification allégorique ; Paul avait en vue les « faibles dans la foi », des
chrétiens qui restent fidèles par superstition à des observances
juives concernant la nourriture. Mais l'âme spirituellement
forte peut recevoir « la nourriture solide des parfaits, de ceux
qui ont par l'habitude les sens exercés au discernement du
bien et du mal » [41]. Cette nourriture, ce sont les chairs de
l'Agneau, le Christ figuré par l'Agneau Pascal [42], ou le vrai
pain descendu du ciel, le Pain vivant. [43]

Le thème des nourritures exprime donc à la fois la connaissance et la grâce, d'une manière réaliste, avec un arrière-
plan eucharistique. Comme les aliments deviennent notre
substance, cette nourriture divine qui est la personne du
Verbe se transforme en nous et nous transforme en elle. Elle
opère la divinisation progressive qui est le but de la montée
spirituelle en communiquant la vie même du Verbe. C'est
ainsi que les mystères sont nourrissants, que la connaissance
mène à la divinisation. Un autre enseignement du thème est
la pédagogie du Verbe. Seul il est l'aliment de l'âme. Mais la
même nourriture ne convient pas à tous : trop forte pour les
uns, elle est insuffisante pour les autres. Aussi le Logos prend-
il toutes les formes nécessaires pour s'accommoder à chacun.
Son humanité — et l'Ecriture qui la prédit et la raconte —
est l'aliment adapté à cette vie terrestre et à travers elle la
divinité est absorbée à doses variables suivant les capacités.

Le mystère est donc nourriture, il est aussi un vin qui
réjouit l'âme [44]. L'origine de ce thème se trouve chez le théologien juif Philon. Il constitue chez lui l'« oxymoron » [45] de
la « sobre ivresse ». Cependant entre la « sobre ivresse » philonienne et celle d'Origène il y a une différence capitale sur
un point déjà exposé à propos de l'exégèse. Origène s'oppose
à la conception montaniste de l'extase prophétique comme
inconscience ou folie sacrée, conception qui n'est pas absente
de certains textes de Philon. Si, pour Origène, l'ivresse que
donne le vin de la Vraie Vigne « fait sortir de l'humain » [46],
seul le mauvais vin des doctrines fausses « fait sortir de
l'intelligence » [47]. Une extase qui serait inconscience est pour

41. *He* 5, 14.   42. *Ex* 12, 1.   43. *Jn* 6, 26 ss.
44. *Origène et la « connaissance mystique »*, pp. 184-197.
45. Un « oxymoron » est une affirmation apparemment contradictoire,
qui paraît sotte, ou folle (*môros*) et en réalité est aiguë (*oxys*).
46. *ComJn* I, 30 (33), 206.   47. *HomJr* latine II, 8 (*GCS* VIII).

Origène le signe de la présence du démon manifestée par les passions mauvaises qui détournent, obnubilent et asservissent l'intelligence.

La Vraie Vigne qui produit ce Vin est évidemment le Christ [48]. Ce thème insiste sur les effets affectifs de la connaissance qui ne sont guère exprimés par l'analogie de la connaissance. Quoique le mot d'ivresse soit quelquefois utilisé par Origène, il la décrit le plus souvent par des termes plus modérés : cette « ivresse n'est pas déraisonnable, mais divine » [49]. C'est la joie, les délices, la consolation, le plaisir éprouvé par les cinq sens spirituels, une participation dès ici-bas à la béatitude. La connaissance des mystères enflamme le cœur, comme celui des deux disciples sur le chemin d'Emmaüs. Elle apporte le repos et la paix, mais un repos actif sous l'impulsion du feu qu'elle allume dans l'âme. Elle est aussi douceur. Mais l'affirmation la plus caractéristique lui attribue l'« enthousiasme », c'est-à-dire le sentiment éprouvé de la présence divine par lequel l'inspiration de l'auteur sacré devient en quelque sorte perceptible au lecteur : l'*enthousiasmos* est en effet la perception du caractère *entheos* (*en* dans, *theos* Dieu) des Ecritures divines : le lecteur sent que Dieu est en elles.

Si la Lumière exprime essentiellement les grâces de connaissance, la Vie ce qui sera appelé grâce sanctifiante, ces deux sortes de grâces ne sont pas distinguées quand il s'agit du thème des nourritures qui désigne à la fois la connaissance des mystères et la communication de la vie divine : pareillement en ce qui concerne le vin. Dans la mentalité synthétique d'Origène tout est uni d'une certaine façon : nous avons vu plus haut que la connaissance se confond avec l'amour dans l'union ; nous voyons maintenant que connaissance et vie divine se recouvrent.

La montée spirituelle et ses effets

Pour Origène toute montée mentionnée dans les livres saints, par exemple d'Egypte en Palestine ou de Galilée en Judée, symbolise une ascension spirituelle, toute descente un relâchement. C'est ainsi que Marie après l'annonce de l'Ange

48. *Jn* 15, 5.　49. *ComJn* I, 30 (33), 206.

part dans la région des montagnes rencontrer Elisabeth et devant elle laisser éclater sa joie : elle y remplit une mission apostolique, permettant ainsi à Jésus qu'elle porte en son sein de « former » Jean qui est dans celui d'Elisabeth [50]. Il y a là tout un symbolisme de la montagne comme le lieu des spirituels et de la plaine comme celui où se trouvent les chrétiens qui en restent à la simple foi.

C'est surtout la scène de la Transfiguration [51] qui est l'objet préféré de ce thème : on la trouve commentée dans les œuvres de la vieillesse d'Origène, *Commentaire sur Matthieu*, *Contre Celse* et homélies. Elle se situe dans le contexte de la « sagesse dont on parle parmi les parfaits » [52]. Les trois apôtres que Jésus a amenés avec lui, Pierre, Jacques et Jean, ont gravi la Montagne [53] : c'est le symbole de l'effort ascétique qu'ils ont accompli. L'ascension s'est produite « après six jours » [54] : or six est à cause de la création racontée en *Gn* 1, le chiffre du monde. Leur effort ascétique a donc été un détachement du monde. Au sommet de la Montagne ils voient Jésus transfiguré, sa divinité transparaissant à travers son humanité. On a dit parfois que pour Origène l'humanité de Jésus était comme un écran cachant sa divinité aux yeux des hommes. Bien des nuances doivent être apportées à cette affirmation. Ce qui cache la divinité de Jésus aux yeux des hommes est d'abord la volonté de Jésus de ne pas la révéler ainsi, puisqu'une personne divine n'est vue que lorsqu'elle se révèle, d'autre part l'impréparation ascétique de l'homme à la percevoir, le manque d'« yeux spirituels » comme nous allons dire. Il est vrai cependant par ailleurs que l'humanité de Jésus s'inscrit dans les desseins de la pédagogie divine, donc qu'elle filtre en quelque sorte les rayons de la divinité. Mais seuls peuvent percevoir ces rayons à travers elle ceux qui ont gravi la Montagne. Une explication semblable est donnée au fait que Jésus ressuscité, se manifestant aussi dans sa divinité au travers du corps glorifié, ne s'est montré qu'à ses apôtres et non à Pilate, à Hérode, aux princes des prêtres qui l'avaient fait

---

50. *ComJn* VI, 49 (30), 252 ss.
51. *Origène et la « connaissance mystique »*, passim, ainsi 438-441, 470-474.
52. *1 Co* 2, 6 : *CCels* VI, 9.
53. Origène ne dit pas, et probablement ne sait pas, quelle est cette montagne.
54. *Mt* 17, 1 : *ComMt* XII, 36-37 (*GCS* X).

crucifier, car ils étaient incapables de percevoir sa divinité. [55]

L'interprétation de la transfiguration par Origène est double : d'une part la divinité transparaissant à travers le corps physique de Jésus ; d'autre part la divinité transparaissant à travers cet autre corps du Christ qu'est la lettre de l'Ecriture. Nous avons vu en effet que l'Ecriture est elle aussi une incarnation du Verbe dans la lettre analogue à la chair, préparant ou racontant l'unique Incarnation, toutes deux présentant l'unique Parole de Dieu. Aussi pour celui qui a gravi la Montagne l'Ecriture se transfigure, la divinité du Verbe transparaît à travers la lettre. Telle est déjà la « trace d'enthousiasme » qui révèle au lecteur le caractère inspiré de l'Ecriture [56].

L'Ecriture dont il s'agit est l'Ancien Testament aussi bien que le Nouveau. Tel est le sens de l'apparition de Moïse et d'Elie, symbolisant la loi et les prophètes, auprès de Jésus transfiguré. Ils sont illuminés par la lumière qui émane de lui et perçus ainsi par les trois apôtres. Non seulement à ce moment ils voient eux-mêmes le « Jour du Seigneur », mais la transfiguration de Jésus a transfiguré en eux l'Ancien Testament, le changeant en Nouveau Testament dont les apôtres reçoivent ainsi la connaissance la plus haute que puisse avoir un homme encore sur terre. En effet la Transfiguration ne représente pas habituellement la vision béatifique, sinon comme une sorte d'avant-goût, elle appartient encore à l'Evangile temporel.

Le fameux thème origénien des cinq sens spirituels [57], tiré d'expressions scripturaires figurées ou allégorisées — et peut-être aussi d'images platoniciennes — exprime l'état du spirituel parvenu à la vertu suprême, la sagesse, et connaissant ainsi par une connaturalité intime les réalités surnaturelles : cette connaturalité a évidemment pour source le développement en lui du « selon-l'image ». Avant Origène Théophile d'Antioche [58] a parlé des « yeux de l'âme » et des « oreilles du cœur ». Mais Origène va utiliser largement ce thème. Il constitue un chapitre de la « loi d'homonymie » qui attribue les mêmes termes à l'homme intérieur et à l'homme extérieur dans l'explication des anthropomorphismes corporels appli-

55. CCels II, 63-64 ; VII, 43.
56. CCels VI, 77 ; PArch IV, 1, 6.
57. Voir K. RAHNER, « Le début d'une doctrine des cinq sens spirituels chez Origène », Revue d'Ascétique et de Mystique 13, 1932, 113-145.
58. A Autolycos I, 2 (SC 20).

qués à l'âme humaine. Plusieurs passages d'Origène en font la théorie en s'appuyant sur quelques textes scripturaires, notamment le début de la Première Epître de Jean entendu au sens spirituel. Si les sens les plus représentatifs sont la vue et l'ouïe, plus rarement le toucher, les sens les plus affectifs, odorat et goût, y ajoutent l'idée des délices de la connaissance, rattachés aussi, nous l'avons vu, au vin qui réjouit l'âme. Leurs objets sont les réalités divines, les mystères.

Deux affirmations essentielles sont mises en relief par ce thème. D'abord il y a parenté entre l'organe d'un sens et son objet : l'œil a une analogie avec le visible, l'oreille avec l'audible, etc. [59]. Et corrélativement il y a analogie entre tous les yeux qui perçoivent les mêmes objets, bien qu'il y ait du plus et du moins dans leur puissance de perception. A la fin du *Traité des Principes* [60] Origène s'appuiera sur ce double raisonnement pour démontrer l'immortalité de l'âme et la parenté de toutes les âmes qui perçoivent les réalités spirituelles. D'autre part nous avons spontanément l'impression que la connaissance sensible est une connaissance immédiate, intuitive, des objets. En fait l'étude et l'analyse de la perception montrent que cette impression n'est pas justifiée, car bien des habitudes acquises dès la petite enfance, des habitudes dont nous n'avons plus conscience, interviennent pour lier ensemble les sensations et pour identifier leurs objets à des êtres distincts de nous et extérieurs à nous. Mais la conception origénienne se base sur cette impression spontanée. Les sens spirituels donnent des réalités surnaturelles une connaissance qui est de plus en plus, du moins en tendance, d'ordre immédiat, intuitif, en tenant compte cependant du fait que le parfait « face à face » est réservé à l'Evangile éternel.

Les parfaits « ont par l'habitude les sens exercés au discernement du bien et du mal » [61]. Ou, suivant un *agraphon* [62] les chrétiens sont ainsi exhortés : « Devenez des changeurs expérimentés », sachant distinguer des fausses les pièces authentiques. Ou encore, selon *1 Th* 5, 21 : « Eprouvez tout, retenez le bon ». Ce discernement porte sur des réalités multiples : le

59. *ExhMart* XLVII (*GCS* I).   60. IV, 4, 9-10.

61. *He* 5, 14. Voir Fr. MARTY, « Le discernement des esprits dans le *Peri Archon* d'Origène », *Revue d'Ascétique et de Mystique* 34, 1958, 147-164.

62. Un *agraphon* est une parole attribuée au Christ dans l'Eglise primitive, mais qui ne se trouve pas dans le Nouveau Testament.

sens de l'Ecriture et l'explication des mystères qui y sont cachés ; les doctrines pour voir si elles concordent ou non avec l'intention divine, si elles appartiennent à l'enseignement de l'Eglise ou à celui des hérésies qui interprètent l'Ecriture selon leur propre sens, exposant sous son couvert leurs propres idées ; sur les faits extraordinaires, miracles ou révélations particulières. Il s'agit enfin du « discernement des esprits », expression paulinienne [63] à laquelle Origène, inaugurant une longue tradition, donne le sens suivant : puisque Satan peut se déguiser en ange de lumière et tromper les âmes sous l'apparence du bien, il faut savoir distinguer les inspirations qui viennent de lui de celles qui viennent de Dieu. Ainsi Gédéon demande ses preuves à l'ange qui lui apparaît [64] et Josué fait de même [65]. La règle fondamentale du discernement des esprits selon Origène est une conséquence de sa polémique contre l'extase-inconscience des Montanistes que nous avons déjà exposée : Dieu respecte la conscience et la liberté de l'homme, seul le diable obnubile et « possède » [66]. En conséquence la paix et la clarté de l'âme seront le signe qu'une inspiration vient vraiment de Dieu. Le discernement des esprits est un charisme, c'est-à-dire un don divin que communique l'Esprit Saint. Mais on ne peut le recevoir sans une vie vertueuse.

Voilà donc quelques-uns des principaux thèmes mystiques dont Origène fut le créateur ou du moins le propagateur. Et ils seront constamment répétés par la postérité. Cet exposé ne constitue qu'un échantillonnage des plus importants et on pourrait en trouver et en étudier bien d'autres.

---

63. *1 Co* 12, 10.   64. *Jg* 6, 17.
65. *Jos* 5, 13-14 : *HomJg* VIII, 4 (*GCS* VII).   66. *PArch* III, 3, 4.

Chapitre huitième

QUESTIONS D'ASCÈSE ET DE MORALE

La doctrine ascétique et morale d'Origène est encore, malgré quelques travaux valables, qui ne sont malheureusement pas tous publiés, un des domaines les moins étudiés de sa pensée : on peut en dire autant de bien d'autres Pères. Cela est regrettable, car si elle n'est pas parvenue à un point de systématisation comparable à celui de la théologie ascétique et morale des derniers siècles, elle ne manque pas d'intérêt. Elle est dispersée partout au hasard des exégèses. Les sources en sont d'abord bibliques, mais les influences philosophiques y sont sensibles, stoïciennes d'abord, puis platoniciennes, ensuite à un moindre degré aristotéliciennes, Origène se montrant très critique vis-à-vis d'Aristote. La doctrine de la virginité que nous allons exposer est très complète et très explicite sur sa valeur spirituelle. Elle passe souvent inaperçue parce qu'Origène n'a pas écrit, comme certains de ses successeurs du IVe siècle, Grégoire de Nysse ou Jean Chrysostome par exemple, de traité sur la virginité : elle est éparse en toute son œuvre et contenue surtout dans les fragments qui restent de ses exégèses sur la première épître aux Corinthiens. Mais avant d'en venir à ce sujet il nous faut considérer d'abord la spiritualité du martyre qui a joué un si grand rôle dans sa vie.

Le martyre [1]

Origène en parle souvent dans ses homélies, mais il lui a consacré aussi un écrit, l'*Exhortation au Martyre* [2]. Le martyre est le témoignage rendu au Christ dans la souffrance physique et dans la mort. Il est donc constitué de deux éléments, la foi sans réticence et la manifestation de cette foi, refusant toute idolâtrie, toute adoration comme Dieu de ce qui n'est pas Dieu. Si Dieu est le Dieu jaloux qui ne souffre pas de partage, c'est dans notre intérêt qu'il est jaloux : le confesser c'est s'unir à lui, le renier c'est se séparer de lui. Le martyr reste fidèle en toute circonstance à l'engagement pris au baptême, celui d'appartenir à Dieu par le Christ. Il s'offre lui-même à Dieu en sacrifice, comme un prêtre, en union avec le sacrifice du Christ : il offre avec lui tout ce qu'il a sur terre, fortune, famille, enfants.

Le martyr est un lutteur, un athlète, et son martyre un combat, dans une arène, aux prises avec les puissances diaboliques qui veulent le faire sacrifier aux idoles pour reprendre des forces dans sa défaite : il est entouré de spectateurs célestes qui attendent son triomphe, car sa victoire défait les principautés et les puissances démoniaques. Ce combat est une épreuve, montrant si le chrétien a construit sa maison sur le roc ou sur le sable, si le grain de la parole a trouvé en lui la profondeur de la bonne terre ou s'il est resté sur les couches superficielles où il ne pouvait prendre racine.

Le martyr n'est pas seul à combattre, le secours divin l'aide, l'Esprit lui souffle ce qu'il a à répondre. Mais surtout le martyr est le plus parfait imitateur de Jésus dans sa passion : c'est là un lieu commun de la littérature martyrologique du IIe siècle, Lettres d'Ignace d'Antioche, Lettre racontant le martyre de Polycarpe, Lettre sur les martyrs de Lyon et de Vienne. Il porte sa croix avec le Christ, renonçant à lui-même pour que le Christ vive en lui. Il suit le Christ dans sa souffrance, puis dans sa gloire, siégeant avec lui à la droite du Père, car la communion à la Passion entraîne la communion au triomphe.

---

1. Voir P. HARTMANN, « Origène et la théologie du martyre », *Ephemerides Theologiae Lovanienses* 34, 1958, 773-824.
2. *GCS* 1 : dans la notice bibliographique au début du livre est mentionnée la traduction de G. Bardy.

Le martyr participe à l'œuvre de rédemption du Christ. Sa confession est un baptême qui purifie complètement du péché, le baptême suprême, le mystère dont le baptême d'eau est l'image sacramentelle, car il accomplit en acte la conformation à la mort et à la résurrection du Christ dont le baptême d'eau est le signe efficace. Les souffrances du martyr collaborent avec celles du Christ à la grande œuvre de la rédemption et purification du monde. Joint à celui du Christ le sacrifice des martyrs produit la déroute des puissances diaboliques.

La récompense du martyr est la glorification avec le Christ et l'union éternelle avec lui : il n'y a pas proportion entre les souffrances présentes et la gloire future et c'est pourquoi le chrétien ne doit pas se troubler devant des supplices passagers. Il habitera avec le Seigneur, aura la connaissance et la béatitude parfaite dans la paix et l'unité, il retrouvera au centuple ce qu'il aura laissé ici-bas, il prendra place avec le Christ au banquet éternel.

Ce que nous avons dit de la vie d'Origène, du martyre de son père et de ceux de plusieurs de ses élèves, enfin de ses propres souffrances sous Dèce, montre que cela ne reste pas pour lui sur le plan de la pure spéculation intellectuelle : à certaines époques de son existence la possibilité du martyre était une éventualité quotidienne. Toute sa vie Origène a désiré le martyre : un des plus beaux passages à ce sujet est à lire dans l'*Entretien avec Héraclide* [3]. Il le désire pour être avec le Christ, hors du corps terrestre. Mais, nous l'avons dit plus haut, il condamne toute recherche du martyre et oblige le chrétien à échapper si possible à la confrontation avec les autorités, par charité envers le persécuteur qui en le martyrisant commettrait un crime. Sur ce point comme sur la plupart des autres la doctrine origénienne est continuellement en tensions.

Virginité et mariage : prolégomènes [4]

La doctrine origénienne de la virginité ne peut se séparer de celle du mariage à laquelle elle est liée de très près. La

3. § 24.
4. H. CROUZEL, *Virginité et Mariage chez Origène*, Bruges/Paris 1963 : désigné dans ce chapitre par *Virginité*.

valeur spirituelle des deux vient de leur rapport avec le thème du mariage mystique. La virginité, vécue selon les conditions qui vont être exposées, en est une participation étroite, elle rend davantage possible l'union du Christ et de l'âme. Elle est ainsi un témoignage à la fois paradisiaque et eschatologique parce qu'elle évoque les noces parfaites entre le Christ et l'Eglise qui furent vécues dans la préexistence et le seront de nouveau à la Résurrection. L'Eglise, Epouse et Vierge, tient sa virginité de la chasteté de ses membres menant une vie soit de virginité, soit de chasteté selon l'état dans lequel il sont. La chasteté convenant à l'état de mariage est donc un élément de la virginité de l'Eglise. Mais le mariage est en lui-même l'image de ces noces mystiques : l'union de l'homme et de la femme reproduit sur le plan sensible celle du Christ et de l'Eglise. L'homme doit donc aimer sa femme comme le Christ l'Eglise, et réciproquement. Il y a supériorité de la virginité sur le mariage parce qu'elle réalise déjà ce que le mariage imite et ce dernier se trouve comme toutes les réalités d'ici-bas dans une position ambiguë. Spirituel s'il imite l'union du Christ avec l'Eglise, il a lieu en même temps dans les ténè-bres de la chair. Il doit les dépasser et dans ce cas il est chaste. Mais le corps est périlleux, de même que tout le sensi-ble : image de mystères divins, il risque, au lieu de diriger vers eux l'intelligence, de l'arrêter à lui. Il substitue alors l'idolâtrie à l'adoration du Dieu unique. De l'union du Christ et de l'Eglise le mariage est une image limitée à la chair et au temps : il n'a de sens qu'en ce bas monde. La virginité au contraire n'a pas de signification dans une vie qui s'arrêterait ici-bas. Celui qui est vierge se comporte sur cette terre comme s'il ne lui appartenait pas : au milieu des hommes il est le prophète et le témoin d'un avenir où les désirs de la chair n'auront plus de réalité, où seul comptera le lien qui nous unit au Christ. Il faut ajouter, en prolongeant un peu la pensée d'Origène, qu'un mariage vécu chastement — et nous allons voir ce qu'il entend par là —, bien que restant une réalité temporelle, imbibe en quelque sorte le temps d'éternité.

A propos de l'anthropologie trichotomique ont été souli-gnées certaines des difficultés que présente la notion origé-nienne du corps. Nous allons en trouver une autre qui est de taille. Bien des passages affirment, certes, la bonté essen-tielle du corps charnel, œuvre du Créateur. Lui aussi, quand l'âme se tourne vers l'« esprit », encore plus quand le Saint

Esprit est dans l'homme, participe à la transfiguration de tout l'homme. Le corps chaste est le sanctuaire de la Trinité dans lequel l'âme faite à l'image de Dieu officie comme le prêtre de l'Esprit Saint. Dirigé par l'âme il devient chez le saint l'instrument du Christ. Par ailleurs Origène ne cesse d'affirmer que l'impureté ne se trouve pas dans les êtres ou les substances, mais seulement dans les pensées et les actes non conformes à la volonté divine : il défend la légitimité du mariage contre les rigoristes qui la refusent, Marcionites ou Montanistes. Et cependant toute une série de textes voit une impureté dans les relations sexuelles même légitimées par le mariage, une impureté qui se transmet à l'enfant qui en naît. C'est ainsi qu'une relation triangulaire unit en Jésus sa divinité, sa conception virginale et l'absence de concupiscence. Tout en excluant nettement une interprétation docétique de ses paroles, car il ne cesse de dire que le corps de Jésus fut un corps de chair comme le nôtre et non une apparence, il utilise dans ce sens *Rm* 8, 3 : Dieu a envoyé son Fils dans « une ressemblance de chair de péché », non dans une chair de péché, le mot ressemblance ne portant pas sur la chair seule mais sur l'expression globale « chair de péché ». Cette absence de concupiscence est due, certes, principalement à l'infinité de charité qui joint au Verbe l'âme de Jésus comme Origène l'explique dans un des plus beaux passages du *Traité des Principes* [5]. Mais elle vient aussi de ce que Jésus est né d'une vierge.

L'impureté des relations sexuelles même légitimes ressort aussi de l'interprétation origénienne de *1 Co* 7, 5 : ce qui chez Paul n'est qu'un conseil ou une permission visant le recueillement des époux pour s'adonner à la prière devient pour Origène une obligation, temporaire, certes, et assumée d'un commun accord, étendue aux jeûnes religieux et à la réception de l'eucharistie. Sur ce point Origène sera suivi par une grande partie de la tradition postérieure.

Cependant il distingue avec soin cette sorte d'impureté du péché, ce que ne feront guère certains de ses successeurs : elle n'existe que « en quelque façon », elle n'est qu'« une certaine » [6] . Alors que le péché adhère à l'âme tant qu'il n'est pas expié et pardonné, cette impureté n'empêche pas les gens mariés d'offrir leurs corps à Dieu comme « une hostie vivante,

---

5. II, 6, 4-6.   6. *ComMt* XVII, 35 (*GCS* X).

sainte, agréable à Dieu » en dehors de leurs relations conjugales [7]. Comment expliquer cette souillure ? Que des influences platoniciennes aient joué, nous ne le nierons pas. Mais
nous ne pensons pas que ce soit là l'explication essentielle :
ce n'est pas l'habitude d'Origène de répéter sans motif personnel ce que d'autres ont dit. Cette sorte de souillure a dans
sa pensée une justification d'ordre à la fois métaphysique et
théologique liée à son expérience intérieure d'ascète. Mais
pour la comprendre il faut la rattacher à une impureté plus
large qui la contient, celle de la condition charnelle.

Le sensible dans la pensée divine, avons-nous dit, a pour
but de montrer à l'âme la direction des vraies réalités et par
sa beauté de lui en inspirer le désir. Il risque cependant, à
cause de la faiblesse et de l'égoïsme de l'homme, de prendre
la place de son modèle, d'arrêter à lui les adorations dues à
la Vérité qu'il figure. Telle est, dans son aspect le plus original et profond, la doctrine origénienne du péché, selon sa
vision symbolique et platonicienne du monde. La chair est
impure, parce qu'elle est ambiguë et dangereuse. Cette impureté ne tient donc pas au sensible en tant que tel, mais à la
passion égoïste de l'homme. Employée selon les desseins divins,
la chair est bonne. Son ambiguïté est subjective, tenant à
l'homme, non objective, tenant à elle-même. Jésus a assumé
— Origène le dit plusieurs fois — la condition charnelle qui
est impure, mais elle ne pouvait être pour lui source de péché
à cause de l'union totale qui joint son âme au Verbe. Le feu
de la divinité et de l'amour embrase totalement la nature
humaine de Jésus, sans laisser de place à l'égoïsme : le saint
échappe à l'impureté dans la mesure où il se livre à lui, mais
il ne peut le faire entièrement, car son union au Verbe reste
accidentelle, toujours sujette ici-bas au progrès ou à la chute.
Quelles que soient les victoires que les saints remportent sur
le péché, ils n'échappent jamais entièrement, dans leurs triom-
phes mêmes, à l'impureté de l'égoïsme, ni à la contagion du
démon. Origène exprime cela dans une homélie sur les Nombres [8], interprétant allégoriquement les purifications qu'ont dû
subir les Israélites au retour d'un triomphe sur les Madiani-
tes. Il y souligne l'imperfection de tout acte humain dans un
être que n'abandonnent jamais parfaitement l'égoïsme et la

7. *ComRm* IX, 1 (*PG* 14) : *HomNb* XXIII, 3 : à propos de *Rm* 12, 1.
8. XXV, 6.

concupiscence, un être situé dans une durée qui conserve jusqu'au Jugement dernier, gravée dans le cœur — Origène l'indique fréquemment — la trace des actes passés, même des pensées passagères que dès le début la volonté a rejetées. Le thème des purifications, en cette vie ou dans l'eschatologie, est fréquent dans l'œuvre d'Origène qui est le premier grand théologien du Purgatoire.

Entre cette impureté de la condition charnelle et celle des relations sexuelles il n'y a qu'une différence d'intensité. Sa mentalité d'ascète et de mystique rend Origène très sensible au danger accru de jouissance idolâtrique que peuvent comporter les rapports sexuels. Si les actions des saints n'échappent jamais à l'impureté radicale de la condition humaine, que dire des relations conjugales, même inspirées par la charité. La souillure qu'Origène y trouve ne paraît pas avoir un autre sens.

Un troisième prolégomène sur la virginité et le mariage concerne la nature de l'amour qui doit inspirer ces deux états de vie. Dans la première homélie sur le Cantique des Cantiques et dans le prologue du Commentaire sur le même livre Origène oppose l'amour spirituel et l'amour charnel essentiellement par l'objet sur lequel ils portent et en conséquence par leur origine, Dieu ou Satan. L'amour pour le sensible est mauvais puisque c'est le propre du sensible d'être dépassé, de montrer la voie qui va au spirituel, de ne pas arrêter à lui les hommages de l'homme. En fait le seul amour digne de ce nom est la charité qui a le Père divin comme sa source, engendre le Fils et produit l'Esprit et se répand d'eux sur les hommes : l'amour charnel n'est qu'un abus de l'amour que Dieu a mis dans nos cœurs pour que nous l'aimions [9]. Certes Origène ne distingue guère dans cet amour le mouvement du don et celui du désir, ce que nos contemporains désignent des termes grecs d'*agapè* et d'*éros*. Après A. von Harnack, A. Nygren le lui a reproché dans un livre qui a eu du succès [10]. Mais si l'idéal de l'amour chrétien rapporté à Dieu était une *agapè* pure sans contamination d'*éros*, autrement dit un pur don de soi sans désir, il serait en contradiction, non seulement avec le désir d'union qui caractérise l'amour, non seulement avec

9. *ComCt* Prol. (*GCS* VIII, pp. 66-74).
10. Voir la traduction française : *Eros et Agapè : La notion chrétienne de l'amour*, 3 volumes, Paris 1944-1952 : dans le tome II/1 pp. 153-178.

l'espérance, vertu théologale, mais même avec l'acte d'adoration en tant que celui-ci souligne aussi notre état d'indigence vis-à-vis de Dieu : se croire capable de tout donner à Dieu sans rien désirer de lui, comme si tout ce que nous donnons à Dieu ne venait pas d'abord de lui, à commencer par cet amour même, témoignerait d'une *hybris* inconcevable. On aurait pu peut-être souhaiter qu'Origène ait fait une distinction plus claire entre ces deux aspects, mais non qu'il les ait séparés, car ils ne sont pas séparables, et l'amour le plus parfait que l'on puisse imaginer restera toujours à la fois don de soi et désir. Qu'Origène ait conçu l'amour spirituel comme don découle du fait qu'il le voit en quelque sorte déborder de Dieu et des deux autres personnes divines sur les créatures, leur donnant de pouvoir aimer ; qu'Origène se soit représenté par ailleurs l'amour spirituel comme désir des réalités divines, c'est-à-dire de Dieu même, tel est le ressort de toute sa mystique qui tend continuellement vers l'union.

Mais l'amour doit être ordonné : ce thème développé dans le *Commentaire sur le Cantique des Cantiques* à propos de *Ct* 2, 4 selon la Septante : « Ordonnez en moi l'amour » [11], et pareillement dans l'*Homélie sur Luc* XXV, est à l'origine de toute une tradition. Seul Dieu, et son Christ, qui sont sujets et objets d'un même amour, doivent être aimés « de tout son cœur, de toute son âme, de toute sa puissance » [12] : aimer ainsi une créature c'est reporter sur elle ce qui ne doit aller qu'à Dieu, c'est idolâtrie. Dieu seul est à aimer sans mesure. Le prochain doit être aimé « comme soi-même » [13]. Au premier rang de ce prochain se trouve l'épouse que le mari doit aimer comme son propre corps, ainsi que le Christ a aimé l'Eglise : cet amour « a une nature particulière et est séparé de tout autre » [14]. Ensuite viennent les autres affections familiales. Mais aucun de ces amours ne doit être préféré à l'amour de Dieu quand le choix s'impose, par exemple pour le martyr : préférer à Dieu ceux qu'on aime ne serait d'ailleurs pas vraiment les aimer.

Tout en conservant ses aspects charnels l'amour conjugal doit tendre à être de plus en plus spirituel : par l'harmonie des époux que désaccorderait la passion, signe d'un amour égoïste qui cherche la satisfaction de la jouissance, non le bien

11. III (*GCS* VIII, pp. 186-191).   12. *Mt* 22, 37.   13. *Mt* 22, 39.
14. *ComCt* III (*GCS* VIII, p. 189, l. 2).

du conjoint. L'acte conjugal doit s'accomplir avec révérence et tranquillité, « avec ordre et en temps opportun », dans la maîtrise de soi et le renoncement qu'elle suppose. L'accord entre les deux époux est le signe d'un *charisma*, d'une grâce, venant de l'Esprit Saint. Dans les fragments qui restent de ses exégèses sur la première épître aux Corinthiens Origène insiste sur la concorde, l'accord, l'harmonie, qui sont les signes de la présence divine dans le mariage.

La procréation est, comme dans la philosophie stoïcienne, la justification essentielle des aspects charnels du mariage. Il est aussi question du fait qu'il est « remède à la concupiscence » d'après *1 Co* 7, 9. Mais Origène ne voit guère, pas plus qu'Augustin et que les autres Pères, que les rapports sexuels puissent avoir quelque incidence sur l'amour conjugal lui-même [15].

La virginité

Après ces trois prolégomènes nous allons traiter successivement de la virginité, puis du mariage. Remarquons d'abord qu'Origène est le premier théologien à avoir enseigné clairement la virginité perpétuelle de Marie, alors que les auteurs du IIe siècle, comme Justin et Irénée, ne le disent qu'implicitement, en appelant Marie la Vierge. Pour Origène il ne s'agit pas là, comme on l'a dit, d'une opinion libre, sans qu'il y ait pour un chrétien obligation d'y adhérer : c'est la seule opinion « saine » et ce mot exprime un rapport étroit avec la foi ; ceux qui soutiennent le contraire sont traités d'hérétiques ; Marie est chez les femmes les prémices de la virginité comme Jésus chez les hommes [16].

Mais la virginité, et aussi la chasteté sous toutes ses formes, suppose des conditions morales. La virginité des mœurs doit être vécue dans la virginité de la foi. Origène est très sévère pour la chasteté imposée par certaines sectes hérétiques, notamment les Marcionites, cette première esquisse du Manichéisme. Il juge en effet que ses motifs sont blasphématoires : parce qu'ils considèrent le Dieu Créateur, distinct selon eux

---

15. Cf. *Virginité* 15-83.

16. *ComJn* I, 4 (6), 23 ; *HomLc* VII, 4, d'après le latin, et un fragment grec (*GCS* IX bis) ; *ComMt* X, 17 : sur la théologie mariale voir la préface à *SC* 87.

du Père de Jésus-Christ, comme mauvais et le corps comme son œuvre, ils condamnent le mariage. Mais Origène s'exprime aussi sévèrement sur la chasteté vécue par d'autres hérétiques pour des raisons plus valables que les Marcionites, parce que c'est pour eux un moyen de séduire les âmes. La virginité de la foi est plus importante que celle des mœurs qui n'a pas de valeur quand la doctrine est fausse. La même chose est à dire des prêtresses vierges du paganisme. Un moderne reprocherait à Origène des jugements si sévères, et avec raison, car il ne tient pas compte de l'intention de l'hérétique de bonne foi qui donne à ses actes leur valeur morale.

On sera davantage d'accord avec trois autres affirmations. D'abord la virginité doit être accompagnée, pour être valable, de toutes les vertus, ou du moins de l'effort fait pour y parvenir et Origène n'hésite pas à déclarer le marié vertueux bien supérieur au célibataire orgueilleux, souillé par la vanité ou le désir de l'argent : en effet — on trouve déjà cela chez les philosophes grecs — toutes les vertus sont solidaires, on ne peut en pratiquer réellement une en rejetant délibérément les autres : les vierges folles ne sont pas admises aux noces parce qu'elles n'ont pas mis dans leurs lampes l'huile de la charité. Ensuite le but de la chasteté du corps est la chasteté du cœur, c'est-à-dire de l'intelligence. Les pensées sont plus importantes que les actes, car ce sont elles qui conduisent aux actes. Celui qui est resté chaste de corps, mais s'abandonne à des pensées ou à des désirs impurs n'est pas chaste. A l'inverse la vierge violée dans le désert selon *Dt* 22, 25 ss. n'a pas perdu la chasteté du cœur qui est l'essentielle. Origène ne s'est pas posé, du moins dans ce qui nous est parvenu, le problème qui a préoccupé certains Pères postérieurs à propos de martyres antiochiennes, du suicide de la vierge menacée de viol. Si Ambroise de Milan ou Chrysostome ont approuvé cet acte, Augustin a pris une position qui serait, semble-t-il, celle d'Origène. Nul ne doit se donner la mort pour éviter les péchés d'autrui. La virginité de corps n'a de sens que par la virginité du cœur : la violation de la première est importante quand elle est violation de la seconde [17]. Enfin la virginité chrétienne

---

17. Les faits sont rapportés sans jugement par Eusèbe *HE* VIII, XII, 3-4. Dans Jean Chrysostome deux homélies sur Pélagie, une sur Bérénice et Prosdocè dans *PG* 50, 585 et 629. Ambroise parle de Pélagie dans *De virginibus* III, 7 (*PL* 16, 229-232), Augustin donne son avis dans *De civitate Dei* I, 36 : *PL* 41, 39-40.

correspond à un propos volontaire : il ne faut pas la confondre avec la virginité de fait de celle qui n'a pas trouvé de mari ou de l'homme impropre au mariage, à moins que cette virginité de fait ne soit ensuite librement assumée dans son sens religieux. La virginité chrétienne correspond à un propos définitif de garder le célibat pour le service de Dieu.

De même que le mariage comporte un don mutuel des époux l'un à l'autre, de même le célibat s'inscrit dans le thème du mariage mystique parce qu'il y a entre Dieu et sa créature un don réciproque. Le célibat chaste comporte un charisme, comme le mariage : l'un et l'autre état sont donc l'objet d'une grâce. Ne demandons pas à Origène, alors que la notion de sacrement ne sera précisée que dans le haut Moyen Age, de distinguer la grâce sacramentelle du mariage de la grâce non sacramentelle de la virginité. Dans les deux cas la grâce, c'est l'Esprit Saint qui est donné, lui qui constitue la « nature » ou la « matière » des charismes. C'est aussi une vocation divine. Dieu garde la virginité dans l'âme et elle s'identifie au Christ qui n'est pas seulement le modèle de chaque vertu, mais encore dans sa nature divine chaque vertu et toutes les vertus. La virginité est donc un don de Dieu à l'âme qui doit l'accueillir dans la foi et dans la prière. Mais la virginité est aussi un don que l'âme fait à Dieu, le plus parfait après le martyre, un don fait en réponse au don premier qui vient de Dieu. Dans le sacrifice de la virginité l'homme est à la fois par son intelligence le prêtre qui immole, par sa chair la victime immolée : il imite ainsi le Christ sur la Croix, à la fois prêtre et victime. Un fragment des exégèses d'Origène sur la première épître aux Corinthiens [18] distingue nettement deux sortes de commandements, les uns imposés à tous et nécessaires au salut, les autres, dont celui de la virginité ou de la pauvreté, qui dépassent ce qui est imposé et nécessaire au salut. Tel a été le célibat vécu par Paul par dévouement envers l'Eglise. Si la chasteté conforme à l'état de vie est un commandement imposé à tous, le célibat dépasse ce qui est imposé à tous. Nous ne trouvons pas chez Origène d'affirmation claire concernant le célibat ou la continence obligatoire pour évêques, prêtres et diacres : les premières dispositions canoniques dans ce sens datent du ivᵉ siècle. Certes, Tertul-

18. XXXIX (*JThs* XX, p. 508).

lien dit que le célibat est assez largement répandu dans le clergé [19], mais il ne parle pas d'obligation.

La virginité impose un sacrifice, celui de la mortification qui ne consiste pas à refuser à la chair le nécessaire, mais à ne pas la servir dans ses convoitises mauvaises. La mesure et la manière de cette mortification ne sont pas les mêmes pour chacun car tous n'ont pas les mêmes difficultés. Certains sont chastes par nature et se garderont sans difficulté des imaginations mauvaises ; d'autres non, et ils devront lutter constamment. Les moyens à prendre sont variables, mais de toute façon il est impossible de parvenir ici-bas à une chasteté qui ôterait tout péril de chute et rendrait inutiles les précautions. Tous les actes des saints, même les meilleurs ne sont pas exempts de souillure. A la chasteté sont liés plus étroitement la garde du cœur et des sens, consistant à éviter les pensées ou les sensations dangereuses, la fuite des occasions quand cela est possible, le jeûne avec l'abstinence de certaines sortes de nourritures ou de boissons considérées comme particulièrement excitantes, la prière dans la tempête des tentations avec l'effort pour garder le calme et la confiance. La tentation cependant est normale chez l'homme en ce bas monde : elle est de forme multiple et n'épargne aucun âge, aucun état, pas plus le bien-portant que le malade. Elle est pour le chrétien une occasion supplémentaire d'offrir à Dieu sa chasteté.

En effet la virginité est source de fécondité et de liberté. La fécondité du chaste imite celle de Marie, Vierge et Mère, elle engendre Jésus dans l'âme. Jésus ne naît que dans celui qui est chaste et il croît d'autant plus que ce dernier est vierge. Avec Jésus se développent dans l'âme toutes les vertus qui s'identifient à lui. A la différence du marié qui est d'une certaine façon esclave de son conjoint, car il lui a donné droit sur son propre corps, le célibataire est libre, non d'une liberté qui serait abandon à l'égoïsme, mais d'une liberté qui trouve sa justification dans un service plus complet de Dieu. Nous avons vu plus haut qu'il faut distinguer chez Origène le libre arbitre, c'est-à-dire le pouvoir de choisir, de la liberté. Le premier tient une grande place dans son œuvre parce que c'était l'un des points les plus en danger à l'époque par suite de la gnose, de l'astrologie et du déterminisme de certaines écoles philosophiques. Mais le libre arbitre n'est pas le tout

---

19. *De Exhortatione Castitatis* XIII, 4 (CChr II).

de la liberté, seulement une de ses caractéristiques essentielles.
A travers la doctrine spirituelle d'Origène on perçoit une
conception plus complète de la liberté qui reproduit l'*éleuthéria* paulinienne : le don de soi à Dieu libère, le péché asservit,
faisant retomber sous l'esclavage des déterminismes animaux.
On peut comprendre ainsi comment la liberté du célibat assumé pour Dieu s'identifie avec le service de Dieu [20].

Le mariage

Origène défend à plusieurs reprises l'état de mariage contre
des hérétiques qui l'attaquent, des Encratites qu'il désigne
souvent par les paroles de Paul dans *1 Tm* 4, 3. Ce sont surtout les Marcionites dont nous avons vu les raisons et les
Montanistes dont la position est illustrée par les œuvres de
Tertullien après qu'il eut adhéré à la secte. Les exégèses
d'Origène traduisent souvent une assez forte misogynie, car
elles réservent au masculin les significations favorables, au
féminin les défavorables, tout en protestant qu'il y a devant
Dieu bien des femmes viriles, bien des hommes efféminés.
Cependant il affirme à la suite de Paul l'égalité absolue des
époux quant aux droits fondamentaux du mariage. C'est un
point sur lequel la position de l'Apôtre est souvent aujour-
d'hui assez calomniée, parce que nous la jugeons à partir de
nos conceptions actuelles, sans esprit historique et sans voir
à cause de cela la révolution considérable que Paul a opérée.
Selon la législation hébraïque et selon le droit romain il n'y
avait pas égalité des époux devant l'adultère. L'homme marié
qui se permettait des aventures extraconjugales avec une fille
non mariée n'était pas adultère, il ne lésait en rien sa femme
qui n'avait aucun droit sur lui. Au contraire la femme mariée
qui agissait de même était adultère et punie sévèrement par
la loi ainsi que son complice, car elle était la propriété de son
mari. Si en milieu latin la femme pouvait prendre l'initiative
de la répudiation, elle ne le pouvait pas en milieu juif. Lorsque Paul écrit [21] : « La femme n'a pas pouvoir sur son corps,
mais l'homme ; pareillement aussi l'homme n'a pas pouvoir
sur son corps, mais la femme », il rétablit l'égalité, donnant
à la femme un droit sur le corps du mari semblable à celui

20. Voir *Virginité* 105-131.   21. *1 Co* 7, 4.

que ce dernier a sur le sien. Paul sera suivi par l'ensemble des Pères, malgré deux exceptions regrettables, Basile de Césarée dans ses *Lettres Canoniques* et l'inconnu appelé Ambrosiaster. Plusieurs latins répèteront sous des formes équivalentes : « Ce qui n'est pas permis à la femme ne l'est pas non plus au mari » ; et Augustin tirera de là un des principes fondamentaux de sa doctrine du mariage.

Cette égalité devant les droits fondamentaux qu'on retrouve assez clairement chez Origène, n'empêche pas que l'homme reste le chef de la famille et qu'il soit pareillement dans la famille le chef de la prière. Le commandement de Paul « Que les femmes se taisent dans les assemblées » [22] est exploité par Origène contre les Montanistes, à cause de leurs prophétesses, Priscilla et Maximilla, pour montrer que leur Eglise n'est pas l'Epouse du Christ.

Au sujet de la grâce, du *charisma*, du mariage, dont le fruit est, nous l'avons vu, l'accord et l'harmonie des époux, un problème est posé par la participation de l'Esprit Saint à ce charisme : deux fragments prennent à ce sujet des positions contraires. Un fragment sur l'Epître aux Romains confirmé par la traduction rufinienne du Commentaire [23] lui refuse la présence de l'Esprit Saint parce qu'il l'envisage sous son aspect charnel. Au contraire un autre concernant la première Epître aux Corinthiens [24] montre que ce charisme vient vraiment de Dieu « quand la mesure est observée..., quand il n'y a pas d'inconstance, quand tout est paix, tout est accord ». Et nous trouvons dans ce dernier fragment à propos d'un mariage entre croyant et incroyant une théologie qui est de plusieurs siècles en avance : il ne saurait y avoir là de charisme venant de Dieu, mais si l'incroyant se met à croire, il recevra le charisme.

Origène est très opposé à des unions entre croyants et incroyants. Ils forment alors un « attelage disparate » selon un terme paulinien, *hétérozygountes* [25], et Origène ne voit pas là un véritable mariage dont Dieu est l'auteur : l'accord qui vient du Seigneur leur fait défaut. Certains chrétiens s'autorisent pour épouser des païens de ce que Paul dit en *1 Co*

22. *1 Co* 14, 35 : *Fragm 1 Co* LXXIV, *JThS* X, pp. 41-42.
23. *FragmRm* III, *JThS* XIII, p. 213 : *ComRm* I, 12 (*PG* 14).
24. XXXIV, *JThS* IX, p. 503, l. 40.
25. *2 Co* 6, 14 : *Fragm 1 Co* XXXV, *JThS* IX, pp. 504-505.

7, 14 : ils sanctifieront leur conjoint. Mais d'une part le cas
envisagé par l'apôtre n'est pas celui-là : c'est celui d'un mariage conclu entre deux incroyants dont l'un se convertit
ensuite et non celui d'un mariage contracté en disparité de
culte entre chrétien et non chrétien. D'autre part en disant
que le croyant sanctifiera son conjoint Paul n'a retenu que la
solution la plus favorable, car l'autre aspect existe aussi : le
chrétien est souillé par le conjoint païen et il va s'en suivre
une lutte à partir de la « surabondance du cœur »[26], c'est-
à-dire de la vigueur des convictions de chacun ; il n'est pas
sûr que le chrétien ait le dessus et conserve sa foi. Comme
Paul le demande aux veuves[27] il faut se marier « dans le Seigneur », c'est-à-dire, interprète Origène avec une grande partie des Pères, non tous cependant, avec un conjoint chrétien.

A propos de remariage après divorce les explications données par Origène sur *Mt* 19, 3-11 ont donné lieu bien souvent
à des interprétations peu attentives à l'ensemble de sa pensée.
L'exposé le plus complet que nous en avons fait se trouve
dans notre livre *L'Eglise primitive face au divorce*[28]. Nous
ne pouvons ici que le résumer brièvement. D'abord Origène
ne connaît pas — tous les Pères antérieurs à Nicée et les
Pères grecs jusqu'au vᵉ siècle sont dans ce cas — le texte
actuel de *Mt* 19, 9 qui est une *crux interpretum* parce qu'il
parle dans la même phrase de l'exception « en dehors du cas
de *porneia* », c'est-à-dire suivant l'interprétation générale des
Pères, d'adultère, et en même temps du remariage. Origène
cite trois fois ce texte[29] dans le même passage, mais sous
la forme de *Mt* 5, 32, où il est question de l'exception, mais
non du remariage. Le témoignage des Pères montre que cette
dernière leçon est certainement l'originale, non seulement
pour *Mt* 5, 32, mais pour *Mt* 19, 9 et que la forme actuelle
de *Mt* 19, 9 est issue d'une contamination par *Mc* 10, 11[30].

Dans des développements allégoriques qui ne sont pas tou-

26. *Mt* 12, 34 : *Fragm 1 Co* XXXVI, *JThs* IX, p. 505.
27. *1 Co* 7, 39 : *Fragm 1 Co* XXXVI, *JThS* IX, p. 505.
28. Paris 1971, pp. 74-89.
29. *ComMt* XIV, 24 (*GCS* X).
30. Voir à ce sujet nos deux articles « Le texte patristique de Matthieu V,
32 et XIX, 9 » dans *New Testament Studies* 19, 1972/1973, pp. 98-119 et
« Quelques remarques concernant le texte patristique de *Mt* 19, 9 » dans
Bulletin de Littérature Ecclésiastique 82, 1981, 83-92. Les deux articles
sont réédités dans *Mariage et Divorce, Célibat et caractère sacerdotaux
dans l'Eglise ancienne*, Turin 1982, pp. 92-113, 233-242.

jours très conséquents Origène montre le Christ répudiant la Synagogue pour son crime envers lui et épousant l'Eglise venue des nations. On en conclut que s'il a ainsi agi les chrétiens peuvent bien en faire autant. Malheureusement d'une part cette conclusion ne convient guère à d'autres développements du même chapitre sur l'union indissoluble du Christ et de l'Eglise dès la préexistence, dans l'Ancien Testament (la Synagogue !), après l'Incarnation jusque dans la gloire [31], d'autre part elle dénote une ignorance totale de la méthode d'exégèse allégorique d'Origène. Il s'agit en effet d'une interprétation de *Dt* 24, 1-4, le passage où Moïse, cédant selon Jésus à la dureté de cœur de ses compatriotes [32], les a autorisés à renvoyer leurs épouses en leur donnant un certificat de répudiation. Ce précepte selon l'exégèse allégorique d'Origène est accompli spirituellement par le Christ, mais comme tout ce qui est juridique et cérémoniel dans l'Ancien Testament il n'a plus de valeur sur le plan littéral pour les chrétiens.

Enfin Origène témoigne [33] que des évêques, probablement dans le voisinage de Césarée de Palestine où il réside alors, ont permis le remariage à une femme du vivant de son mari. Il juge qu'ils ne l'ont pas fait sans raison, mais souligne trois fois qu'ils ont ainsi agi en contradiction avec l'Ecriture, ce qui est en réalité le plus fort blâme qu'il puisse leur infliger. Et dans un petit passage qu'on ne remarque habituellement pas, mais qui se trouve à la fin du chapitre suivant [34], il revient sur le cas évoqué plus haut pour dire que malgré l'autorisation donnée par les évêques, cette femme est adultère, son second mariage purement apparent, et que son second mari ne l'a pas vraiment épousée. Origène n'accepte donc pas de remariage après divorce et il exprime en termes équivalents l'invalidité d'un mariage conclu dans ces conditions.

Qu'en est-il des secondes noces après veuvage ? Origène ne les refuse pas absolument, car l'apôtre les a permises [35]. Il blâme même sévèrement les rigoristes qui bannissent les remariés des assemblées ecclésiales comme s'ils étaient des pécheurs publics. Mais il est loin d'encourager les remariages, n'y voyant guère pour cause que l'incapacité de vivre dans la continence et de dominer ses instincts : il est étonnant de

---

31. *ComMt* XIV, 19-20 (*GCS* X).   32. *Mt* 19, 8.
33. *ComMt* XIV, 23 (*GCS* X).   34. *ComMt* XIV, 24 (*GCS* X).
35. *1 Co* 7, 39-40.

constater qu'Origène, comme d'ailleurs bien d'autres Pères, ne mentionne jamais pour cela d'autres motifs comme des motifs économiques ou les exigences de l'éducation des enfants. Les secondes noces ne sont présentées que comme une concession extrême à la faiblesse : il vaut mieux se marier que vivre dans le péché par incapacité de supporter la continence. Prendre une seconde épouse n'est pas conforme à la loi primitive de *Gn* 2, 24 : on ne peut être une seule chair avec une seconde femme. Mais les unions multiples des patriarches, qui étaient même simultanées ! Elles symbolisent des « économies mystiques ». A ce propos Origène témoigne de la seule loi attestée à cette époque à propos de la situation matrimoniale des clercs : selon Paul [36] évêques, prêtres et diacres doivent être « l'homme d'une seule femme » ; ils ne peuvent se remarier s'ils deviennent veufs et on ne peut ordonner des remariés. Telle est la seule interprétation de ces textes qui soit donnée au IIIe siècle [37].

A la liberté du célibataire s'oppose la servitude du marié, consistant surtout dans le droit que chaque conjoint a accordé à l'autre sur son corps. Mais le chrétien marié qui vit chrétiennement son mariage est en quelque sorte l'affranchi du Seigneur, non qu'il puisse se libérer de la servitude du mariage, mais parce qu'il la vit dans la prière, à l'imitation de l'union du Christ et de l'Eglise : la vie conjugale est pour lui l'occasion de la seule libération qui compte, celle qui donne la liberté chrétienne. Ce n'est donc pas en se dispensant de ses obligations conjugales que le chrétien marié devient l'affranchi du Seigneur, c'est par une vie de vertu. Nous retrouvons ici la même conception de la liberté liée à la pratique des vertus, à la conformation au Christ qui est toute vertu. A propos de l'abstention des devoirs conjugaux Origène n'admet que celle que reconnaît Paul, l'abstention temporaire décidée d'un commun accord pour vaquer à la prière par exigence de recueillement. Origène semble très réticent sur une abstention qui aurait plus d'ampleur et il n'aurait guère accepté, comme le fera Basile, que des époux se séparent pour que l'un d'entre eux puisse entrer en religion, ni même, semble-t-il, que des gens mariés vivent ensemble dans une continence complète, ce qui sera constamment admis aux

36. *1 Tm* 3, 1-2 et 12 ; *Tt* 1, 5-6.
37. *HomLc* XVII, 10-11 ; *ComMt* XIV, 22 (*GCS* X).

IVe et Ve siècles et alors imposé aux clercs, mariés avant l'ordination. Il a pour cela trop peur que les désirs de continence
de l'un ne mettent en danger la chasteté de l'autre qui ne peut
supporter la vie qui lui est faite. Un beau passage sur la première épître aux Corinthiens [38] affirme que la charité, étant
comme composante de l'amour conjugal la vertu dominante
du mariage, prime tous les désirs de chasteté incompatibles
avec le bien du conjoint. Comment un époux pourrait-il se
sauver en provoquant la chute de l'autre ? « Il est préférable
que les deux soient sauvés par les œuvres du mariage que de
voir à cause de l'un l'autre tomber de l'espoir qu'il a dans le
Christ. Comment le mari serait-il sauvé étant responsable de la
mort de sa femme ? » Il fait cependant allusion, sans la prendre vraiment à son compte, à l'opinion de Clément que le
« vrai compagnon » (gnèsié syzygé = germane compar) à qui
Paul s'adresse en Ph 4, 3 serait son épouse que Paul aurait
laissée, avec son accord, pour son ministère [39] : en effet syzygos comme le latin conjux auquel il correspond exactement
par l'étymologie — compagnon de joug — peut signifier
conjoint, mais il a aussi un sens plus vaste que son correspondant latin, parent, ami, compagnon. Par ailleurs Origène
blâme fortement, comme Clément, les hérétiques qui dissol-
vent les mariages pour raisons religieuses et cela retomberait
certainement sur certaines dispositions des Pères du siècle
suivant. Les devoirs conjugaux ne sont d'ailleurs pas exigés
par la seule charité, ils sont imposés par la justice. Puisqu'il
y a sur ce point égalité absolue entre les conjoints chacun est
à la fois vis-à-vis de l'autre en position de maître et d'esclave.
Certes, il n'est pas interdit aux époux de renoncer d'un
commun accord à l'exercice de leurs droits : mais Origène
craint que cette renonciation ne se fasse souvent au détriment
d'un des deux. Telle est la servitude que comporte l'état de
mariage et à cause d'elle cette condition peut paraître souvent plus difficile que celle du célibataire. Vivre dans le mariage en parfait chrétien, avec la réserve et la maîtrise de soi
qu'exige l'amour conjugal, dans le don de soi au conjoint et
aux enfants et non dans le désir de jouir de l'autre, est difficile pour qui a, comme tout homme, à surmonter la pente

38. *Fragm 1 Co* XXXIII, *JThS* IX, p. 500.
39. CLÉMENT, *Stromates* III, 6, 53, 1 (*GCS* Clément II) ; ORIGÈNE
ComRm I, 1 PG 14.

d'une nature marquée par l'égoïsme. Le mariage est une voie de perfection malaisée et la grâce du sacrement est pour cela bien nécessaire [40].

Bien d'autres points seraient encore à étudier et nous en avons rencontré incidemment quelques-uns. Ainsi le combat spirituel qui détermine l'anthropologie trichotomique et aussi l'angélologie-démonologie. Les rapports du libre arbitre et de la liberté. Les vertus, dénominations (*épinoiai*) du Christ et participation à sa nature. Le péché qui consiste à s'arrêter à l'image alors que l'élan de l'âme soit aller jusqu'au mystère. L'apathie ou la métriopathie, éradication des passions ou mesure à leur imposer. La morale et l'ascèse d'Origène offrent une ample matière à ceux qui voudront les étudier.

40. Voir *Virginité* 132-169.

Le théologien

Chapitre neuvième

CARACTÈRES
DE LA THÉOLOGIE D'ORIGÈNE

En racontant la vie d'Origène nous avons souligné le fait qui est à l'origine de sa carrière d'écrivain, la rencontre et la conversion d'Ambroise. Sous l'impulsion de ce dernier, aidé par les moyens de travail considérables qu'il mettait à sa disposition, Origène a voulu fournir aux chrétiens qui se posaient des problèmes d'ordre intellectuel, inspirés en grande partie par la philosophie grecque, la principale puissance culturelle de l'Empire romain, des réponses en accord avec l'Ecriture, pour éviter qu'ils n'aillent les chercher dans les sectes gnostiques. Pareillement il a rédigé le *Traité des Principes* « pour ceux qui, partageant notre foi, recherchent habituellement des raisons de croire et pour ceux qui soulèvent contre nous des combats au nom des hérésies » [1]. Pour comprendre la pensée d'Origène il est donc nécessaire de savoir quelles sont ces hérésies et aussi de connaître son attitude à l'égard de la philosophie et l'usage qu'il en fait. Il faut ensuite se demander comment il a conçu la recherche théologique. Il importe fortement de rester sur un plan strictement historique, avec une suffisante conscience du développement du dogme, pour ne pas le juger comme l'ont fait ses détracteurs des IVe et VIe siècles, c'est-à-dire sans tenir compte des progrès qui se sont manifestés postérieurement en ce qui concerne la prise de conscience et l'expression du donné de la foi, et pareillement la méthode théologique.

1. IV, 4, 5.

Hérésies et erreurs contre lesquelles polémique Origène

Cet exposé ne peut guère être qu'une énumération de ces doctrines avec l'indication des principaux reproches que leur fait Origène. Les hérésies majeures du temps, les sectes gnostiques, ont été l'objet d'une littérature considérable, surtout depuis la découverte pendant la Seconde Guerre mondiale de la bibliothèque gnostique de Nag Hammadi ou Chénoboskion en Egypte [2].

Origène vise surtout la triade Basilide-Valentin-Marcion. Les reproches qu'il leur fait et les thèses qu'il leur prête sont en quelque sorte stéréotypés et ne manifestent guère une connaissance poussée et directe [3]. Les points principaux de la controverse sont les suivants. Les trois hérésiarques opposent les deux Testaments et toute l'exégèse allégorique d'Origène manifeste au contraire leur continuité. Ils opposent de même les Dieux qui les inspirent et Origène va insister sur l'identité du Dieu Créateur et du Père de Jésus-Christ. A Valentin est reprochée tout particulièrement la doctrine des trois natures d'âmes et le prédestinatianisme qui en est la base : d'une part les pneumatiques ou spirituels, consubstantiels (*homoousioi*) aux êtres divins, aux Eons qui peuplent le Plérôme, sont nécessairement sauvés ; à l'extrême opposé les hyliques (matériels) ou choïques (terrestres), appartenant au Cosmocrator, le Prince de ce monde, le diable, sont nécessairement damnés ; entre les deux les psychiques — les hommes « animaux » de *1 Co* 2, 14 — peuvent obtenir selon leur conduite, soit un salut d'ordre inférieur dans l'« Intermédiaire », domaine du Dieu Créateur, soit la damnation avec les hyliques. C'est à cause de cette doctrine qu'Origène rédige son chapitre du *Traité des Principes* sur le libre arbitre et parle constamment de l'égalité originelle des êtres raisonnables que seul le libre choix de leur volonté va briser : la cosmologie décrite dans

---

2. Pour une connaissance d'ensemble des diverses sectes et des découvertes de Nag Hammadi, voir J. DORESSE, *Les livres secrets des gnostiques d'Egypte*, Paris 1958.

3. A propos d'Origène et des gnostiques voir surtout A. LE BOULLUEC, « La place de la polémique antignostique dans le *Peri Archon* » dans *Origeniana* (éd. H. Crouzel et alii), Bari 1975, pp. 47-61.

ce livre s'explique par la dialectique de l'action divine et de la liberté humaine qui l'accepte ou la refuse.

Valentin se représente les générations divines sur le mode d'une génération humaine ou animale avec division de substance, une *probolè* ou *prolatio* : pour Origène cette génération est purement spirituelle, le Fils reste dans le sein du Père, même quand il est présent dans l'Incarnation avec son âme humaine, tout en ayant une personnalité différente de celle du Père. Marcion fait du Dieu créateur de l'Ancien Testament un Dieu juste, mais non bon et même positivement cruel et mauvais : il tire argument des scènes de cruauté de l'Ancien Testament qu'Origène explique par son exégèse allégorique, et aussi de l'inégalité des conditions humaines à la naissance [4]. C'est pour sauver de ces reproches la bonté du Dieu Créateur qu'Origène va bâtir, solution certes trop facile du problème du mal, son hypothèse favorite de la préexistence des âmes : les différentes conditions dans lesquelles naissent les hommes proviennent d'une faute antérieure à la naissance sur terre.

Les sectes gnostiques et les Marcionites — qui ne peuvent se rattacher complètement à la gnose — sont, au temps d'Origène, des communautés religieuses séparées de la Grande Eglise. Il en est de même des Montanistes. Origène fait allusion à leur doctrine de l'Esprit Saint [5] et s'oppose à leur conception de l'inspiration prophétique, refusant, nous l'avons vu [6], une extase qui serait inconscience. Les autres erreurs combattues ne correspondent pas à des sectes constituées, mais à des courants divers au sein de la Grande Eglise. Ce sont d'abord deux tendances opposées en théologie trinitaire dont nous avons parlé à propos de Bérylle de Bostra et d'Héraclide [7]. Les Modalistes sont appelés aussi Monarchianistes parce qu'ils veulent sauver la « monarchie » divine, l'unité de la divinité, ou aussi Noétiens et plus tard Sabelliens, du nom de leur deux principaux chefs, Noet de Smyrne et le Libyen Sabellios, en Occident Patripassiens, parce que en conséquence de leur doctrine c'est le Père qui a subi la Passion : ils font du Père,

4. Voir J. Rius-Camps, « Origenes y Marción », dans *Origeniana* (cf. note précédente) pp. 297-312.
5. *PArch* II, 7, 3 ; *ComMt* XV, 30 (*GCS* X).
6. Voir pp. 104-105.
7. Voir pp. 55-57.

du Fils et de l'Esprit trois modes d'être d'une seule personne divine. Les Adoptianistes sauvegardent aussi la « monarchie » en voyant dans le Christ un homme adopté par Dieu. En fait il pouvait arriver que modalisme et adoptianisme se mêlent. Cela semble avoir été le cas de Bérylle de Bostra, comme ce sera, après la mort d'Origène, celui de Paul de Samosate, évêque d'Antioche, qui sera condamné par plusieurs synodes dans lesquels élèves et amis d'Origène tiendront une place dominante : Firmilien de Césarée en Cappadoce, Denys d'Alexandrie, Théotecne de Césarée en Palestine, Grégoire le Thaumaturge et son frère Athénodore [8]. Contre ces hérétiques Origène insiste sur la distinction des trois hypostases, la génération du Verbe, le refus de toute *probolè* ou génération avec division.

Enfin Origène s'oppose encore, au sein de la Grande Eglise, aux conceptions de ceux qu'il appelle les « plus simples » et qu'on pourrait désigner de trois noms. Anthropomorphites, ils prennent à la lettre les anthropomorphismes bibliques attribués à Dieu et à l'âme et se représentent en conséquence Dieu comme corporel : contre eux Origène affirme clairement l'incorporéité absolue des trois personnes et de l'âme. Millénaristes ou Chiliastes, ils entendent au sens littéral les mille années d'*Ap* 20, 1-10, croient à un règne de cette durée du Christ et des martyrs dans la Jérusalem terrestre, comme Papias, Justin et Irénée, avant la résurrection finale dont ils se font, avec Athénagore, une conception absurdement matérialiste. C'est en opposition avec eux, tout en réussissant à « garder la tradition des anciens » qu'Origène formule sa doctrine du corps ressuscité, affirmant entre le corps terrestre et le corps glorieux à la fois l'identité et l'altérité qu'il y a entre la graine et la plante selon *1 Co* 15, 35-44 : très calomniée, à la suite du contresens de Méthode d'Olympe sur l'*eidos* corporel, elle n'en est pas moins une de ses plus belles réussites. Enfin Littéralistes, ils conservent toujours le sens littéral de l'Ecriture, aboutissant à des absurdités dont l'anthropomorphisme et le millénarisme sont des manifestations : la doctrine origénienne de l'allégorie scripturaire est aussi dirigée contre eux.

8. EUSÈBE, *HE* VII, 27-30.

Origène et la philosophie

A ce sujet deux questions sont à poser. D'abord quel est le jugement porté par Origène sur la philosophie païenne et son utilité pour les chrétiens ? Ensuite quel usage Origène lui-même en a-t-il fait ?

La rencontre de la révélation juive et chrétienne avec la philosophie grecque est un thème favori des deux prédécesseurs alexandrins d'Origène. Philon y consacre le *De congressu eruditionis gratia,* l'exégèse de *Gn* 16, 1-6, Sara conseillant à Abraham de prendre Agar pour concubine : il y revient en de nombreuses allusions dans d'autres œuvres et cela montre qu'il ne s'agit pas chez le théologien juif d'un développement accidentel et passager, mais d'une préoccupation constante. A la suite de Philon dont il reprend parfois littéralement les termes, en les développant et en les adaptant à la situation nouvelle créée par la venue du Christ, Clément traite la même question dans son premier *Stromate* et dans une partie du sixième [9]. Origène s'insère donc dans une tradition surtout représentée dans sa ville natale. Mais il est moins enthousiaste que Clément pour la philosophie hellénique : il n'en fera pas comme son prédécesseur un Testament donné aux Grecs comme la Bible aux Juifs et sera plus réticent sur le salut qu'elle apporte ; bien des jugements qu'il exprime à son sujet sont durs. Mais il possède une grande érudition philosophique et il l'utilise largement, comme le montrent, non seulement le *Traité des Principes* et le *Contre Celse,* mais encore les *Commentaires.* Il l'enseigne ainsi que nous en assurent Eusèbe [10] et le programme décrit par Grégoire le Thaumaturge. Certes, Tertullien lui-même, malgré tant de déclarations agressives, a une bonne formation philosophique et ne dédaigne pas d'en faire usage. Mais il ne présente guère de réflexion positive sur l'utilisation de la philosophie par les chrétiens, à l'inverse de ses contemporains d'Alexandrie.

Origène, comme Clément, souligne fréquemment l'insuffisance de la philosophie, bien qu'elle coïncide sur quelques points avec le christianisme [11]. Il critique les philosophes,

9. *SC* 30. Pour le *Stromate* 6 *GCS* Clément II.
10. *HE* VI, XVIII, 2-3 ; VI, XIX, 1-14.
11. Sur ce qui suit notre livre *Origène et la philosophie* (Paris 1962) avec l'appendice « Origène est-il un systématique ? ».

même Platon, à partir de sa foi chrétienne. Pourtant, il ne traite pas pareillement toutes les écoles et porte sur chacune des jugements différents ; au plus bas de l'échelle se trouve l'épicurisme, la « honte de la philosophie », avec sa morale du plaisir qui est en opposition avec la Croix du Christ, sa négation de la Providence qui en fait un véritable athéisme, sa physique atomistique, son refus de reconnaître les privilèges spirituels de l'homme. Aristote n'est guère beaucoup plus estimé, bien qu'Origène utilise parfois des éléments de sa doctrine et de son vocabulaire. Il lui reproche, comme le font aussi Platoniciens et Stoïciens, sa doctrine des trois sortes de biens qui considère comme des biens non seulement ceux de l'âme, les vertus, mais encore ceux du corps comme la santé ou la beauté, et ceux du dehors, richesses et honneurs. Aristote ne croit pas que l'action de la Providence s'étende jusqu'à notre monde sublunaire et c'est pourquoi il est lui aussi traité d'athée : cette opinion vient en fait du *De Mundo* pseudo-aristotélicien qui date du début de l'ère chrétienne. Est refusée aussi la théorie de l'éther comme cinquième élément — l'éther ne subsiste que comme « qualité » chez Origène —, essence intellectuelle des astres-dieux et des intelligences humaines qu'Aristote exposait dans son traité de jeunesse *Sur la Philosophie*. Quant aux Stoïciens leur morale est acceptée, mais leur cosmologie et leur théologie sont traitées de matérialistes et Origène se moque des retours cycliques. Les Pythagoriciens, dont certains sont aussi traités de platoniciens, comme Nouménios, sont respectés, mais à eux aussi sont reprochés les retours cycliques et en outre la métempsycose — Origène dit la « métensomatose » —. Platon est certainement pour Origène le sommet de la pensée grecque, de la pensée humaine en dehors de la révélation, et il s'en inspire constamment, au moins sous la forme que lui donnait le Moyen Platonisme. Dans la controverse avec Celse sur la connaissance de Dieu bien des textes de Platon sont invoqués par le premier, quelquefois admirés par le second, quelquefois contredits au nom de la révélation chrétienne. La vision exemplariste du monde sous-jacente à la théologie d'Origène lui vient du platonisme, bien qu'il y mette souvent un contenu différent. Il refuse cependant la métempsycose, le tripartisme platonicien de l'âme, etc. Malgré sa grande admiration il conserve à l'égard de Platon son indépendance et son sens critique.

Origène a en grande estime l'idéal moral du philosophe

caractérisé par l'amour et la recherche de la vérité : on peut
le voir en négatif dans les reproches continuels faits à Celse
de se conduire d'une manière indigne d'un philosophe. Origène ne contredit pas Celse quand ce dernier prétend que la
morale chrétienne n'est pas différente quant à son contenu de
celle des philosophes : il l'explique par la notion de loi naturelle, inscrite par Dieu dans le cœur des hommes, notion
stoïcienne assumée par Paul [12] : une série de parallèles entre
des vies de philosophes et la vie de Jésus et de ses apôtres,
mis en avant soit par Celse soit par Origène, le confirme. Origène met toutefois le doigt sur une divergence fondamentale :
à la différence de ce que doit faire le chrétien le philosophe
ne rapporte pas ses actions à Dieu en lui en rendant .grâce.
On trouve déjà ce reproche chez Philon et chez Clément qui
voient pareillement la *philautia,* l'amour de soi-même, mettre
en péril toutes les vertus du philosophe. La critique d'Origène
ne concerne pas tant la moralité objective, les actes eux-mêmes,
que la moralité subjective, l'intention qui y préside. Certes
l'intention du Stoïcien, motivée par le sens du bien commun
et le respect d'autrui dans la justice, appartient à une moralité
authentique. Mais elle ne suffit pas au chrétien dont l'amour
de Dieu doit inspirer toute la vie. Le Seigneur doit être le but
unique de son activité, l'amour du prochain et tous les autres
amours, le sens du bien commun, étant intégrés à l'amour de
Dieu. L'infériorité morale du philosophe vient de son infériorité religieuse : malgré la hauteur de certaines de ses intuitions il n'a pas une notion plénière de la grâce, car Dieu ne
s'est pas révélé à lui comme un Etre personnel, car ses relations avec Dieu ne sont pas des relations de personnes. Il
n'attend pas de lui sa vertu, il ne la lui rapporte pas. Sa vie
religieuse n'a pas transfiguré sa vie morale.

Par ailleurs Origène dénonce dans l'attachement du philosophe à son système une véritable idolâtrie [13] et le *Remerciement* illustre remarquablement cet aspect de la doctrine du
Maître : la philosophie est incapable de s'ouvrir à une autre
pensée, son système est comparé à un marais où on s'embourbe,
à une forêt dont aucun sentier ne mène au dehors, à un laby-
rinthe dont on ne peut sortir [14]. La philosophie est incapable
de donner une vraie connaissance de Dieu qui puisse sauver,

12. *Rm* 2, 14-16 : *CCels* I, 4.   13. *HomJr* XVI, 9.
14. XIV, 158-173.

elle ne sait pas guérir du seul mal qui soit, le péché, en elle le faux est inextricablement mêlé au vrai. A lire les homélies ou le *Contre Celse* les rapports du Christianisme et de la philosophie ne sont guère pacifiques : le mépris des philosophes pour sa foi atteint Origène au plus profond de sa sensibilité religieuse. Les relations des chrétiens avec la philosophie sont symbolisés dans les homélies par des sièges de forteresses, Hébron, Hésébon, Jéricho.

La doctrine d'Origène sur l'utilisation que le chrétien peut faire de la philosophie est surtout exprimée par quelques exégèses allégoriques dont certaines devenues fameuses seront répétées pendant tout le Moyen Age. Josué est une des principales figures du Christ, surtout à cause de leur communauté de nom : en grec Josué est désigné par *Ièsous*, Jésus. Lorsque « Jésus fils de Navé », c'est-à-dire Josué, arrive avec les Hébreux devant Jéricho, c'est « mon » Jésus qui paraît devant la cité des philosophes, précédé par les prêtres, ses apôtres, sonnant de leurs trompettes, les écrits du Nouveau Testament, et les murs de la cité des philosophes s'écroulent [15]. Mais la comparaison s'arrête là : l'anathème dont est frappée la Jéricho chananéenne par la volonté de Iahvé, obligeant les vainqueurs à tout détruire sans rien conserver, forcerait Origène à un parti qui, malgré ses formules belliqueuses, serait trop contraire à sa pensée. Le lingot d'or soustrait à la destruction par Achan ne représente que les doctrines perverses cachées sous un beau langage ou l'idolâtrie qui se dissimule dans les vers des poètes [16], mais non la philosophie dans son ensemble. Il est donc permis aux disciples de Jésus de butiner dans la Jéricho des philosophes, pourvu qu'ils le fassent avec discernement et prudence.

On aurait pu s'attendre à ce qu'Origène, pour montrer que quelque chose peut être sauvé de la cité des philosophes, ait interprété dans ce sens le personnage de Rahab, la courtisane chananéenne, qui fut la seule à être épargnée avec sa famille parce qu'elle avait accueilli les espions de Josué. Mais Rahab reçoit une signification plus large qui contient implicitement la nôtre : c'est la Gentilité qui se vautrait dans la débauche jusqu'au jour où, ayant accueilli les apôtres de Jésus, elle devient l'Eglise des Nations [17]. Mais si Abraham ne peut donner Sara, la Vertu, à Abimélech, le roitelet philistin qui figure

15. *HomJos* VII, 1.   16. *HomJos* VII, 7.   17. *HomJos* VII, 5.

le philosophe honnête et la désire, Jésus le fera, et la Vertu, qui ne fait qu'un, comme chez Philon, avec la Sagesse, passera à l'Eglise des Nations. Alors tout ce qu'il y a de positif dans l'héritage de la philosophie sera transmis au Christianisme. La femme et les servantes d'Abimélech, c'est-à-dire « la philosophie naturelle » et « les raisonnements de la dialectique, divers et variés suivant les écoles », seront guéries par Jésus de leur stérilité et « engendreront des fils à l'Eglise : c'est en effet le temps où la stérile enfante » [18].

Deux exégèses surtout sont fameuses. D'abord celle de la « belle captive » qui a eu toute une postérité médiévale [19] : Dt 21, 10-13 ordonne au guerrier qui veut épouser sa prisonnière de lui raser la tête et de lui couper les ongles, c'est-à-dire, explique Origène, avant d'utiliser ce qu'il a pris aux philosophes, le chrétien doit en détacher ce qui est mort et inutile [20]. La seconde est celle des « dépouilles des Egyptiens » développée dans la Lettre à Grégoire [21]. Origène a exhorté son élève à utiliser la philosophie et les disciplines encycliques comme auxiliaires de la science chrétienne et il s'explique ainsi : avant de quitter l'Egypte les Hébreux avaient pris à leurs voisins toute sorte d'objets pour construire le Tabernacle de Iahvé [22] : ainsi le chrétien se servira de tout ce que la philosophie a d'utilisable pour bâtir la « divine philosophie » du Christianisme. Irénée avait déjà donné de ce texte une explication plus large [23] qu'il disait tenir d'un presbytre, un disciple immédiat des apôtres : les dépouilles des Egyptiens représentent pour lui tout ce que le chrétien reçoit de la civilisation ambiante.

Origène ne s'oppose pas à ce que de jeunes chrétiens suivent les leçons de maîtres païens pourvu qu'ils aient les moyens de dépasser cet enseignement et de l'intégrer dans une perspective chrétienne. La formation intellectuelle peut produire le bien comme le mal. L'étude de la philosophie et des sciences montre aux âmes qui doutent la supériorité du Christianisme et permet de le défendre contre les attaques païennes : une connaissance approfondie de la philosophie est nécessaire au chrétien cultivé pour justifier sa foi devant celui qui

18. HomGn VI, 2-3.
19. H. de LUBAC, Exégèse Médiévale I/1, Paris 1959, pp. 290-304.
20. HomLv VII, 6.   21. §§ 2-3.   22. Ex 11, 2 ; 12, 35.
23. Adversus Haereses V, 30 : SC 153.

lui en demande compte et juger avec compétence, en fonction d'elle, les doctrines qui lui sont étrangères. Il doit être capable de réfuter le philosophe sur son propre terrain qui est philosophique et de détruire les uns par les autres les arguments des adversaires ; mais le rôle des sciences profanes doit être uniquement celui de servantes : la connaissance de Dieu vient au chrétien d'une source bien supérieure.

Si elle manque du discernement nécessaire l'étude de la philosophie païenne présente pour le chrétien un grave danger, celui de l'hérésie, qui est l'application à l'Écriture de la méthode philosophique sans sauvegarder la primauté de la parole de Dieu. Le projet fondamental de l'hérétique est le même que celui du philosophe, un projet idolâtre : l'un et l'autre adorent les constructions de leur esprit ; toutefois, comme l'hérétique essaie de garder une fidélité extérieure aux Écritures, il souille toute l'Église de Dieu. Comme le faux prophète de l'Ancien Testament l'hérétique n'exprime pas les paroles de Dieu, mais parle de son propre cœur, tout en présentant ses pensées comme celles de Dieu. La *Lettre à Grégoire* prononce les mêmes jugements avec l'histoire de l'Iduméen Hadad, appelé par la Septante Ader et confondu en un seul personnage avec Jéroboam, l'auteur du schisme des dix tribus. Il a quitté le pays d'Israël et le sage Salomon figurant la Sagesse de Dieu, il est parti pour l'Egypte, la terre du paganisme : il n'est revenu en Israël que pour provoquer le schisme dans le peuple et construire des génisses d'or à Béthel, la « Maison de Dieu », symbole des Écritures, et à Dan près des frontières païennes. Tel est le drame de bien des chrétiens plongés dans l'étude des sciences helléniques, car « nombreux sont les frères de l'Iduméen Ader », ceux pour qui la philosophie est devenue la mère des hérésies [24], idée assez fréquemment répétée aux IIe et IIIe siècles et spécialement illustrée par l'Elenchos attribué à Hippolyte [25].

Origène se montre donc plutôt pessimiste sur l'emploi de la philosophie par les chrétiens, non pour en proscrire l'usage, car son correspondant Grégoire a été longuement initié par lui aux disciplines grecques, mais pour l'avertir qu'il doit user de prudence et surtout garder bien chevillé dans son cœur

24. *Lettre à Grégoire* § 3.
25. *GCS* Hippolyte III : ce livre s'efforce de rattacher les hérésies qu'il étudie à des écoles philosophiques.

l'amour exclusif de l'unique Sagesse de Dieu, son Fils. Après avoir décrit les prélections de textes philosophiques faites par Origène à ses élèves et souligné le soin avec lequel il y séparait le vrai du faux, le Thaumaturge ajoute : « A ce sujet il nous conseillait de ne nous attacher à aucun philosophe, même à celui qui aurait auprès de tous les hommes une grande réputation de sagesse, mais à Dieu seul et à ses prophètes. [26] » Et c'est pourquoi Origène faisait lire des passages provenant de tous les auteurs pour empêcher ses auditeurs de s'attacher à une seule école ou à un seul système [27]. Le roi Salomon malgré sa sagesse a été égaré par ses multiples épouses qui représentent autant de philosophies et l'ont entraîné dans leurs idolâtries respectives. Il n'a pas su dire comme dans *Ct* 6, 8-9 : « Il y a soixante reines et quatre-vingt concubines et des jeunes filles sans nombre, mais une seule est ma colombe, ma parfaite, elle est l'unique de sa mère, l'unique de celle qui lui a donné le jour [28]. » Pour rester fidèle à l'unique doctrine du Christ au milieu des études profanes de toute sorte, il faut le soutien de la grâce divine. Et on doit aussi prendre garde au scandale des faibles, à ne pas entraîner par son exemple dans cette étude des frères dont la foi ne pourrait résister.

Le but principal de l'étude de la philosophie est l'édification d'une philosophie chrétienne, c'est-à-dire de la théologie. Après avoir détruit Hésébon, la « cité des pensées », le chrétien ne la laisse pas en ruines, mais la reconstruit à sa manière en utilisant les matériaux qui lui conviennent dans ce qui reste de la ville démolie [29]. Interprétant mal des textes pauliniens, Celse accuse les chrétiens de bannir toute sagesse : Origène établit l'existence d'une vraie sagesse chrétienne dont la source et le critère suprême de jugement est l'Ecriture considérée suivant son sens profond, sa « volonté », et non point utilisée pour servir de paravent à des opinions toutes personnelles. Les sciences et les méthodes helléniques y aideront, mais l'aspect intellectuel de cette nouvelle sagesse reste second devant l'aspect spirituel et mystique, car son objet est la compréhension des mystères divins contenus dans les Ecritures. Telle est la « divine philosophie » que le prologue du *Commentaire sur le Cantique des Cantiques* décrit selon les

---

26. *RemOrig* XV, 173.   27. *Ibid.* XIII-XIV, 150-173.
28. *HomNb* XX, 3, citant *Ct* 6, 8-9.   29. *HomNb* XIII, 2.

divisions de la philosophie profane [30], tel est le « christianis-me » construit avec l'aide de la philosophie et des sciences encycliques auquel, d'après la *Lettre à Grégoire* [31], Origène voudrait voir son élève s'adonner.

La « divine philosophie » est donc une théologie comprise dans le sens le plus large du terme, avec son contenu exégéti-que et spirituel aussi bien que spéculatif. En revanche Ori-gène ne semble avoir aucune idée de la permanence d'une philosophie rationnelle dans le christianisme à côté de la théo-logie. Il aurait fallu pour cela qu'il distingue davantage Rai-son et Révélation, Naturel et Surnaturel. La raison est pour lui participation à la Raison surnaturelle de Dieu, son Fils, qui est aussi la Révélation. Si en deux passages [32] on trouve une distinction correcte entre naturel et surnaturel elle est présen-tée comme ne lui étant pas familière. Origène s'attache surtout à un surnaturel dans lequel le naturel est implicitement conte-nu. Pourquoi recourir à une source imparfaite quand la science parfaite est donnée ? Quand Dieu parle, toute voix humaine ne doit-elle pas se taire ? La nourriture d'Egypte serait de médiocre utilité quand nous avons la manne de l'Ecriture. La philosophie voulue par Origène n'est pas l'œuvre de la raison, elle découle directement de l'Ecriture : ou plutôt, s'il est fait cependant, surtout dans le *Traité des Principes,* appel à la raison, c'est pour développer, à partir de l'Ecriture, ce que cette dernière ne dit pas clairement. Il semble bien que pour lui la philosophie d'ordre purement rationnel ait cessé d'exister avec l'apparition du christianisme, non sans doute comme réflexion, mais comme discipline indépendante. Elle appartient au passé, un passé fécond que le présent utilise pour l'édification de la théologie chrétienne, mais qu'il ne continue pas. Il y a acceptation d'héritage sous bénéfice d'in-ventaire.

Emprunté à la Bible, le vocabulaire théologique d'Origène lui vient aussi en partie de la philosophie : différentes écoles lui ont fourni des termes et des expressions. Une remarque cependant est à faire à propos de l'emploi par les Pères d'un vocabulaire « technique » venant de la philosophie, ou pour les Latins du droit. Cet emploi n'est pas à juger selon nos habitudes modernes. Fidèles au sens général du terme, les

---

30. *GCS* VIII, pp. 75-79.   31. § 1.
32. *CCels* V, 23 ; *ComJn* I, 37 (42), 273.

Pères l'adaptent au contenu chrétien qu'il leur faut exprimer. Aussi ne peut-on jamais tirer argument de l'emploi d'un terme « technique » pour l'entendre dans un sens qui serait conforme à celui des philosophes, mais en contradiction ou en opposition avec la pensée chrétienne du temps. D'ailleurs exiger une telle rigueur dans l'utilisation du vocabulaire technique même par les philosophes serait peut-être un anachronisme.

Le *Remerciement,* dans son chapitre sur l'étude des philosophes, critique sévèrement le travers systématique qu'il leur prête et manifeste la volonté d'éclectisme qui préside à la formation philosophique donnée par Origène à ses élèves. Cet éclectisme est commun aux philosophes des premiers siècles de l'ère chrétienne, mais il a pour Origène un motif supplémentaire : seule la Parole de Dieu mérite l'engagement inconditionnel des chrétiens. Le Moyen Platonisme qui, à la suite de l'enseignement d'Ammonios Saccas et des nombreuses lectures dont Porphyre a dressé la liste [33], fournit à Origène l'essentiel de ses connaissance philosophiques et l'interprétation courante de Platon, n'échappe pas à cet éclectisme. Le fonds platonicien dominant s'unit à de nombreux éléments stoïciens et à quelques données aristotéliciennes. Si les successeurs de Platon, l'Académie, ont mis pendant des siècles davantage l'accent sur le Platon rationaliste que sur le Platon mystique, jusqu'au demi-scepticisme de la Nouvelle Académie, une renaissance du Platon mystique a été l'œuvre du Moyen Stoïcisme de Poseidonios d'Apamée qui fut un des maîtres de Cicéron au IIe siècle avant le Christ, ce Moyen Stoïcisme étant très fortement mélangé de platonisme. On peut considérer que le Moyen Platonisme est issu de ce Moyen Stoïcisme vers le premier siècle de notre ère, par une augmentation des éléments platoniciens par rapport aux stoïciens. Nous n'insistons pas davantage sur le Moyen Platonisme, car la question a été traitée plusieurs fois assez à fond précisément à propos d'Origène [34].

---

33. Citée par Eusèbe *HE* VI, XIX, 8, d'après Porphyre.
34. E. de Faye, *Origène, sa vie, son œuvre, sa pensée.* Vol. II : *L'ambiance philosophique,* Paris 1927 ; Hal Koch, *Pronoia und Paideusis : Studien über Origenes und sein Verhältnis zum Platonismus,* Berlin/Leipzig 1932 : Zweiter Teil : Origenes und die griechische Philosophie, pp. 163-304 ; J. Daniélou, *Origène,* Paris 1948, pp. 85-108.

Une théologie en recherche [35]

En racontant la vie d'Origène nous avons signalé l'influence de la conversion d'Ambroise sur les débuts de la carrière d'écrivain d'Origène et cité le texte du *Commentaire sur Jean* qui indique un des buts majeurs de son œuvre : fournir aux chrétiens qui se posent des problèmes d'ordre intellectuel des réponses en accord avec l'Ecriture pour éviter qu'ils n'aillent les chercher dans les grandes sectes gnostiques. Ce sont donc des préoccupations d'ordre apostolique qui le guident, elles visent l'intelligentsia alexandrine de son temps. Origène a en vue les chrétiens instruits qui ont reçu une formation philosophique, qui se posent les problèmes de la philosophie du temps, qui désirent approfondir l'Ecriture avec une méthode présentant des exigences de démonstration et de preuve. Le cas d'Ambroise lui a fait voir la nécessité d'une réflexion intellectuelle sur le christianisme, avec des moyens en partie rationnels et philosophiques, pour s'opposer à la propagande des Gnostiques et présenter le christianisme aux intellectuels.

Un des textes les plus éclairants sur les intentions d'Origène, non seulement dans le *Traité des Principes,* mais dans ses grands commentaires, est la remarquable préface qu'il a mise en tête de ce livre. Le critère essentiel de la vérité dans le Christianisme est la conformité avec la « tradition ecclésiastique et apostolique ». Mais cela ne résout pas tous les problèmes. Il y a d'une part des vérités que les apôtres ont dites et que l'Eglise transmet : le devoir des chrétiens est d'y croire et le manque de foi produit la diversité des hérésies. Mais les apôtres n'ont pas tout dit : ils ont affirmé l'existence de certaines réalités, ils n'ont rien dit de leur manière d'être et de leur origine. Ils ont laissé ainsi aux plus zélés pour la connaissance religieuse « de quoi exercer » leur intelligence, une intelligence qui n'est pas à entendre dans un sens seulement intellectuel, puisque seuls peuvent faire ces investigations ceux qui reçoivent de l'Esprit Saint les charismes énumérés par Paul en *1 Co* 12, 8-9 [36].

Ce passage est cité et commenté par le martyr Pamphile de

35. Voir la seconde partie de notre article « Qu'a voulu faire Origène en composant le *Traité des Principes ?* » *Bulletin de Littérature Ecclésiastique* 76, 1975, 241-260. Il est résumé dans l'introduction de *SC* 252, pp. 46-52.

36. *PArch* Préface §§ 1-3.

Césarée dans son *Apologie pour Origène* [37]. Sur ce qui n'est pas prêché par l'Eglise de façon manifeste Origène dit ce qu'il croit pouvoir dire, mais il n'en fait pas des affirmations certaines. Quelquefois il donne plusieurs interprétations du même passage, qui restent évidemment hypothétiques : ce sont des affirmations *par manière d'exercice, gymnastikôs*. Athanase parle aussi avec sympathie à propos d'Origène de ce mode de procéder [38]. La plupart du temps ce dernier s'exprime ainsi parce que ni l'Ecriture ni la raison ne lui permettent d'affirmer d'une manière plus ferme, c'est-à-dire *dogmatikôs*. On peut dire la même chose des exégèses qui n'ont pas leur origine dans le Nouveau Testament : elles aussi sont proposées par manière de recherche.

Le chercheur qui propose seulement au lecteur ses solutions et le laisse libre d'en adopter d'autres, s'il les juge préférables, doit rester modeste. La modestie de l'Alexandrin est notée par un nombre considérable de critiques. Elle vaut autant pour les interprétations scripturaires dont nous venons de parler : elles sont proposées comme occasions de réflexion ou de contemplation et Origène se déclare prêt à les abandonner si quelqu'un trouve mieux. Les nombreuses formules de modestie de la version rufinienne du *Traité des Principes*, absentes bien souvent des fragments de Jérôme et de Justinien, ne sont donc pas un ajout du traducteur, comme on l'a dit parfois, mais correspondent à ce que donnent à profusion les œuvres grecques.

Pamphile de Césarée, un des connaisseurs les plus intelligents de la manière d'Origène, souligne aussi cet aspect dans la préface de son *Apologie pour Origène* [39] :

« Nous cependant, nous constatons fréquemment qu'il parle avec une grande crainte de Dieu et en toute humilité lorsqu'il s'excuse d'exposer ce qui lui vient à l'esprit au cours de discussions très poussées et d'un examen abondant des Ecritures : dans son exposé il a fréquemment coutume d'ajouter et d'avouer qu'il ne prononce pas comme un avis définitif, ni qu'il exprime une doctrine établie, mais qu'il recherche dans la mesure de ses forces, qu'il discute le sens des Ecritures et qu'il ne prétend pas l'avoir compris de façon intégrale

---

37. *PG* 17, 549 ss.
38. *De decretis Nicaenae Synodi* 27, 1-2 (éd. Opitz III/2, p. 23).
39. *PG* 17, 543 C ss.

ni parfaite : il dit que sur bien des points il a plutôt un pressentiment, mais qu'il n'est pas sûr d'avoir atteint en toutes
choses la perfection ni la solution intégrale. Parfois nous le
voyons reconnaître qu'il hésite sur de nombreux points à
propos desquels il soulève les questions qui lui viennent à
l'esprit : il ne leur donne pas de solution, mais en toute humilité et vérité il ne rougit pas d'avouer que pour lui tout
n'est pas clair. Nous l'entendons entremêler fréquemment à
ses discours des paroles qu'aujourd'hui même les plus ignorants de ses détracteurs ne daigneraient prononcer, à savoir
que si quelqu'un parle ou s'exprime sur ces sujets mieux qu'il
ne fait, il est préférable d'écouter ce dernier que lui-même.
En outre nous le voyons parfois donner du même sujet des
explications différentes : et en toute révérence, comme quelqu'un qui sait qu'il parle des saintes Ecritures, après avoir
exposé les nombreuses pensées qui lui sont venues à l'esprit,
il demande à ceux qui le lisent d'éprouver chacune de ses
affirmations et de garder ce qu'un lecteur prudent aura jugé
plus juste ; cela assurément parce que toutes les questions
qu'il avait soulevées et discutées ne devaient pas être tenues
pour dignes d'approbation et pour définitivement arrêtées,
étant donné que, selon notre foi, il y a dans les Ecritures
bien des choses mystérieuses et cachées dans le secret. Si
nous remarquons plus attentivement avec quelle sincérité et
quel sens catholique il témoigne au sujet de tous ses écrits
dans la préface des livres qu'il a rédigés sur la Genèse, nous
connaîtrons facilement à partir de ce texte toute sa pensée ».

Voici le passage du *Commentaire sur la Genèse* que cite
alors Pamphile [40] :

« Si nous étions de toute façon assez paresseux et négligents
pour ne pas nous mettre à la recherche, bien que notre Seigneur et Sauveur nous y invite, nous reculerions certainement
(devant ce travail), considérant que nous sommes loin de la
grandeur de la compréhension spirituelle, dont l'intelligence
doit être douée pour se livrer à la recherche sur tant de si
grandes choses... Si dans la discussion se présente une pensée
profonde il faut la dire, mais non en l'affirmant catégoriquement ; En effet ce serait là le propre d'un homme téméraire
qui a perdu le sens de la faiblesse humaine et qui s'oublie
lui-même ; ou assurément le propre d'hommes parfaits et de
ceux qui savent en toute confiance qu'ils ont été enseignés

40. *PG* 17, 544 BC ss.

par le Seigneur lui-même, c'est-à-dire qui tiennent cela du Verbe de Vérité et de la Sagesse même par qui tout a été fait ; ou encore le propre de ceux qui ont reçu du ciel des réponses divines, étant entrés dans le tourbillon et la ténèbre où Dieu lui-même se trouve, là où à grand peine est entré le grand Moïse et a pu ainsi comprendre et exprimer de si grandes choses. Mais nous, par le seul fait que nous croyons, bien que médiocrement, dans le Christ Jésus, et que nous nous glorifions d'être ses disciples, nous n'osons pas cependant dire que nous avons perçu face à face le sens qu'il nous a transmis de ce qui est contenu dans les livres divins ; car je suis certain que le monde lui-même ne pourrait le contenir d'une façon proportionnée à la force et à la majesté de ses significations. C'est pourquoi nous n'osons affirmer ce que nous disons comme les apôtres l'ont pu et nous rendons grâce de ce que, alors que tant ignorent leur ignorance et affirment en toute conscience, selon ce qu'il leur paraît, par manière d'affirmations très véridiques, tout ce qui leur passe par l'esprit, sans règle ni ordre, parfois même d'une manière stupide ou mythique, nous, au sujet de ces grandes réalités et de tout ce qui nous dépasse, nous n'ignorons pas notre ignorance ».

A cette théologie en recherche se rattachent plusieurs traits de la méthode théologique d'Origène. D'abord les discussions entre deux ou même trois termes d'une alternative, parfois même sans conclure, en laissant la question ouverte, à la liberté du lecteur. Ainsi dans le *Traité des Principes* celles qui concerne la corporéité ou l'incorporéité finale [41] : chaque terme de l'alternative est développée avec toute sa force, munie de tous les arguments qui la fondent, d'ordre philosophique pour l'incorporéité, d'ordre scripturaire pour la corporéité. Si Origène ne se prononce pas dans ce livre entre les deux solutions, dans ses autres œuvres seule apparaît la corporéité finale, conformément au dogme de la résurrection, et d'une résurrection qui est un état définitif. Ou, toujours dans le même livre, la discussion sur l'unité ou la dualité de l'âme en chaque homme se termine sans solution : mais l'opinion

41. *PArch* I, 6, 4 ; II, 3, 2-3 ; III, 6, 1-4 ; IV, 4, 8. Sur ces textes voir J. RIUS-CAMPS, « La suerte final de la naturaleza corpórea según el Peri Archon de Orígenes », paru à la fois dans *Vetera Christianorum* 10, 1973, 291-304 et dans *Studia Patristica* XIV (*Texte und Untersuchungen* 117) 1976, 167-179.

d'Origène, telle qu'elle se manifeste ailleurs, participe des deux. Dans les commentaires aussi bien des questions restent ouvertes [42]. Le comportement d'Origène peut alors être comparé à celui d'un professeur de philosophie qui s'efforce de présenter à ses élèves diverses doctrines avec toute leur prégnance et leur force probante même si personnellement il en tient une autre ou s'il n'est décidé pour aucune. Ainsi Origène agissait-il lorsqu'il lisait devant ses élèves des textes de tous les philosophes à l'exception des athées, selon le témoignage du Thaumaturge [43]. Ce n'est pas là un pur jeu intellectuel, mais très souvent un approfondissement et, même si apologétique il y a, apologétique plus profonde, car il n'est pas possible de juger sérieusement une doctrine si on n'a pas fait un effort sincère pour la comprendre. Il arrive aussi à Origène de se mettre à la place du philosophe qui tient telle théorie et d'en présenter les arguments sans la tenir lui-même et en le précisant nettement à la fin de l'exposé. Pamphile en fait la remarque à propos de la métempsychose en rapportant la dénégation finale sous une forme analogue à celle que reproduit Jérôme. Mais Jérôme se scandalise qu'Origène ait osé parlé d'un sujet si impie, et, sans tenir compte de la protestation finale, ni des nombreux textes des commentaires sur Jean, sur Matthieu et du *Contre Celse* [44] qui critiquent la métempsychose, y voit une manière hypocrite de faire passer des opinions erronées. En fait dans un livre comme le *Traité des Principes* Origène ne pouvait se dispenser de mentionner ce sujet professé par plusieurs écoles philosophiques et qui ne manquait pas d'inquiéter des chrétiens [45].

Une déficience d'Origène a eu des conséquences graves et l'a fait accuser d'hérésies multiples, souvent d'ailleurs contra-

42. H. J. Vogt, « Wie Origenes in seinem Matthäuskommentar Fragen offen lässt » dans *Origeniana Secunda* (éd. H. Crouzel et A. Quacquarelli), Rome 1980, 191-198.

43. *RemOrig* XIII, 151-157.

44. *ComJn* VI, 10-14 (7), 62-87 ; *ComMt* X, 20 ; XI, 17 ; XIII, 1-2 (*GCS* X) ; *CCels* III, 75 ; IV, 17 ; V, 49 ; VIII, 30 et d'autres textes dans d'autres œuvres.

45. Voir en *SC* 253 pp. 119-125 (notes 28 et 29) le commentaire de *PArch* I, 8, 4 avec les fragments de Pamphile, Jérôme et Justinien. Pareillement les explications de Pamphile en *PG* 17, 607 C-608 A. Et encore à propos d'Origène et de la métempsychose G. Dorival, « Origène a-t-il enseigné la transmigration des âmes dans les corps d'animaux ? » dans *Origeniana Secunda*, Rome 1980, pp. 11-32.

dictoires entre elles : il ne s'est jamais suffisamment soucié de
« définir » ce qu'il avait à dire, c'est-à-dire d'essayer de donner
sur un point une opinion complète et balancée, réunissant dans
un même texte les tensions d'antithèses qui caractérisent la
doctrine chrétienne, de façon à laisser le moins de prise possible aux mauvaises interprétations. Dans ses exégèses Origène
est souvent très dépendant du texte scripturaire qu'il commente : il ne se préoccupe guère de l'équilibrer aussitôt par la pro-
position complémentaire que l'on trouvera ailleurs, à l'occasion d'un autre texte. C'est pourquoi pour connaître son avis
sur un sujet on ne peut jamais se contenter d'un texte isolé,
car dans ce cas son opinion apparaîtra unilatérale : ce sont
tous les textes de ses œuvres, ou du moins de ce qui en reste,
se rapportant au même sujet, qui doivent être étudiés, car ils
se complètent et se rectifient les uns les autres. Quand on
a fait ce travail on se rend compte que les prétendues hérésies
qui lui sont reprochées n'ont pratiquement pas de fondement
valable. Nous touchons là à une des principales difficultés de
son étude, la nécessité de l'examiner dans toutes les œuvres
que nous possédons avant d'affirmer quoi que ce soit à son
sujet.

Selon la version de Rufin la préface du *Traité des Principes*
s'achève ainsi :

> « Il faut partir de là (= des divers points de la règle de foi)
> comme d'éléments ou de fondements selon le précepte : "Allu-
> mez en vous la lumière de la connaissance"[46], quand on
> désire construire comme un ensemble et un corps de doctrine
> (*seriem quandam et corpus*) à partir des raisons de tout cela,
> pour approfondir à l'aide d'assertions claires et nécessaires la
> vérité de chaque point, afin d'en faire, comme nous l'avons
> dit, un seul corps de doctrine, à l'aide de comparaisons et
> d'affirmations, celles qu'on aura trouvées dans les saintes
> Ecritures ou celles qu'on aura découvertes en recherchant la
> conséquence logique et en suivant un raisonnement droit. »

Bien des historiens ont traduit l'expression « corps de doctrine » par « système » et ce dernier mot a été employé à
satiété à propos du *Traité des Principes*. Si on prend la définition de l'*Encyclopédie Larousse*[47], « réunion de principes
coordonnés de façon à former un tout scientifique ou un corps

46. *Os* 10, 12.   47. 1964, X, p. 123.

de doctrine », il faut reconnaître qu'en ce sens Origène est
fort peu systématique. Sa théologie en recherche, ses tensions
d'antithèses qu'il ne se préoccupe guère d'équilibrer sur le
champ, ses affirmations sous forme dubitative, seraient autant
de lézardes dans un pareil édifice. Un théologien d'ailleurs
peut-il être systématique ? Comment pourrait-on enfermer
Dieu dans un principe rationnel pour en tirer des conséquences, alors que, dans son absolue simplicité, il est très au-delà
des prises de l'homme qui ne peut que l'entrevoir par une
multiplicité de voies, antithétiques les unes aux autres. N'oublions pas que d'après le Thaumaturge Origène critiquait
durement le travers systématique des philosophes [48] et aussi
qu'il les accusait souvent d'idolâtrie parce qu'ils adorent l'œuvre de leur esprit. Ainsi les exposés d'Origène sont rarement
systématiques, même dans le *Traité des Principes*.

Néanmoins la conception d'un Origène systématique a
dominé l'idée qu'on a donnée de lui dans la première moitié
du xxᵉ siècle. Malgré les explications de Pamphile, bon
connaisseur en la matière, mais *a priori* suspect parce qu'apologiste, on a identifié la pensée d'Origène à un « système »
obtenu en absolutisant certaines idées du *Traité des Principes*
sans voir qu'elles relevaient d'une « théologie en exercice ».
On n'a pas remarqué la présence de traits opposés dans le
même livre et dans l'ensemble de l'œuvre. On accordait moins
d'importance aux ouvrages conservés en grec qu'au *Traité
des Principes* qui nous est parvenu en bonne partie en traduction, mais qui était considéré comme l'ouvrage dans lequel
Origène avait systématisé sa pensée. Dans l'appréciation de
ce dernier livre Rufin était radicalement disqualifié, bien
au-delà des modifications qu'il avait avouées dans sa préface, et cela permettait de substituer arbitrairement à ses
affirmations celles qu'aurait dû tenir l'Origène que le critique imaginait [49] : en revanche aucune tentative de critique
n'était exercée sur les fragments de Jérôme et de Justinien en
dépit, ou peut-être même à cause, de leur animosité vis-à-vis
de l'Alexandrin et de l'effacement du contexte de ces fragments qui est bien souvent celui d'une discussion : comme si
la haine était plus crédible que l'amour. D'autre part jusqu'au

---

48. *RemOrig* XIV, 158-173.
49. L'illustration la meilleure est le volume III de l'*Origène* de E. de
Faye indiqué note 34.

livre de A. Guillaumont, *Les 'Kephalaia Gnostica' d'Evagre le Pontique et l'histoire de l'origénisme chez les Grecs et chez les Syriens* [50] on n'avait guère d'idée des différences qui séparent la doctrine propre d'Origène et l'origénisme postérieur, celui d'Evagre le Pontique et des moines égyptiens et palestiniens du IVe siècle, celui d'Etienne bar Sudaïli et des moines palestiniens du VIe siècle : on a traité cette « scolastique » d'Origène comme si elle était en tout point conforme à la pensée du maître qu'elle systématisait, supprimant hésitations et antithèses, formant un système avec la petite partie de sa doctrine qu'elle conservait. C'est ainsi que P. Koetschau dans son édition du *Traité des Principes* croyait pouvoir insérer dans le texte rufinien lui-même, comme si Rufin les avait éliminés, non seulement les fragments de Jérôme et de Justinien qui avaient au moins le mérite de se rapporter à ce livre, mais d'autres fragments qui étaient une peinture de l'origénisme postérieur et émanaient d'antiorigénistes, jusqu'au *De Sectis* du Pseudo Léonce de Byzance et aux anathématismes de 553 attribués au cinquième concile œcuménique, mais visant explicitement les origénistes du temps [51].

Les causes des malentendus entre Origène et la postérité [52]

Les causes des malentendus qui ont fait accuser Origène d'hérésies multiples, souvent contradictoires, peuvent se ramener en grande partie à l'ignorance par ses détracteurs de l'évolution historique et du développement du dogme, c'est-à-dire du processus par lequel la pensée chrétienne prend au cours des siècles une conscience plus aiguë et plus étendue de ce que comportent sa foi et sa tradition. Un lecteur nous rétorquera peut-être : le sens historique et une doctrine du développement du dogme sont des notions relativement récentes. Vous commettez donc vous aussi un anachronisme et les reprochant aux accusateurs d'Origène. Il ne s'agit pas pour nous d'accuser ses accusateurs, mais de décider si la mémoire de leur victime doit encore subir les conséquences de leurs contresens ou de leurs fautes de méthode.

50. Paris 1962.
51. Voir dans l'introduction à *SC* 252 (*PArch* I-II) p. 33.
52. Voir la première partie de l'article cité note 35, pp. 161-186. Dans *SC* 252, pp. 33-46.

Nous venons de voir qu'Origène n'a pas la préoccupation de « définir » ce qu'il dit : son vocabulaire est rarement fixé et pour percevoir l'équilibre des antithèses qui expriment sa doctrine il faut l'étudier dans tous ses textes conservés qui traitent du sujet, afin de ne pas l'accuser faussement d'hérésies contradictoires. Mais, à part Tertullien avec sa formation de juriste, les Pères anténicéens ont rarement le souci de définir. Deux raisons principales le rendront nécessaire dans les temps qui suivront. D'abord l'accord entre l'Eglise et l'Etat à partir de Constantin va entraîner de plus en plus dans la forme une assimilation de la règle de foi avec la loi civile. Il est frappant ainsi de constater que les premiers conciles dont nous possédons des canons sont du début du IVe siècle : seul le tout premier, celui d'Elvire, dont nous ignorons la date exacte, semble antérieur à ce qu'on appelle l'Edit de Milan. La seconde raison est constituée par la réaction à la crise arienne qui a duré dans l'Empire romain jusqu'à la fin du IVe siècle. L'habileté avec laquelle Ariens ou Arianisants retrouvaient leur doctrine dans les professions de foi de leurs adversaires obligeaient ces derniers à porter une grande attention aux termes qu'ils employaient. Origène n'a jamais eu de préoccupation semblable. Mais il sera jugé en fonction de ces exigences nouvelles, notamment dans la controverse qui fit rage à la fin du IVe siècle et au début du Ve. Un exemple entre autres : Théophile d'Alexandrie jugera scandaleuses et contradictoires entre elles deux phrases qui se trouvent dans le *Traité des Principes* [53] à une demie-page de distance, sans avoir la

---

53. IV, 4, 4. Dans la *Lettre Pascale* de 402, connue par la traduction de Jérôme, lettre 98 dans sa correspondance § 16 (*CUFr* V) : ce passage est cité en grec par Théodoret de CYR, *Eranistes*, Florilège II, § 58 (éd. G. H. Ettlinger, Oxford 1975). Le premier texte est le suivant : « En effet l'âme qui était dans le trouble et dans la peine n'était pas le Fils Unique et le Premier Né de toute production (*Col* 1, 15), ni le Logos-Dieu qui est supérieur à l'âme : le Fils lui-même dit ”J'ai le pouvoir de la déposer et le pouvoir de la reprendre ” (*Jn* 10, 18). » Et le second : « Comme le Fils et le Père sont un, de même l'âme qu'a assumée le Fils et le Fils lui-même sont un. » Nous traduisons dans le premier texte *ktisis* par « production », car Origène ne lui donne pas le sens de « création ». La place de ces deux passages dans *SC* 268 (voir *SC* 269 notes 31 p. 251 et 34 p. 253) est à une demie page de distance. Le premier dont le but est de montrer que ce n'est pas la divinité du Christ, mais son humanité qui a souffert, semble trop les séparer ; au contraire le second emploie une comparaison maladroite pour affirmer leur unité. Après Nicée et Constantinople on dira que l'unité du Père et du Fils est une unité de nature, celle du Fils

pensée d'expliquer l'une par l'autre. Le scandale de Théophile montre l'absence d'une méthode d'interprétation élémentaire qui consiste à éclairer mutuellement les divers éléments d'un texte, au lieu de les opposer comme si chacun était un absolu.

Entre la première moitié du iiie siècle où vécut Origène et la fin du ive où se déchaîne la première crise origéniste la situation de l'Eglise et par contrecoup celle du monde païen et de l'Empire lui-même ont subi des mutations considérables qui ne permettent guère à l'Eglise triomphante du ive siècle de comprendre équitablement l'Eglise minoritaire et persécutée du iiie. Devenu religion dominante le Christianisme s'organise : les questions de structure ecclésiastique et d'autorité prennent de plus en plus de place. La règle de foi, par suite de la crise arienne, s'est considérablement précisée et tend à s'imposer à l'instar de la loi civile. On va en conséquence projeter sur Origène des exigences qui sont celles de la société chrétienne du ive siècle — ou plus tard du vi[e] — et se scandaliser de ce qu'il les remplisse si mal.

Ce changement de mentalité joue principalement dans l'attitude à l'égard de la philosophie. Le grand effort de conversion de l'intelligentsia qu'entreprennent aux iie et iiie siècles Clément et Origène ne pouvait pas ne pas porter sur la philosophie grecque qui représentait l'essentiel de la culture. Ils devaient donc parler le langage des philosophes pour être compris et essayer de montrer la lumière que la foi chrétienne jetait sur leurs problèmes. Certes, aux ive et ve siècles, d'éminents théologiens s'intéresseront aussi à la philosophie, comme les Cappadociens, Ambroise et Augustin, mais ils ne sont pas de ceux qui s'acharneront particulièrement sur Origène. On a l'impression que si Jérôme manifeste parfois une certaine érudition philosophique, la philosophie païenne n'est guère considérée par lui comme une force de l'époque qui mériterait encore d'être convertie. Pour Théophile à l'égard du paganisme la manière forte suffit. Quant au « pentaglotte » Epiphane son intelligence ne s'élève pas à ces spéculations. Déjà au début même du ive siècle Méthode, qui n'est pourtant pas ignare en philosophie met deux contresens philosophiques considérables à la base de ses deux principales attaques contre

avec son humanité une unité de personne. Mais interprétés ensemble, comme le demande leur proximité, ils ne méritent pas le scandale de Théophile.

Origène, *Aglaophon ou De la Résurrection, Xénon ou Des Créatures* [54]. Les détracteurs d'Origène ne comprennent pas le langage platonicien qui oppose Vérité à image et non à mensonge et à propos du Père Vérité du Fils qui est son Image Théophile prête à Origène un blasphème au prix d'un lourd contresens : « Le Fils comparé à nous est la Vérité, comparé au Père un mensonge. [55] »

Nombre de problèmes soulevés dans le *Traité des Principes* sont des questions d'ordre philosophique qui intéressaient les contemporains. Au ive siècle ils intéressent moins. Le désir d'Origène de concilier la fidélité à la tradition avec une certaine liberté de recherche qui laisse place, à côté d'affirmations dogmatiques et fermes sur les points qui sont sûrs, à des hypothèses ou à des opinions présentées de manière plus ou moins dubitative ne peut guère trouver place dans la mentalité des accusateurs. On n'acceptera pas davantage qu'Origène expose des doctrines tenues par des adversaires du christianisme qu'il faut cependant présenter honnêtement. Il est vrai aussi que, comme nous l'avons dit, la règle de foi s'est fortement précisée après la crise arienne et que bien des questions qui pouvaient rester ouvertes à l'époque d'Origène ne le peuvent plus à celle de Jérôme.

Nous avons énuméré les hérésies contemporaines d'Origène auxquelles sa théologie a essayé de répondre. Les ive et ve siècles n'en manquent pas non plus et l'esprit d'un Epiphane et d'un Jérôme en sera en quelque sorte obsédé. Mais ces hérésies sont autres. Ils liront Origène à la lumière de ces nouvelles erreurs, au lieu de le considérer d'après celles qu'il a dû affronter. On va lui reprocher de toutes façons de n'avoir pas prévu les hérésies à venir, de ne pas leur avoir répondu d'avance et d'avoir même employé naïvement des expressions auxquelles elles donneront un sens hérétique.

On va alors lire Origène dans la perspective d'hérésies autres que celles qu'il visait : comme il ne les avait pas prévues, certaines de ses expressions ou spéculations pouvaient, avec les « coups de pouce » nécessaires, donner à croire qu'il les tenait, surtout lorsqu'on négligeait de chercher dans d'autres passages de son œuvre la clef de ses affirmations. La principale est l'arianisme. Origène dont le vocabulaire trinitaire est

---

54. Pour l'*Aglaophon* voir pp. 329-330 et pour *Xénon* p. 247-248.
55. *PArch* I, 2, 6 : voir *SC* 253, note 41, pp. 42-44.

encóre insuffisamment précisé, pouvait sembler s'opposer à l'unité de nature définie à Nicée, bien qu'il en ait l'équivalent, sur un mode dynamique plus qu'ontologique. Certaines expressions pouvaient tirer son subordinatianisme qui s'explique par l'origine et l'« économie » dans la direction du subordinatianisme arien d'inégalité dans des textes qui n'affirment pas autre chose qu'une hiérarchie d'origine. En outre, il est constamment accusé, pour des raisons de vocabulaire que nous allons expliquer, de faire du Fils et de l'Esprit des créatures du Père. Ses détracteurs ne tiennent alors aucun compte de ses spéculations sur la génération éternelle du Verbe dans le *Traité des Principes* lui-même et de la célèbre formule dont Athanase lui-même atteste la présence chez Origène : « *ouk èn hote ouk èn* — Il n'y a pas eu de moment où (le Verbe) n'était pas » [56].

Quand on étudie l'ensemble des textes où Origène traite des rapports de la grâce divine avec la liberté humaine, les complétant les uns par les autres, on s'aperçoit qu'il est orthodoxe sur ce point. Mais cette question ne s'était pas encore posée clairement à la conscience chrétienne comme il en sera le cas avec la controverse pélagienne : c'est pourquoi certains passages peuvent être facilement entendus dans un sens pélagien ou semipélagien, alors que d'autres expriment les nuances de la foi chrétienne avec autant de précision que le concile d'Orange [57]. Mais l'existence des premiers permettra à Jérôme de faire d'Origène l'ancêtre de Pélage.

Justinien a vu du nestorianisme dans la doctrine origénienne de l'âme du Christ quand il introduit ainsi un de ses fragments : « il dit que le Seigneur est un simple homme » [58]. Ce jugement ne tient aucun compte du fait que le chapitre visé du *Traité des Principes* développe une doctrine de la « communication des idiomes », c'est-à-dire de la communication à l'homme Jésus des qualités du Verbe et au Verbe des qualités de l'homme, doctrine incompatible avec le nestorianisme, et que certains traits du même chapitre, notamment l'image du

56. I, 2, 9 (Rufin) ; IV, 4, 1 (Rufin et grec d'Athanase) ; *ComRm* I, 5 (*PG* 14) (Rufin).

57. On peut ainsi opposer le *FragmJn* XI (*GCS* IV) d'allure semipélagienne et un texte d'authenticité indiscutable, *ComJn* VI, 36 (20), 181 : le Concile d'Orange ne s'est pas mieux exprimé que ce dernier passage.

58. Fragment correspondant à *PArch* II, 6, 4 : *SC* 253, note 25, pp. 178-179.

fer qui, plongé dans le feu, devient feu, ont pu être taxés de monophysisme. Traiter quelqu'un à la fois de nestorien et de monophysite, pour le même texte, hérésies contradictoires l'une par rapport à l'autre, montre d'une part qu'il est sur ce point orthodoxe — puisque l'orthodoxie réside dans le respect des tensions d'antithèses que l'hérésie brise — et ensuite que ces termes ne peuvent convenir adéquatement à un théologien qui leur est antérieur. Accuser un théologien d'une hérésie qui lui est postérieure sur la foi d'expressions qui prendront ensuite ce sens, sans avoir fait l'effort de rassembler tous ses textes sur ce sujet pour voir si vraiment il professait cette opinion, alors qu'il ne pouvait avoir comme nous l'attention attirée sur le danger de telles formulations est évidemment pour un historien une faute majeure contre l'histoire : même si les anciens ont droit à des excuses, on ne peut en rester à leur jugement.

Origène a donc été lu aux ive et vie siècles par des théologiens préoccupés d'autres hérésies que celles qu'il avait connues et ses accusateurs ne tenaient guère compte de celles qu'il avait combattues lui-même. Telle est la raison de l'absurde reproche fait par Epiphane et auquel Jérôme eut la faiblesse de faire écho : Origène a dit que le Fils ne voit pas le Père. Or cela est dit dans un chapitre traitant de l'incorporéité divine [59] et attaquant les Anthropomorphites qui attribuent à Dieu un corps : c'est pourquoi Origène insiste sur son invisibilité. Mais si le Fils ne *voit* pas le Père, parce que voir est un acte corporel et suppose un corps, le Fils *connaît* le Père. Même si la clarté de ce passage dans la version de Rufin viendrait selon Jérôme de ce que Rufin aurait inséré là une explication que donnait Didyme l'Aveugle dans ses scolies sur le *Traité des Principes* [60], l'abondance des spéculations d'Origène dans ses autres œuvres, conservées en grec, sur la connaissance que le Fils a du Père, rend inacceptable l'accusation de Jérôme : il entend en effet cela, et Epiphane de même, comme si Origène disait que le Fils ne connaît pas le Père et cette affirmation est liée dans leur pensée à celle que le Fils serait une créature, à la manière arienne.

Les malentendus des crises origénistes ont aussi pour cause le progrès considérable, nous l'avons dit, de la doctrine de la

---

59. *PArch* I, 1, 8 : *SC* 253, note 36, pp. 27-29.
60. *Contre Rufin* II, 11.

Trinité et de la Christologie à cette époque. L'accusation de nestorianisme formulée par Justinien ne s'expliquerait pas sans le développement de la notion de personne. Origène n'a pour cela aucun terme précis. Le mot latin *persona,* qu'il soit d'origine étrusque (*phersu* = masque) ou qu'il soit en rapport avec le latin *personare,* résonner, signifiait le masque de théâtre qui servait de porte-voix : il passa de là à l'acteur qui porte le masque, au personnage que l'acteur représente, puis entra dans le langage juridique pour désigner le sujet de droits et de devoirs ; Tertullien l'introduisit dans le langage théologique. Son correspondant grec *prosôpon* qui signifiait lui aussi primitivement le masque de théâtre mis devant le visage (*pros ôps*), l'acteur, le personnage qu'il joue, puis le visage lui-même, passa avec Hippolyte dans la langue théologique, peut-être sous l'influence du latin *persona.* Origène ignore ce sens de *prosôpon* et ses équivalents les plus proches sont *hypostasis* et *ousia* qui ne rendent pas l'idée précise d'une substance intellectuelle. Il a cependant, comme ses prédécesseurs et Philon le Juif, le sens de la personnalité divine, comme le montre notamment son concept de grâce, et de la personnalité humaine, avec la place que tient chez lui le libre arbitre et le refus de l'extase-inconscience. S'il avait eu un concept précis de la personne, sa doctrine de l'âme préexistante du Christ aurait échappé difficilement au nestorianisme, car il aurait alors semblé donner au Verbe-Homme une double personnalité, celle du Verbe et celle de l'âme. C'est donc le progrès de la théologie qui a fait passer Origène pour hérétique.

Quand nous étudierons la doctrine origénienne des débuts de l'humanité [61], nous verrons à la suite de Pamphile pour quelles raisons il a adopté, à titre d'hypothèse favorite, ce qu'il y a de plus étrange dans sa théologie, la préexistence des âmes. Disons seulement pour le moment que l'Eglise n'avait alors aucune doctrine sur l'origine des âmes sinon leur création par Dieu et que les deux opinions entre lesquelles se partageaient les chrétiens, le traducianisme — l'âme vient comme le corps de la semence paternelle — et le créationnisme — Dieu crée directement l'âme de chaque homme à l'occasion de la croissance de l'embryon — étaient exposées à de très graves critiques, surtout de la part des Marcionites. Origène a pensé y échapper par l'hypothèse de la préexistence. Bien

61. Chapitre XI.

que sa solution ait été, dès le début du IVe siècle — puisque Pamphile, sans la défendre, essaie de l'expliquer — l'objet de fortes attaques, la question de l'origine de l'âme ne cessera de tourmenter Augustin jusqu'à la fin de sa vie, à l'époque des *Rétractations :* l'Eglise n'avait donc pas encore au Ve siècle de position ferme à ce sujet.

Dans les accusations portées contre Origène jouent encore des questions de vocabulaire : par manque de sens et de connaissances historiques ses détracteurs lisent les expressions qu'il emploie selon le sens qu'y met leur époque et qui n'est pas celui d'Origène. Ainsi dans la préface du *Traité des Principes* il déclare, d'après la traduction de Rufin, que le Christ « est né (*natus*) du Père avant toute création », puis se demande si le Saint Esprit « est né ou non né ». Dans la lettre 124 à Avitus Jérôme transpose ainsi la première phrase : « le Christ, Fils de Dieu, n'est pas né mais fait (*factum*) » et la seconde à propos du Saint Esprit « s'il est fait ou non fait » [62]. Ainsi Origène est-il tiré vers l'arianisme. Cette divergence s'explique facilement : le texte d'Origène devait comporter *génètos* et *agénètos* avec un seul n. Pour lui, comme généralement avant la crise arienne, *génètos* et *génnètos, agénètos* et *agennètos,* avec un seul n ou avec deux, sont équivalents et interchangeables. Au IIIe siècle en effet les consonnes doubles ne sont plus prononcées et on voit fréquemment Origène dans le *Contre Celse* appeler *génésis* avec un seul n et non *génnèsis* avec deux n la génération de Jésus par Marie. La nécessité de distinguer création de génération pour répondre à l'arianisme entraînera de nouveau la spécialisation des formes avec un n pour signifier la création (*gignomai*) et des formes avec deux n pour indiquer la génération (*gennaô*). Jérôme, ne tenant aucun compte de ce qu'Origène dit ailleurs, et dans le *Traité des Principes* lui-même, de la génération du Fils, traduit *génètos* et *agénètos* selon l'usage théologique de son temps par *factus* et *infectus :* Origène ferait alors du Fils et de l'Esprit des créatures. Rufin n'a probablement pas plus conscience que Jérôme de la différence du vocabulaire, mais il tient compte des autres textes et sa bienveillance lui épargne un très grave contresens.

La même remarque est à faire sur l'emploi par Origène et les Anténicéens du verbe *ktizein* et de ses dérivés *ktisis, ktisma.*

---

62. Voir *SC* 253, note 14, p. 13 et note 21, pp. 14-16.

Pr 8, 22 met dans la bouche de la Sagesse, qui pour la plupart des Pères primitifs représente le Fils, les mots « *ho kyrios ektisen me* » et peu après il est question de la génération (*gennaô*) de la Sagesse. Pareillement *Col* 1, 15 appelle le Christ le Premier-Né de toute *ktisis,* l'incluant ainsi dans la *ktisis.* C'est pourquoi ces mots n'ont pas pour Origène le sens strict de créer : d'après *Gn* 1-2 suivant la Septante *poiein* désigne la création des natures spirituelles et *plassein* celle des matérielles. Donc *ktizein* s'applique à toute la « production » divine, par génération ou par création. La gradation *ktisma/ poièma/plasma* se trouve expressément avec ce sens dans le *Commentaire sur Jean* [63]. Cet usage origénien est attesté aussi dans la lettre du Pape Denys au sujet de Denys d'Alexandrie, dans l'« affaire des deux Denys » : « L'expression *ektisen* n'a pas, vous le savez bien, un seul sens. [64] » La querelle arienne obligera à une terminologie plus stricte. A cause de ce vocabulaire anténicéen, non adapté à la théologie plus ferme qu'engendra la réaction à l'arianisme, Origène sera accusé par Epiphane et par Jérôme de faire du Fils et de l'Esprit des créatures, malgré de nombreux textes clairs et indiscutables.

Une autre cause de malentendu a été la projection sur Origène des doctrines des divers origénismes. A l'époque de chacune des deux grandes crises origénistes existaient de soidisant origénistes qui eurent une responsabilité dans leur déclenchement. Dans la seconde moitié du IVe siècle des spéculations et une spiritualité inspirées d'Origène florissaient dans les déserts égyptiens, où elles se heurtaient à l'hostilité d'autres moines, héritiers des *simpliciores* d'Origène et tenant comme eux des opinions anthropomorphites. Nous connaissons surtout les victimes des proscriptions de Théophile, Isidore et quatre moines, frères par le sang — deux d'entre eux avaient été élevés à l'épiscopat — que l'on appelle à cause de leur taille, les « Longs Frères » : exilés par le « Pharaon ecclésiastique » ils furent reçus charitablement par Jean Chrysostome à Constantinople et ce fait déclencha contre Jean les persécutions de Théophile. Le principal représentant de l'origénisme à cette époque est Evagre le Pontique.

Le rapport de cet origénisme à Origène peut s'exprimer par

---

63. XX, 22 (20), 182 : cité *infra* p. 276-277.
64. Dans DENZINGER-SCHÖNMETZER, *Enchiridion symbolorum, definitionum et declarationum* § 114 (50).

une image : « *Origènes aqua de mare* — Origène, c'est l'eau
de la mer », disait une lettre latine du ixe siècle [65]. Mais
l'océan origénien a ses flux et ses reflux, ses courants et ses
contre-courants. L'Alexandrin est plus un mystique qu'un
logicien et tend vers une réalité inconnaissable vers laquelle il
se fraye des voies diverses. De là vient la structure antithéti-
que de son esprit : il s'agit d'antithèses dont les termes ne sont
pas toujours rationnellement exprimés l'un avec l'autre, l'aspect complémentaire se trouvant ailleurs, dans un autre passage. Sur cette théologie qui bouillonne en tous sens l'origénisme postérieur opèrera une mise en ordre : il laissera tomber un aspect des antithèses et avec le reste construira un
système. Ce procédé est le meilleur qui soit pour faire d'une
doctrine une hérésie : l'hérésie en effet supprime la tension
des antithèses qui expriment la doctrine chrétienne, elle refuse
un des aspects pour absolutiser l'autre.

Les détracteurs d'Origène au ive siècle sont entrés en lice
à cause de l'origénisme de leur temps plus qu'à cause d'Origène mort depuis un siècle et demi et ils ont lu l'Alexandrin
avec les lunettes que leur présentait l'origénisme contemporain.
Prenons un exemple précis. Quatre fois dans le *Traité des
Principes* Origène discute la question de la corporéité ou de
l'incorporéité finale des créatures raisonnables [66]. Si Rufin
privilégie la corporéité, il ne cache pas l'incorporéité. A travers Jérôme on ne voit pratiquement que l'incorporéité : il ne
donne que des extraits et, supprimant ainsi leur contexte de
discussion, il les dénature profondément. Dans l'exposé de
Jérôme les corps glorieux apparaissent comme un stade transitoire avant l'incorporéité complète. Si Origène ne prend pas
nettement position dans le *Traité des Principes* entre les deux
alternatives, on ne retrouve plus dans ses autres œuvres l'hypothèse de l'incorporéité. Or la solution privilégiée par Jérôme
est celle d'Evagre dans ses *Kephalaia Gnostica* [67]. On peut
penser que, sinon Evagre, du moins le milieu origéniste égyptien qu'il représente, est la source principale de l'opinion que
Jérôme impose à Origène.

Dans la première moitié du ive siècle un courant fortement

65. Citée par H. de LUBAC, *Exégèse Médiévale* I/1, p. 241 note 8.
66. Voir *supra* note 41.
67. Voir les sentences citées par A. GUILLAUMONT, *Les Kephalaisa Gnostica...* (voir note 50 et texte correspondant) p. 116.

évagrien se développe dans les laures de l'obédience de saint Sabas entre Jérusalem et la Mer Morte. Vers 514 Agapet, higoumène de la Nouvelle Laure, en expulse quatre moines « qui susurraient en secret les doctrines d'Origène » [68]. Parmi eux se trouve Nonnos qui va apparaître bientôt comme le chef du courant origéniste. Cet événement est, semble-t-il, en relation avec la présence dans la région de Jérusalem à partir de 512 d'un moine syriaque qui a dû quitter précipitamment Edesse à cause d'opinions qualifiées d'origénistes, Etienne bar Sudaïli, auteur du *Livre de saint Hiérothée,* le principal témoin subsistant aujourd'hui de l'origénisme de cette époque. Réadmis à la Nouvelle Laure à la mort d'Agapet, Nonnos et ses compagnons se taisent jusqu'en 532, date de la mort de Sabas. Alors, appuyés par plusieurs anciens moines palestiniens bien en cour auprès de Justinien, Léonce de Byzance — probablement le célèbre théologien —, Domitien, Théodore Askidas, ils dominent les couvents de la région. La mort de Nonnos en 547 brise l'unité du groupe : il y a d'une part les extrémistes, dits Isochristes, car pour eux tous les hommes seront dans l'apocatastase les égaux du Christ, d'autre part les modérés, appelés Protoctistes, car ils voyaient dans le Christ en tant qu'homme le premier créé, ou Tétradites parce que leurs adversaires les accusaient d'introduire le Christ-homme comme une quatrième hypostase dans la Trinité transformée en Tétrade. L'accord qui se fit entre antiorigénistes et modérés entraîna la condamnation des Isochristes en 553.

Le *Livre de saint Hiérothée* [69], écrit en syriaque, mais prétendûment écrit en grec par le maître légendaire du Pseudo Denys l'Aréopagite, est une sorte d'histoire épique des intellects depuis leur création dans l'égalité et l'indistinction, puis leur chute qui entraîne leur inégalité et leur distinction, à travers une ascension qui reproduit certains des moments de la vie du Christ, notamment la crucifixion et la résurrection, jusqu'à un état final où les intellects, devenus les égaux du Grand Intellect, le Christ, dans une apocatastase absolument universelle, dépassent le Christ et tout nom, même le nom divin, et s'absorbent en Dieu dans l'unité complète. Selon cet isochrisme extrême toute distinction de personne est appelée

68. CYRILLE de SCYTHOPOLIS, *Vie de saint Sabas* XXXVI, 124-125 : traduction française de A. J. FESTUGIÈRE dans *Les Moines d'Orient* III/2, pp. 50-51.
69. Ed. Marsh, Oxford 1927, en syriaque et traduction anglaise.

à disparaître dans une essence unique : toute distinction de
nature aussi, car chaque intellect au départ est déjà essence
divine, appelée à se fondre dans l'unité. Il n'y a pas dans
le Christ une nature divine consubstantielle à Dieu et une
nature humaine : sa nature est celle de tous les intellects, avec
la seule différence qu'il n'a pas participé à la chute qui a
entraîné leur différenciation et qu'il est devenu ainsi, provi-
soirement, leur chef et leur guide. Cette épopée étrange, au
souffle puissant, aboutit à un panthéisme qu'Evagre, dont la
doctrine est sous-jacente avec celle du Pseudo Denys, avait
évité. Quant au rapport d'une telle doctrine avec celle d'Origène, on reconnaît bien à sa base des idées ou des hypothèses
origéniennes, mais la construction d'ensemble n'a pas grand
chose à voir avec sa pensée.

Deux séries de documents condamnant Origène et l'origénisme proviennent de Justinien, ceux de 543 et ceux de 553.
Les premiers sont l'œuvre du synode domestique permanent
qui se réunissait près de l'empereur et furent soumis à la signa-
ture du Pape et des quatre patriarches orientaux : ils comprennent un *Liber adversus Origenem* ou *Lettre à Ménas*,
patriarche de Constantinople, des extraits du *Traité des Principes* et des anathématismes [70]. Ces documents visent Origène
lui-même, mais c'est l'origénisme palestinien du temps qui
préoccupe les moines antiorigénistes qui sont les auteurs du
florilège d'extraits et du libelle qui est à l'origine de la lettre.
Les anathématismes condamnent à travers Origène des points
mis en valeur par les origénistes contemporains et figent en
affirmations dogmatiques des hypothèses déjà durcies par les
disciples. On ne voit cependant pas de fondement chez Origène à certaines affirmations : le corps du Christ aurait été
formé avant que lui soient unis le Verbe et l'âme (anathématisme 3) ; les corps glorieux seraient sphériques (!, anathématisme 5). Quant à l'anathématisme 7 déclarant que le Christ
sera à nouveau crucifié pour les démons il semble bien décou-
ler d'une incompréhension, sinon des origénistes, du moins de
Jérôme et de Justinien. La *Lettre à Ménas* elle-même prétend
qu'Origène situe dans le corps la participation de l'homme à

---

70. *PG* 86/1, col. 943-994 : on les trouve aussi dans les collections de
conciles de Mansi ou plus récemment de Schwarz. Les anathématismes de
543 (mais non ceux de 553) sont cités par DENZINGER-SCHÖNMETZER (voir
note 64), 403-411 (203-211).

l'image de Dieu : elle lui attribue ainsi une opinion qu'il a toujours combattue chez ses adversaires anthropomorphites.

Quant aux textes de 553, attribués au 5e concile œcuménique [71], Constantinople II, ils ne figurent pas dans les Actes officiels de ce concile : ils ne sont donc pas canoniquement l'œuvre d'un concile œcuménique. Selon l'hypothèse de Fr. Diekamp [72], ils auraient été discutés et votés avant l'ouverture officielle, quand Justinien s'efforçait sans succès de convaincre le Pape Vigile qu'il avait transporté de force à Constantinople et qui s'y opposait. D'autre part ces anathématismes visent explicitement les Isochristes, non Origène qui n'est cité que comme leur porte-étendard : il en est de même de la lettre de Justinien qui en contient l'ébauche. Enfin comme l'a montré A. Guillaumont [73], certains d'entre eux sont copiés sur les *Kephalaia Gnostica* d'Evagre. Dans les Actes officiels de Constantinople II, c'est-à-dire dans les anathématismes contre les Trois Chapitres Origène est cité dans la liste d'hérétiques de l'anathématisme 11 [74]. Or il ne figure pas dans l'*Homologia* de Justinien [75], ébauche de ces anathématismes, qui présente sous le n° 10 la même liste sans son nom. Il a été ajouté après coup, ce que confirme aussi le fait qu'il soit cité le dernier, alors qu'il est le plus ancien et que les autres sont rangés par ordre chronologique. Il est vraisemblable que son nom figure là à cause de la discussion sur les Origénistes qui a précédé l'ouverture du concile et qu'il est donc nommé en tant que symbole ou inspirateur prétendu des Isochristes. Les textes du Pape Vigile, approuvant après coup les décisions d'un concile tenu sans son accord, ne parlent pas d'Origène.

L'origénisme a donc eu toute une histoire et on ne peut prêter à Origène sans autre forme de procès les systématisations d'Evagre ou le panthéisme d'Etienne bar Sudaïli, sous prétexte qu'ils sont des « origénistes ». Avant d'attribuer à Origène lui-même les interprétations de ses détracteurs il faut se demander si ces derniers n'ont pas projeté sur lui les élucubrations de ses prétendus disciples.

71. Ils sont reproduits par Fr. DIEKAMP, *Die origenistischen Streitigkeiten im sechsten Jahrhundert und das fünfte allgemeine Concil* Münster 1899, pp. 90-97 et étudiés en détail par A. GUILLAUMONT (voir note 50 et texte correspondant).

72. Voir note 71.   73. Voir note 28 et texte correspondant.

74. DENZINGER-SCHÖNMETZER (voir note 64), 433 (233).

75. *PG* 86/1, col. 993 ss.

Pour essayer de retrouver avec certitude les doctrines d'Origène il faut donc les rechercher dans son œuvre propre, étudiée non pas à travers tel ou tel texte particulier, mais dans son ensemble. Comme ce qui reste de cette œuvre immense est encore considérable, cette recherche n'est ni simple ni facile. Il est nécessaire en outre d'avoir assez d'esprit historique et de connaissance de son époque pour ne pas projeter sur lui des cadres de pensée qui lui sont postérieurs. Ni les doctrines des origénistes, ni les imputations des antiorigénistes, ne peuvent suppléer à la lecture directe des œuvres de l'Alexandrin, car leurs affirmations sont toujours sujettes à caution. On a souvent, par exemple, étudié la doctrine origénienne de la résurrection des corps, sans la rechercher dans ses œuvres mêmes où elle est partout éparse, en la prenant à l'exposé que fait Méthode d'Olympe dans son *Aglaophon*, sans percevoir le considérable contresens qui est à la base des critiques de ce dernier.

Chapitre dixième

TRINITÉ ET INCARNATION

On lit parfois, sous la plume de spécialistes d'Origène, que la distinction fondamentale ne se trouve pas chez lui, comme dans la tradition biblique, entre le Créateur et la créature, mais, suivant des schèmes platoniciens, entre le monde intelligible ou spirituel et le monde sensible ou matériel. La seconde affirmation n'est pas fausse, mais la première l'est. Il y a en effet, d'après plusieurs passages du *Traité des Principes*, une opposition radicale entre la divinité et les créatures raisonnables, celle de la « substantialité » de la première et de l'« accidentalité » des secondes. Bien que le Fils et l'Esprit aient reçu tout ce qu'ils ont du Père, origine de la divinité et de l'univers, ils le possèdent comme leur bien propre et parfaitement, sans possibilité de croissance ou de diminution. Au contraire la créature raisonnable participe aux biens de la divinité toujours d'une manière imparfaite, qui peut croître ou décroître selon les mouvements du libre arbitre, et d'une manière précaire, bien que le progrès dans la charité entraîne un progrès vers l'immutabilité [1]. Ce caractère substantiel de tout ce que possèdent les trois personnes et qui s'étend même à l'âme humaine qu'a revêtue le Verbe — quoique douée de libre arbitre comme les autres âmes, elle est par sa participation au Verbe absolument impeccable — les distingue claire-

---

1. *PArch* I, 2, 10 ; I, 2, 13 ; I, 5, 3-5 ; IV, 4, 8. Voir dans *SC* 253 la note 69 des pages 51-52.

ment des créatures et fonde entre elles une égalité qui n'est pas inconciliable avec une hiérarchie intérieure à la Trinité.

Dans un passage du *Commentaire sur Jean* [2] qui a soulevé des scandales Origène remarque que dans *Jn* 1, 1 « le Dieu — *Ho Théos* » désigne le Père, pendant que le Fils est appelé « *Théos* — Dieu » sans article. « Le Dieu » est en quelque sorte le nom propre du Père, source et origine de la divinité. En ce qui concerne le Fils *Théos* est attribut, il désigne la divinité que le Fils reçoit du Père. Karl Rahner [3] a montré que ces explications sont strictement conformes à l'usage du Nouveau Testament : « Il y a en tout six passages dans lesquels le prédicat " Théos " est employé pour exprimer que le Christ a la nature divine. Il n'est pas sans intérêt de noter que dans tous ces passages le mot " Théos " pris absolument sans aucune adjonction n'est jamais employé avec l'article quand il s'agit du Christ. [4] » Mais un nombre considérable de textes du Nouveau Testament affirme la divinité du Christ en recourant à d'autres vocables. En tout cas chez Origène le terme « *Ho Théos* » sans aucun ajout s'applique habituellement au Père.

Le Dieu et Père

« Voici tout ce qui est transmis clairement par la prédication apostolique. D'abord il y a un seul Dieu qui a tout créé et établi, qui, alors que rien n'était, a fait être l'univers. Il est Dieu dès le début de la création et formation du monde, le Dieu de tous les justes, d'Adam, Abel, Seth, Enos, Enoch, Noé, Sem, Abraham, Isaac, Jacob, des douze patriarches, de Moïse et des prophètes. Et ce Dieu dans les derniers temps, comme il l'avait promis auparavant par ses prophètes, a envoyé notre Seigneur Jésus Christ, pour appeler d'abord Israël, puis les nations après l'infidélité du peuple d'Israël. Ce Dieu juste et bon, père de notre Seigneur Jésus Christ, a donné lui-même la loi, les prophètes et les évangiles : il est le Dieu des apôtres, celui de l'Ancien et du Nouveau Testament ».

La préoccupation essentielle de cet énoncé, qui ouvre la liste des propositions de la règle de foi dans la préface du

2. II, 1-2, 12-18.
3. *Écrits théologiques*, tome I, Paris 1959, pp. 81-111, surtout 93-96.
4. P. 94.

Traité des Principes [5], est de s'opposer aux doctrines marcionites et gnostiques qui séparent le Dieu créateur de l'Ancien Testament du Père de Jésus Christ, faisant du premier un Dieu juste, de l'autre un Dieu bon. Il n'y a qu'un seul Dieu qui a tout créé à partir de rien, qui a été le Dieu de tous les hommes saints de l'ancienne alliance, qui a promis par les prophètes la venue de son Fils et l'a envoyé ensuite. Il n'y a qu'un seul Dieu pour la loi, les prophètes et les apôtres, pour l'Ancien et le Nouveau Testament.

Dans le *Traité des Principes* ce qui concerne Dieu est examiné surtout en deux passages. Nous avons exposé plus haut le plan de cet ouvrage [6]. La première partie s'ouvre par une étude de la Trinité, d'abord le Père, puis le Fils, puis l'Esprit, puis l'activité propre de chacun d'eux. La deuxième partie fait de même, Père, Fils, Esprit. L'exposé de la première partie [7] s'attache surtout à des conceptions communes à Origène et au Moyen Platonisme. Le caractère incorporel du Père y tient une grande place : il est vrai aussi des deux autres personnes, abstraction faite, bien entendu, de l'Incarnation du Fils, et à plusieurs reprises le *Traité des Principes* [8] affirme que seule la Trinité est absolument incorporelle, les créatures raisonnables, incorporelles en tant qu'âmes, étant toujours unies à un corps, terrestre ou éthéré, même les anges et les démons. Le problème de fond est celui des anthropomorphismes divins, puisqu'il est impossible à l'homme, et c'est le cas de l'Écriture, de parler de Dieu autrement. Les adversaires visés sont à la fois les chrétiens anthropomorphites et les Stoïciens. Les anthropomorphismes comme feu, souffle, etc., sont expliqués de réalités divines. Dieu est pareillement incompréhensible, connu seulement à travers ses œuvres. Dieu est une nature intellectuelle absolument simple, dont la simplicité est exprimée, en grec dans le latin de Rufin, par les mots « monade », de *monos*, seul, et « hénade », de *heis*, un. En tant que nature intellectuelle pure, Dieu n'est pas dans un lieu et on ne peut lui appliquer à proprement parler des notions qui

---

5. § 4. Voir J. Rius-Camps, *El dinamismo trinitario en la divinización de los seres racionales según Orígenes*, Rome 1970. Du même « Comunicabilidad de la naturaleza de Dios según Orígenes », *Orientalia Christiana Periodica*, 34, 1968, 5-37 ; 36, 1970, 201-247 ; 38, 1972, 430-453 ; 40, 1974, 344-363. M. Simonetti, « Note sulla teologia trinitaria di Origene », *Vetera Christianorum* 8, 1971, 273-307.

6. P. 75.   7. I, 1.   8. I, 6, 4 ; II, 2, 2 ; IV, 3, 15 (27).

ne conviennent qu'au corps comme celle de grandeur. Enfin il est invisible et ne peut donc pas être vu par les yeux du corps. Quand Origène en vient à l'activité propre de chaque personne, il attribue au Père le don de l'existence : il est « celui qui est » [9] et la source de l'être. Lui-même ne tient de rien d'autre son existence et tous les autres tiennent la leur de lui. Tantôt il est dit *noûs,* intelligence, et *ousia,* existence, tantôt avec les Platoniciens « au-delà du *noûs* et de l'*ousia* » [10].

Mais nombre de ces caractéristiques divines empruntées au Moyen Platonisme se trouvent fréquemment contrebalancées par des affirmations dans un autre sens, tellement il est vrai que tout ce qui est affirmé de Dieu doit être aussi en même temps nié. Certes Dieu n'est pas sujet aux passions et les anthropomorphismes bibliques qui lui attribuent colère ou repentir ne sont pas sans signification, mais doivent être compris de certaines réalités divines. Cependant d'un texte célèbre d'une homélie sur Ezéchiel [11] nous apprenons que le Père lui-même n'est pas impassible, éprouve la passion de l'amour et que cela est l'origine de la Rédemption. Dieu pleure sur les pécheurs, se réjouit du salut des hommes. Il est certes l'origine et le créateur de tout, même de la matière, mais non du péché et du mal. Ce dernier point est expliqué sans désaccord avec la philosophie : le péché et le mal ne sont pas des réalités positives, mais négatives ; le péché est ce « rien » qui, selon *Jn* 1, 3, a été fait sans le Verbe. [12]

Le second texte du *Traité des Principes* [13] est dirigé contre les hérétiques, gnostiques certes, mais surtout marcionites. Origène réagit contre la séparation qu'ils mettent entre le Dieu créateur de l'Ancien Testament et le Père de Jésus-Christ : il montre que Jésus dans les Evangiles désigne toujours le Dieu Créateur comme son Père, que Paul fait de même ; il reprend la question des anthropomorphismes et enfin refuse la séparation marcionite du Dieu juste et du Dieu bon. Les hérétiques conçoivent faussement la justice et la bonté. D'ailleurs certains passages de l'Ancien Testament, s'ils ne sont pas allégorisés, ne permettraient pas de dire que le Dieu Créateur soit juste et certains du Nouveau pris à la lettre ne montreraient

---

9. *Ex* 3, 13.

10. *ComJn* XIII, 21, 123 ; XIX, 6, 37 ; *CCels* VII, 38 : Origène reprend là une formule de Celse.

11. VI, 6.   12. *ComJn* II, 13-15 (7-9), 92-111.   13. II, 4-5.

pas bon le Dieu dont ils parlent. Il ne peut pas y avoir justice sans bonté, ni bonté sans justice. Même quand Dieu châtie, il le fait par bonté. Et l'on trouve aussi Dieu dit bon dans l'Ancien Testament et juste dans le Nouveau.

Cette défense de la bonté du Dieu Créateur contre les attaques des Marcionites est un des points essentiels des conceptions d'Origène. C'est pour cela qu'il bâtit son hypothèse de la préexistence, afin d'écarter de Dieu pour la reporter sur le libre arbitre de l'homme la responsabilité des conditions inégales dans lesquelles naissent les êtres humains. C'est pour cela aussi qu'il tend à considérer comme médicinaux tous les châtiments, en reconnaissant toutefois la possibilité d'un endurcissement du libre arbitre dans le mal. Dieu est la source de toute charité qui déborde de lui sur le Fils et sur l'Esprit et de là sur les hommes. En tant que bon, que source de la charité, qu'origine de tout ce qui est, Dieu est Père, père du Fils Unique, père des fils adoptifs, et plus généralement père de toutes ses créatures.

Certes, Dieu agit dans le monde, comme nous allons le voir, par l'intermédiaire de son Fils et de son Esprit. Mais Origène est cependant fort loin de la conception du « Dieu oisif » [14] auxquels aboutissent certains courants de la philosophie grecque, exagérant l'impassibilité de Dieu. Car à travers le Fils, son ministre, et l'Esprit, c'est lui qui agit. De lui proviennent en quelque sorte les décisions concernant l'action de la Trinité, il est le centre de cette unité de volonté qui dirige l'activité des trois personnes. Son rôle est primordial, aussi bien dans les opérations intratrinitaires, génération du Fils et procession de l'Esprit, que dans la création, la Providence, la divinisation des créatures raisonnables, l'eschatologie. Tout cela sera étudié à propos du Fils, ministre et collaborateur du Père. Disons simplement ce qui suit. A propos de la génération du Fils il faut se garder d'un dilemme créé par nos anthropomorphismes. Si on se représente la liberté divine à l'instar d'une liberté humaine, ou bien on dira que le Père engendre librement son Fils et on en tirera la conclusion que le Fils aurait pu ne pas être, ou bien on niera qu'il engendre libre-

14. C'est à cette doctrine du « Dieu oisif » que s'oppose l'élève d'Origène, Grégoire le Thaumaturge, dans un écrit conservé en syriaque, *A Théopompe : Du passible et de l'impassible de Dieu*, publié par P. Martin dans J. B. PITRA, *Analecta Sacra*, tome IV, 100-120 (syriaque), 360-376 (latin).

ment son Fils et on ne fait alors ni plus ni moins que lui ôter sa divinité en lui imposant une nécessité qui le gouverne. Origène n'est pas tombé dans ces difficultés. D'une part il écrit à propos du Fils « né de lui (= le Père) comme une volonté de lui, procédant de l'intelligence » ce qui suit : « Je pense que la volonté du Père doit suffire à faire subsister ce que veut le Père. [15] » C'est la bonté du Père qui est « la source d'où le Fils est né et d'où l'Esprit Saint procède » [16]. La génération du Fils est donc de la part du Père un acte libre. Mais cet acte libre peut être dit en même temps nécessaire, car en Dieu liberté et nécessité coïncident. Dieu est Père de toute éternité, car il n'y a pas en lui de changement : il engendre donc son Fils de toute éternité [17].

En ce qui concerne la Providence, le soin continuel que Dieu prend de ses créatures, Origène se rencontre avec les Platoniciens et les Stoïciens et s'oppose aux Epicuriens et au *De Mundo* pseudo-aristotélicien. Mais la discussion d'Origène avec Celse, méso-platonicien teinté d'épicurisme, montre cependant une différence entre les deux conceptions : pour Origène la Providence divine atteint, certes, le monde entier, comme le veut Celse, mais elle s'étend plus particulièrement aux hommes, selon leurs personnalités [18] individuelles. Dans son *Remerciement* Grégoire le Thaumaturge montre la Providence divine s'occupant de lui individuellement dans toutes les péripéties de son existence, par l'entremise de l'Ange gardien et de son maître.

Enfin les affirmations que la création a été faite par Dieu à partir de rien, que la matière n'est pas coéternelle à Dieu, que les âmes ne sont pas inengendrées, se trouvent dans deux passages du *Traité des Principes* [19] sans parler du développement sur le même sujet qui prend place à la fin du même livre [20]. Ce sont bien là des opinions d'Origène et non des ajouts de Rufin : on les retrouve en effet en grec dans le tome I du *Commentaire sur Jean* [21], contemporain du *Traité des Principes,* avec les deux mêmes répondants scripturaires, *2 M 7, 28* et *Le Pasteur* d'Hermas [22], cité par Origène comme Ecriture.

---

15. *PArch* I, 2, 6.   16. *PArch* I, 2, 13.
17. *PArch* I, 2, 9 ; IV, 4, 1 selon Rufin et en grec selon Athanase.
18. *CCels* IV, 23 ss.   19. I, 3, 3 et II, 1, 5.   20. IV, 4, 6-8.
21. I, 17 (18), 103.   22. Précepte I (26), 1.

Le Fils de Dieu dans sa divinité

« Ensuite Jésus Christ, celui qui est venu, est né du Père avant toute création. De même qu'il a aidé le Père dans la création de toutes choses, car tout a été fait par lui [23], de même dans les derniers temps, s'anéantissant lui-même, il s'est fait homme, il s'est incarné, alors qu'il était Dieu, et devenu homme, il est resté ce qu'il était, Dieu. Il a pris un corps semblable à notre corps, avec cette seule différence qu'il est né d'une vierge et de l'Esprit Saint. Et puisque ce Jésus Christ est né et a souffert en vérité et non en apparence, il est mort de la mort commune ; il est vraiment ressuscité des morts et, après sa résurrection, ayant vécu avec ses disciples, il fut enlevé (au ciel) ».

Ainsi s'exprime Origène reproduisant dans la Préface du *Traité des Principes* [24] la règle de foi de son temps à propos du Christ. Nous avons vu plus haut pour quelles raisons Jérôme a substitué *factus* au *natus* de Rufin [25]. Plusieurs hérésies contemporaines sont visées par cet exposé : le modalisme et l'adoptianisme et aussi, par l'affirmation que son corps est pareil à notre corps, qu'il est né et a souffert en vérité et non en apparence, le docétisme représenté surtout à l'époque par les Gnostiques. Remarquons aussi l'insistance sur le fait que « devenu homme il est resté ce qu'il était, Dieu ». Sa kénose n'a pas mis fin à son caractère divin. A quelle hérésie contemporaine cela s'adresse-t-il ? Il est difficile de le dire.

A maintes reprises Origène a médité, à partir de l'Ecriture, l'ineffable mystère de la génération du Fils par le Père. Il veut en écarter, à cause du matérialisme stoïcien qui imprègne des « simples » de la Grande Eglise et même un théologien aussi important que Tertullien, toute connotation corporelle. Le Fils est engendré par le Père comme le reflet à partir de la lumière, comme la volonté qui sort de l'intelligence, ou comme la parole qu'émet l'intelligence. Origène applique à cette génération les titres donnés à la Sagesse par le *Livre de la Sagesse* [26], « un souffle de la puissance de Dieu, une émanation très pure

23. *Jn* 1, 3.
24. § 4. Voir H. CROUZEL, « Le Christ Sauveur selon Origène », *Studia Missionalia* 30, 1981, 63-87.
25. Voir p. 230.   26. 7, 25-26.

de la gloire du Tout-Puissant, le rayonnement de la Lumière éternelle, le miroir sans tache de l'activité de Dieu et l'image de sa bonté ». De même ceux de *Colossiens* 1, 15 : « L'image du Dieu invisible, le premier-né de toute *ktisis* », terme qui n'exprime pas pour lui, nous l'avons dit, seulement la création, mais s'applique à tout ce qui vient de Dieu. Ou encore d'après *Hébreux* 1, 3 « le rayonnement de sa gloire et la figure et expression de sa substance » [27]. A l'opposé de ce que dira l'arianisme l'éternité de cette génération est clairement affirmée, car il est inconcevable que le Père ait jamais existé sans sa Sagesse, sa Raison, sa Parole, toutes expressions qui, nous le verrons, désignent le Fils. Le Père n'a pas non plus commencé à être Père, comme s'il ne l'avait pas été auparavant, puisque tout changement en Dieu est inconcevable. A deux reprises dans le *Traité des Principes* [28] et une fois dans le *Commentaire sur l'Epître aux Romains* [29] on lit la fameuse phrase qui sera utilisée contre les Ariens : « *ouk èn hote ouk èn* — Il n'y a pas eu de moment où il (= le Fils) n'était pas ». Ce ne sont pas, comme on l'a cru parfois, des additions du traducteur Rufin car le second texte mentionné du *Traité des Principes* est cité en grec par Athanase et explicitement attribué par lui à Origène avec la formule que nous avons reproduite.

Génération éternelle mais aussi continuelle : le Père engendre son Verbe à chaque instant, de même que la lumière émet toujours son rayonnement [30]. Par l'éternité et la continuité Origène exprime l'éternité conçue comme un unique instant dont il n'a pas une notion claire. Les mots *aiôn* et *aiônios* désignent en effet pour lui, tantôt un temps très long, tantôt une durée sans commencement ni fin. La génération du Fils s'identifie avec la « contemplation ininterrompue des profondeurs du Père » qui fait le Fils Dieu [31] ou, en d'autres termes, le Fils est constamment « nourri » par le Père [32], qui lui communique à chaque moment sa propre divinité. De nombreux textes, sous de multiples images, sous des formes plus dynamiques qu'ontologiques, obligent à reconnaître qu'Origène exprime l'équivalent de l'*homoousios* nicéen. Ses attaques contre la *probolè* ou *prolatio* valentinienne qui, selon ce qu'il en dit, assimilait la génération divine à une génération humaine ou

27. *PArch* I, 2.   28. I, 2, 9 et IV, 4, 1.   29. I, 5 (*PG* 14).
30. *HomJr* IX, 4.   31. *ComJn* II, 2, 18.   32. *ComJn* XIII, 34, 219.

animale avec séparation entre l'engendré et le géniteur, n'avaient pas seulement pour raison le fait qu'il s'agirait alors implicitement d'un processus corporel, mais aussi celui que selon ces représentations l'engendré *sort* du géniteur, devient extérieur à lui. Or le Fils *ne sort pas* du Père : il demeure intérieur au Père, et le Père au Fils, même dans l'Incarnation quand le Fils est en même temps présent sur terre avec son âme humaine [33]. Tout ce qui est au Père est au Fils et tout ce qui est au Fils est au Père [34] : Père et Fils sont sujets et objets d'un même amour [35]. Le Fils est un rayonnement de *toute* la gloire de Dieu [36], le seul à pouvoir accomplir *toute* la volonté du Père [37]. En tant qu'Image de Dieu il est « de mêmes dimensions » que lui [38]. Père et Fils ont une seule et même toute-puissance [39]. Cela est confirmé avec la plus grande clarté par le *Remerciement* du Thaumaturge, reproduisant l'enseignement reçu : le Père « a fait le Fils un avec lui » et « pour ainsi dire s'enveloppe de lui par la force de son Fils tout à fait égale à la sienne propre » [40].

Certes Origène ne peut s'exprimer dans les termes mêmes de Nicée, car *ousia* et *hypostasis* ont chez lui des sens trop imprécis et il ne représente pas le problème sous forme ontologique. Quelques textes nous semblent maladroits parce que la question de l'égalité du Père et du Fils ne se pose pas à lui avec la même netteté qu'à la réaction antiarienne après Nicée et surtout après Constantinople, et aussi parce que nous les lisons en projetant sur eux une théologie postérieure, sans comprendre exactement le point précis qu'il a voulu affirmer. La « subordination » du Fils au Père ne met en cause ni l'identité de nature ni l'égalité de puissance. Le Fils est à la fois subordonné et égal au Père, double affirmation qu'il est possible de retrouver après Nicée chez Athanase et Hilaire eux-mêmes. La subordination tient d'abord à ce que le Père est Père, origine des deux autres personnes et initiateur de leurs activités, en quelque sorte centre de décision au sein de la Trinité. Ce dernier rôle concerne l'« économie » : le mot *oikonomia* dont l'équivalent latin est surtout *dispensatio* désigne l'activité de la Trinité au dehors, dans la Création et dans

---

33. *ComJn* XX, 18 (16), 153-159.   34. *Jn* 17, 10.
35. *ComCt* Prol. (*GCS* VIII, 21 ss) et *HomLc* XXV, 7-8.
36. *ComJn* XXXII, 28 (18), 353 (*GCS* IV).
37. *ComJn* XIII, 36, 231.   38. *CCels* VI, 69.   39. *PArch* I, 2, 10.
40. IV, 37.

l'Incarnation-Rédemption. Le Père est le mandant, le Fils et l'Esprit les mandataires, les envoyés, les agents *ad extra* de la Trinité, chacun pour sa part. Si le Père est le centre de décision, le Fils et l'Esprit ne sont pas de simples exécutants des volontés paternelles, car en même temps que l'initiative du Père est fréquemment soulignée l'unité de volonté et d'action [41] des trois personnes. La subordination du Fils et de l'Esprit est donc étroitement liée aux « missions divines ». Le rôle médiateur qu'a le Fils dans sa divinité même rejaillit dans une certaine mesure sur son être profond, car si le Père est absolument un, le Fils, un dans son hypostase, est multiple dans ses *épinoiai*, ses dénominations. C'est là la troisième raison du « subordinatianisme », et si, sur ce point, le rapport d'Origène avec Plotin par l'intermédiaire vraisemblablement de leur maître commun, Ammonios Saccas, est clair, il ne faut pas oublier pour autant les équivalences origéniennes de l'unité de nature. Quand on parle du « subordinatianisme » d'Origène on oublie bien souvent que c'est une notion tout à fait équivoque : comme l'a montré le livre de Marcus [42], il ne faut pas confondre le subordinatianisme des Anténicéens et celui des Ariens.

Avec les dénominations du Christ [43] nous abordons un des points centraux de la christologie d'Origène, qui n'est pas exempt d'analogies, nous venons de le dire, avec les platonismes moyen et nouveau [44], ni avec les gnostiques. C'est en effet une théologie des titres du Christ, des noms qui lui sont donnés par le Nouveau Testament et aussi par l'Ancien lu selon l'exégèse allégorique : ils représentent les différentes fonctions ou attributs que le Christ revêt dans son rôle médiateur, par rapport à nous. Les Valentiniens avaient hypostasié les titres bibliques du Christ et de l'Eglise en entités séparées pour désigner certains des Eons qui peuplaient leur Plérôme. Pour Origène il s'agit seulement des aspects divers sous lesquels le Christ nous apparaît : le mot *épinoia* exprime une

41. *PArch* I, 3, 7.
42. W. MARCUS, *Der Subordinatianismus als historiologisches Phänomen.* Munich 1963.
43. Voir notre article : « Le contenu spirituel des dénominations du Christ selon le livre I du Commentaire sur Jean d'Origène » dans *Origeniana Secunda* (éd. H. Crouzel, A. Quacquarelli), Rome 1980, pp. 131-150.
44. L'Intelligence plotinienne contient la multiplicité des « idées » en opposition avec l'unité absolue de l'Un.

manière humaine de considérer les choses, avec ou sans fondement dans le réel, sans que cette distinction de concepts corresponde à des êtres différents ; il s'oppose à *hypostasis* ou à *pragma* signifiant la réalité. La doctrine des *épinoiai* du Christ, présente dans toute l'œuvre d'Origène, est surtout théorisée dans le livre I du *Commentaire sur Jean* et dans le chapitre 2 du livre I du *Traité des Principes*.

Il ne s'agit pas d'énumérer ici toutes ces *épinoiai* — le livre I du *Commentaire sur Jean* à lui seul en étudie une cinquantaine et dans l'ensemble de l'œuvre d'Origène on peut en trouver une centaine —, mais de signaler seulement les plus importantes et de voir leur rôle médiateur qui est double : la créature raisonnable est d'une part la bénéficiaire de l'activité du Christ que désigne l'*épinoia* et d'autre part elle peut y participer directement et devenir ainsi la collaboratrice du Christ pour le service d'autres créatures raisonnables ; le rôle médiateur du Christ peut donc être participé par les anges et par les hommes. L'*épinoia* principale, la « plus ancienne », d'une antériorité de raison, non d'une antériorité chronologique, est la Sagesse : d'après *Pr* 8, 22, elle est le Principe où selon *Jn* 1, 1 se trouve le Logos : « Dans le Principe était le Logos. » La Sagesse contient en elle le Monde Intelligible où sont les « idées » au sens platonicien et général, et les « raisons » stoïciennes, prises dans un sens individuel, c'est-à-dire pour Origène les plans de la création et les germes des êtres : « idées » et « raisons » ont été confondues depuis le Stoïcisme Moyen de Poseidonios. Le Monde Intelligible présent dans le Fils en tant qu'il est la Sagesse a été créé par le Père dans la génération éternelle de son Fils : il constitue cette création coéternelle à Dieu [45] dont l'affirmation par Origène a soulevé bien des scandales depuis le *De Creatis* de Méthode [46]. L'argument essentiel de l'Alexandrin pour la supposer est que Dieu n'a pu commencer à être créateur comme s'il ne l'avait pas été auparavant, puisqu'on ne peut concevoir en lui de changement : il est parallèle à celui qui fonde l'éternité de la génération du Fils. Méthode s'en est scandalisé parce qu'il a cru que cette création coéternelle à Dieu était celle des « intelligences préexistantes », alors qu'Origène affirme clairement que ces dernières ont eu un commencement qui est la cause de

---

45. *PArch* I, 2, 10.
46. D'après Photius, *Bibl.* 235, 302 a (*CUFr* V).

leur caractère accidentel [47]. Qu'il s'agisse du Monde Intelligible des « idées » et des « raisons » contenu dans la Sagesse, cela est exposé par le *Traité des Principes* dans un appendice [48] ajouté à la fin des développements concernant la Trinité [49]. Cette explication donnée en fonction des philosophies platonicienne et stoïcienne n'a rien de contraire à la foi et on la retrouve chez bien des Pères postérieurs, y compris Méthode lui-même et Augustin. La Sagesse qu'est le Fils peut être participée par les créatures raisonnables : la vertu de sagesse est en effet la plus haute de toutes, la vertu mystique par excellence qui fait percevoir comme par une connaturalité intime les réalités divines.

La seconde *épinoia* du Fils par ordre d'importance est celle de Logos, avec le double sens grec de ce mot, Parole, mis en relief par la tradition biblique et johannique, Raison, découlant de la tradition philosophique, héraclitéenne et stoïcienne, mais désignant chez Origène la Raison éternelle et surnaturelle de Dieu. Le rôle du Fils-Logos est double : il révèle aux êtres *logika*, « raisonnables » dans un sens plus surnaturel que naturel, les mystères contenus dans la Sagesse ; et les *logika* ne sont tels que par leur participation au Logos. Les autres *épinoiai* sont désignées, soit par des notions abstraites, Vie, Lumière, Résurrection, Vérité, Puissance, Justice, etc., soit par des titres humains, Premier-Né d'entre les morts, Premier-Né de toute créature, etc., soit par des êtres inférieurs à l'homme, Agneau, Flèche choisie, Vigne, Pain de Vie, etc. Toutes ont rapport au rôle médiateur et sauveur du Christ. Les Vertus sont comprises elles aussi parmi les *épinoiai*. Le Christ dans sa réalité divine est toutes les vertus et chaque vertu, « la Vertu tout entière, animée et vivante » [50], c'est-à-dire la Vertu devenue personne. On peut constater un certain parallélisme entre la doctrine d'Origène et celle de Plotin [51] sur ce sujet : dans le Père et dans l'Un l'origine première ; dans le Verbe et dans

47. *PArch* II, 9, 2.   48. *PArch* I, 4, 3-5.
49. *PArch* I, 1-4. Cet appendice ne peut être une addition de Rufin, car un fragment grec, conservé par Justinien, y trouve sa traduction. Malheureusement il manque dans une des deux séries de manuscrits et en conséquence dans toutes les éditions antérieures à celle de P. Koetschau dans *GCS* V.
50. *ComJn* XXXII, 11 (7), 126 (*GCS* IV).
51. PLOTIN, *Ennéades* I, 2 (*CUFr*).

l'Intelligence les vertus à l'état de paradigmes ; dans l'âme humaine du Christ et dans l'Ame du Monde la source des vertus qui sont chez les hommes.

La Création, comme la Providence, est l'œuvre commune de la Trinité. Origène le lit dans *Col* 1, 15 : « En lui (= le Christ) ont été produites toutes choses dans les cieux et sur la terre, les visibles et les invisibles, que ce soit les Trônes, les Seigneuries, les Principautés et les Puissances ; tout a été créé par (*dia*) lui et en vue de (*eis*) lui. » Pareillement dans le *Ps* 32 (33), 6, ainsi rendu par la Septante : « Par la Parole (*logô*) du Seigneur les cieux ont été affermis et par le souffle (ou l'Esprit, *pneumati*) de sa bouche toute leur puissance. » Le Fils assume ainsi deux des rôles distingués par Platon dans le mythe du *Timée* : en tant que Sagesse, que Monde Intelligible des « idées » et des « raisons », il est le Modèle selon lequel le monde est créé ; en tant que Logos il est l'instrument intelligent, le collaborateur du Père dans la Création, car il exprime les « idées » et les « raisons » qui sont dans la Sagesse pour faire les êtres individuels. Mais il n'y a pas pour Origène une partie de la création qui serait l'œuvre du Père, une autre celle du Fils : « L'Evangile ne dit pas que le Fils fait des œuvres semblables, mais qu'il fait semblablement les mêmes œuvres. [52] »

Ce double rôle, de modèle et d'agent, se vérifie pareillement pour la création de l'homme « selon l'image ». Le Fils seul est l'Image de Dieu proprement dite [53], l'homme a été créé « selon l'Image », c'est-à-dire selon le Fils. Le fameux pluriel de *Gn* 1, 26 : « Faisons l'homme selon notre image et ressemblance » s'explique, comme chez bien des Pères anciens, d'une conversation du Père avec le Fils et le Père dit en quelque sorte au Fils : « Faisons tous deux l'homme selon mon image que toi tu es. » Dans la création de l'homme « selon l'image » le Fils est donc à la fois le Modèle en tant qu'Image du Père et l'agent avec le Père.

Une section importante de l'étude sur la Trinité qui ouvre le *Traité des Principes* [54] s'occupe de discerner le rôle propre de chaque personne dans le gouvernement des êtres (appropriations trinitaires), tout en affirmant que leur action est commune : le rôle du Père est de donner l'être, celui du Fils la qualité de *logikos* représentant, nous l'avons vu, une ratio-

52. *PArch* I, 2, 12.   53. *Col* 1, 15.   54. I, 3, 5 à I, 4, 2.

nalité surtout surnaturelle, celui du Saint Esprit la sainteté. De cet essai d'appropriation Jérôme et Justinien ont conclu à une hiérarchie de puissance basée quantitativement sur le nombre de leurs sujets respectifs, alors que selon Rufin Origène craint qu'on n'y comprenne la hiérarchie inverse, fondée sur la noblesse des fonctions. Les témoignages de Pamphile et surtout d'Athanase sur ce texte montrent que Jérôme, suivi par Justinien, y a projeté des conclusions qui lui étaient personnelles et qu'Origène ne tirait pas [55]. La même section du *Traité des Principes* voit dans le Père l'origine des dons de l'Esprit, dans le Fils le ministre qui les distribue, dans l'Esprit la « matière » de ces dons, la Trinité agissant ensemble dans chacun de ses actes, même dans ceux qui sont rapportés plus précisément à telle personne.

Le Fils de Dieu dans son humanité

Nous avons mentionné plusieurs fois l'hypothèse de la pré-existence des âmes qui sera étudiée plus complètement dans le chapitre suivant sur les origines de l'humanité. L'« intelligence » jointe au Verbe a été créée avec les autres et a été unie dès sa création au Fils de Dieu. Un fragment de Justinien correspondant au *Traité des Principes* [56] affirme qu'elle « n'a jamais été séparée du Fils Unique » et un passage du *Commentaire sur Jean* [57] qu'elle était alors « en Dieu et dans la plénitude » divine. Cette union lui donne donc la « forme de Dieu » [58] qui appartient au Verbe, établissant entre le Dieu et l'homme une parfaite « communication des idiomes » [59], c'est-à-dire que tout ce qui est attribué au Verbe peut être dit de l'homme et réciproquement. L'union confère à cette âme qui est cependant douée de libre arbitre comme les autres une impeccabilité substantielle comme celle de la divinité, à cause de l'immensité de sa charité, car elle est comme le fer qui plongé dans le feu devient feu [60]. Dans la notion paulinienne de la liberté qui sous-tend la doctrine spirituelle d'Origène il

---

55. Voir H. CROUZEL, « Les personnes de la Trinité sont-elles de puissance inégale selon Origène, *Peri Archon* I, 3, 5-8 ? », *Gregorianum* 57, 1976, 109-125.

56. II, 6, 4. Voir *SC* 253, note 25, pp. 178-179.   57. XX, 19 (17), 162.
58. *Ph* 2, 6 : *ComMt* XIV, 17 (*GCS* X).   59. *PArch* II, 6, 3.
60. *PArch* II, 6, 5-6.

n'y a pas de contradiction entre elle et cette impeccabilité. Tout cela est développé par un des plus beaux chapitres du *Traité des Principes* [61].

Le Christ-homme existe donc dès la préexistence, bien avant l'Incarnation ; et jusqu'à elle il a déjà toute une histoire. Il est l'Epoux de l'Eglise préexistante formée de l'ensemble des créatures raisonnables. Aussi c'est plutôt lui que le Saint Esprit, dont Origène dit que les païens n'ont même pas eu l'idée [62], qui correspond à la troisième hypostase de la triade plotinienne, l'Ame du Monde : cette dernière en effet contient en elle les âmes individuelles, à la fois distinctes entre elles et non distinctes. Origène exprime entre le Christ-Homme en tant qu'Epoux de l'Eglise et les créatures raisonnables qui la constituent une relation analogue à celle de Plotin, mais sous une forme plus respectueuse de la personne. Mais à la différence de ce qui fut reproché, probablement de façon abusive, aux origénistes modérés de Palestine au VIᵉ siècle par les origénistes extrémistes, les Isochristes, qui les surnommaient Tétradites comme transformant la Trinité en Tétrade en y introduisant l'âme du Christ, cette dernière n'a jamais eu dans la pensée d'Origène, malgré certaines apparences, une personnalité distincte du Verbe : elle fait partie de la Trinité par son union à la seconde personne qui lui donne la « forme de Dieu ».

L'impeccabilité substantielle de cette « intelligence » l'a mise à l'abri de la chute originelle qui s'est produite, nous le verrons, dans la préexistence, ainsi, semble-t-il, que quelques-uns de ceux qui deviendront des anges. Mais la majeure partie des membres de l'Eglise préexistante se détourne alors de la contemplation de Dieu et de l'unité des êtres. Le Christ n'abandonne pas cependant son Epouse tombée. Dès l'Ancien Testament, alors que l'Eglise se confond avec l'ancien Israël, il lui envoie pour la préparer à sa venue patriarches et prophètes qui sont, avec des anges, ces « amis de l'Epoux » dont parle abondamment le *Commentaire sur le Cantique des Cantiques*. Lui-même la visite à plusieurs reprises, puisque, conformément à la doctrine commune des Anténicéens, les théophanies décrites dans les vieilles Ecritures sont des apparitions du Fils, agent de la Trinité *ad extra*. Dans certaines de ces apparitions, par exemple à Abraham au chêne de Mambré et pour l'empê-

61. II, 6.   62. *PArch* I, 3, 1.

cher de sacrifier Isaac, à Jacob quand il lutte avec lui, à
Moïse dans le Buisson Ardent [63], c'est un homme ou un ange
qui se montre et se révèle ensuite être Dieu. C'est dans ce
contexte qu'Origène déclare que le Christ s'est fait homme
parmi les hommes, ange parmi les anges [64]. L'explication semble bien la suivante : il se montre alors dans son humanité, à
la fois angélique et humaine, puisque n'ayant pas péché elle
est restée dans l'indistinction première.

Quand vient le moment fixé par le Père de rejoindre son
Epouse déchue, l'âme du Christ abandonne la « forme de
Dieu » pour revêtir la « forme de l'esclave » [65], notre corporéité terrestre et grossière, en prenant chair dans le sein de
Marie. En effet pour Origène le sujet de la « kénose » de
Ph 2, 6-7 est représenté tantôt comme étant le Verbe, tantôt
comme étant l'âme [66]. Dans l'hypothèse de la préexistence des
âmes et en particulier de celle du Christ il est logique que le
sujet de la kénose soit directement cette âme, indirectement
seulement le Verbe, en vertu de la « communication des idiomes ». La parole de l'ange à Marie : « Un Esprit Saint viendra sur toi et une puissance du Très Haut t'ombragera » [67] a
pour Origène le sens suivant. La Puissance du Très Haut est
le Verbe, Puissance (*dynamis*) étant une de ses *épinoiai*. A
plusieurs reprises, nous allons voir pourquoi, Origène appelle
l'âme assumée par le Verbe l'« ombre » du Christ Seigneur.
C'est donc le Verbe, Puissance de Dieu, qui met sur Marie
son ombre, son âme, pour qu'elle prenne chair en elle [68]. En
d'autres termes l'âme du Christ qui n'a pas péché accomplit
par amour pour son Epouse pécheresse la descente dans la
corporéité terrestre et corruptible où Dieu a mis cette dernière par suite de sa faute. Origène explique cela à propos du
fleuve Jourdain, symbole du Christ, de l'Incarnation et du
baptême, dont le nom signifie selon lui « leur descente »
(*katabasis autôn*) : « Certains — probablement Philon — ont
supposé que cette descente indiquait d'une manière voilée celle
des âmes vers les corps... S'il en est ainsi, qui donc serait ce

63. *Gn* 18 ; 22, 12 ; 32, 22-33 ; *Ex* 3-4.
64. *HomGn* VIII, 8 ; *ComJn* I, 31 (34), 216-218.
65. *Ph* 2, 6-7.
66. Voir J. L. Papagno, « Flp 2, 6-11 en la cristología y soteriología de
Orígenes », *Burgense* 17, 1976, 395-409.
67. *Lc* 1, 35.
68. Voir surtout *ComCt* III, *GCS* VIII, p. 182.

fleuve, " leur descente ", auquel il faut venir se faire purifier et qui ne descend pas de sa propre descente, mais de celle des hommes, si ce n'est notre Sauveur [69]... » Le Christ ne descend pas de sa propre descente car il n'a pas péché, mais de la descente des hommes qui ont péché, et la sienne n'a pour but que leur rédemption.

Une étude parue il y a quelques années [70] expose les schèmes divers selon lesquels l'Alexandrin exprime l'œuvre de Rédemption accomplie par la Passion et la Résurrection. Elle concerne directement l'humanité du Christ puisque c'est cette dernière qui subit la mort et ressuscite, le Verbe divin n'étant pas sujet à la mort. L'auteur découvre dans les explications origéniennes de la Rédemption cinq schèmes principaux qui ne sont pas à considérer chacun séparément, mais sont interdépendants les uns des autres : aucun n'est parfaitement conséquent avec son objet — cela est vrai de toute image qui essaie de cerner un surnaturel qui échappe toujours en grande partie aux prises de l'homme — et chacun échoue à exprimer tel ou tel aspect dont un autre rendra davantage compte. Chacun a pour point de départ des expressions ou des images scripturaires.

Un premier ensemble peut être appelé le schème *mercantile*. Il a à sa base *1 P* 1, 18-19 : « ce n'est pas par des réalités périssables, de l'argent ou de l'or, que vous avez été rachetés de votre vaine conduite transmise par vos pères, mais par le sang précieux du Christ comme d'un agneau sans reproche et sans tache ». De même *1 Co* 7, 23 : « Vous avez été rachetés à grand prix » et *Ap* 5, 9 : « Tu as racheté pour Dieu par ton sang des gens de toute tribu, langue, peuple et nation. » L'image du contrat d'achat et de vente s'y joint à celle du sacrifice et de la victime qui relève d'un autre schème. Pour Origène le vendeur est le diable, ce que ne disent pas les citations néotestamentaires, l'acheteur est le Christ, nous sommes la marchandise et le prix payé est l'humanité du Christ : il s'agit d'un marché qui a pour objet des esclaves. Appartenant à Dieu, nous nous sommes livrés au diable par nos péchés et le Christ nous rachète. Mais on achète un esclave pour qu'il serve son acheteur : ici le Christ nous achète pour nous libérer.

69. *ComJn* VI, 42 (25), 217-218.
70. J. A. ALCAIN, *Cautiverio y redención del hombre en Orígenes*, Bilbao 1973.

L'image du prisonnier de guerre se mêle à celle de l'esclave dont elle est proche. Le diable s'empare donc en paiement de l'humanité du Christ, plus précisément de son âme, et la conduit dans l'Hadès, le lieu des morts, le Schéol de l'Ancien Testament : la descente du Christ dans l'Hadès après sa mort est en effet un article de foi important dans l'Eglise primitive. Mais le diable se trompe s'il croit qu'il restera maître de cette âme : il ne sait pas qu'elle est unie au Verbe et pour cela forte de la force même de Dieu. Cette ignorance du diable qui fait de son marché un marché de dupe correspond à une des idées majeures de la doctrine origénienne de la connaissance : seule une âme pure peut connaître Dieu et les réalités divines et par conséquent le diable ignore tout ce qui concerne l'ordre du salut ; cela ne peut lui être révélé, car il est incapable de le comprendre. L'âme du Christ reste donc « libre parmi les morts » [71]. Et nous sommes libérés à la fois par le prix payé par le Christ et parce que le Christ, notre tête, quoiqu'il se soit livré lui-même, est resté libre [72].

Le schème *guerrier* compénètre le schème mercantile : la victoire du Christ sur les puissances diaboliques dont nous sommes les prisonniers nous donne la liberté. Que la Passion soit conçue comme une victoire du Christ sur les forces démoniaques, nous le lisons déjà chez Paul. Ainsi *Col* 2, 15 : « Ayant dépouillé Principautés et Puissances il les a données en spectacle en toute liberté, ayant triomphé d'elles dans sa croix. » Les batailles de Josué — de Jésus fils de Navé — représentent celles de « mon » Jésus contre ces puissances. La descente dans l'Hadès figure encore dans ce schème, ainsi que la déception du démon causée par son ignorance de la vraie personnalité de son adversaire : introduit ainsi dans le repaire du diable ce dernier délivre les âmes captives et les entraîne dans son Ascension glorieuse. La croix devient alors l'instrument du triomphe du Christ et c'est le diable lui-même qui y est définitivement cloué [73]. Mais cette victoire n'entraîne pas automatiquement notre libération et c'est là un point qu'il faut toujours avoir à l'esprit, surtout quand on lit Origène, le théo-

71. *Ps* 87 (88), 6.

72. Les textes étudiés par Alcain sont innombrables : *ComRm* II, 13 (*PG* 14) ; *ComJn* VI, 63 (35), 274 ; *HomEx* VI, 9 ; VIII, 5 ; *HomLv* XV, 2 ; *ComMt* XVI, 8 (*GCS* X) ; etc.

73. Entre autres textes : *HomJos* I, 1 ; *HomCt* II, 11 ; *HomJr* IX, 1 ; *HomNb* III, 3 ; XVIII, 4 ; *HomEx* XI, 4 ; *ComRm* V, 10 (*PG* 14).

logien par excellence du libre arbitre : il faut que chacun librement s'associe à ce triomphe. La victoire du Christ ne tirera donc ses effets que progressivement dans le temps qui sépare ses deux venues, en fonction de l'adhésion que chacun lui donne personnellement.

Le schème *juridique* a pour objet le paiement de la dette inscrite sur le « chirographe » dont parle *Col* 2, 14 : « il a effacé malgré les ordonnances de la loi la reconnaissance de dette qui nous concernait, qui était contre nous : il l'a supprimée en la clouant sur la croix ». Certes Dieu punit le péché, mais il le fait pour convertir : pour l'Alexandrin le châtiment a surtout, redisons-le, un aspect médicinal ; il perçoit cependant l'idée que nos actes s'inscrivent sur notre personnalité, par le biais de l'habitude, au point même de devenir nature et au jour du Jugement les cœurs seront ouverts et tous verront les actes qui y sont inscrits [74]. Cette dette semble bien une dette envers le diable, « l'accusateur de nos frères » comme l'appelle *Ap* 12, 10 en écho au début du *Livre de Job* et c'est lui qu'Origène voit dans l'adversaire de la petite parabole de *Lc* 12, 58-59 qu'il faut apaiser tant qu'on est en chemin de peur qu'il ne nous dénonce au Juge [75]. Par le Christ la dette est supprimée et le diable débouté dans toute son action contre nous : mais le pardon obtenu par le Christ n'est reçu que dans la foi qui est l'acceptation par chacun de ce pardon.

Le schème *rituel* est basé sur l'Epître aux Hébreux : le Christ est dans sa Passion prêtre et victime, double rôle qui correspond à sa divinité et à son humanité. De lui-même il livre son humanité, corps et âme, en sacrifice, non par une acceptation purement passive, mais par un acte positif d'immolation. Tous les sacrifices de l'Ancienne alliance sont la figure du sien, car il est le vrai Agneau Pascal, celui dont l'agneau pascal était la figure. Abraham immolant Isaac représente le Père immolant le Fils : mais en dernière analyse la victime n'est pas Isaac qui figure le Verbe dans sa divinité, mais le bélier symbolisant son humanité [76]. Et son sacrifice a pour effet de tout purifier, au ciel et sur terre. Une des fonctions du grand-prêtre qu'est le Christ est l'intercession auprès du Père, la réconciliation de la créature avec lui : il rend Dieu

---

74. *HomJr* XVI, 10 ; *ComRm* II, 10 (*PG* 14) ; *PArch* II, 10, 4.
75. *HomLc* XXXV.
76. Telle est l'exégèse spirituelle qui court tout au long de l'*HomGn* VIII. Voir *ComJn* VI, 53 (35), 273 ; XIX, 15 (4), 91 ss. ; *HomLv* I, 3 ; IX, 5.

propice aux hommes, les purifiant du péché, enlevant au diable sa force. Et les martyrs, victimes eux aussi en union avec le Christ, sont corédempteurs avec lui, participant à sa double fonction de prêtre et de victime.

Le schème *mystérique* est fondé sur la mort et la résurrection du Christ à laquelle l'homme participe par son baptême [77]. Origène distingue une double résurrection de l'homme à l'image de celle du Christ, une première, partielle, « à travers un miroir, en énigme », qui débute avec le baptême suivi d'une vie qui lui est conforme, une seconde, parfaite, « face à face » [78], la résurrection finale. La rédemption est alors conçue comme une mort au péché avec le Christ et une régénération par conformation au Christ ressuscité. Il n'est pas là seulement un modèle, mais l'agent de cette nouvelle naissance à laquelle l'homme acquiesce par la foi. Toute la doctrine origénienne de la résurrection souligne l'action médiatrice et rédemptrice du Christ.

A propos du schème rituel a été indiqué l'effet cosmique et hypercosmique du sacrifice de la Croix : comme plusieurs textes le montrent il a tout purifié, sur terre comme au ciel. C'est pourquoi Origène parle parfois d'une double efficacité de l'unique sacrifice. Une affirmation semblable dans le *Traité des Principes* [79] a été comprise à contresens par Jérôme : « bien qu'Origène ne le dise pas », précise-t-il cependant, Jérôme la comprend comme si Origène affirmait une dualité de sacrifices, le Christ devant être de nouveau crucifié au ciel pour les démons. Mais le livre I du *Commentaire sur Jean* [80], contemporain du *Traité des Principes*, affirme clairement l'unicité du sacrifice — « la victime offerte une seule fois — *tèn hapax thysian* » —, en même temps que la double efficacité. L'unicité du sacrifice est aussi affirmée dans le *Traité des Principes* lui-même [81]. Il ne faut donc voir là qu'une fausse compréhension de Jérôme. Ce dernier en voit une confirmation dans l'idée que le Christ s'est fait homme parmi les hommes, ange parmi les anges, d'où, selon Jérôme prolon-

---

77. *Rm* 6, 3 ss.
78. *1 Co* 13, 12 : H. Crouzel, « La "première" et la "seconde" résurrection des hommes d'après Origène », *Didaskalia* 3, 1973, 3-19.
79. IV, 3, 13 : voir *SC* 269, note 80, pp. 226-231 : on y trouvera énumérées les opinions diverses d'auteurs contemporains sur l'allégation de Jérôme.
80. I, 35 (40), 255.   81. II, 3, 5.

geant à sa façon la pensée d'Origène, démon parmi les démons pour sauver les démons. Mais que le Christ soit devenu homme parmi les hommes et ange parmi les anges, cela n'est dit, nous l'avons vu plus haut, que dans un contexte bien précis, celui des théophanies [82], non celui du sacrifice du Christ auquel rien ne nous permet de l'étendre.

Ces explications de la Rédemption mettent en valeur le rôle que joue l'humanité du Christ. Origène lui applique constamment ce verset du *Livre des Lamentations* [83] cité suivant les Septante : « Le souffle (*pneuma*, l'esprit) de notre face, le Christ Seigneur (a été pris dans leurs destructions), lui dont nous disions : A son ombre nous vivrons parmi les nations. » Le sens littéral concerne le dernier roi de Juda de la dynastie davidique, Sédécias, l'Oint (Christ) du Seigneur, fait prisonnier et emmené en captivité à Babylone alors que Jérusalem est détruite. Pour Origène il s'agit du Christ et son ombre est son âme humaine, parce que, de même que notre ombre reproduit tous les mouvements de notre corps, l'humanité du Christ accomplit en tout les volontés du Verbe. Ici-bas dans la vie présente que nous menons parmi les nations, c'est à travers l'humanité qu'il a assumée que le Fils se manifeste à nous : elle participe pleinement à sa médiation et s'offre à notre imitation comme le modèle le plus immédiat.

Si nous parcourrions maintenant les chapitres que nous avons consacrés à la spiritualité d'Origène, à propos de l'image de Dieu, de la connaissance, des thèmes spirituels, de la virginité et du mariage, et pareillement la doctrine des vertus, dénominations du Fils, nous verrions le Christ dans sa divinité et dans son humanité, y tenir la place centrale. Et la dévotion profondément affective d'Origène pour l'humanité du Verbe, telle qu'elle s'exprime dans le *Commentaire sur le Cantique des Cantiques* et ailleurs montre bien dans sa christologie le point central de sa doctrine et de sa vie.

Le Saint Esprit

En ce qui concerne la troisième personne l'histoire de la théologie patristique présente une date centrale, 360. C'est

---

82. Voir p. 251-252.
83. 4, 20 : *PArch* II, 6, 7 ; IV, 3, 13 (25) : voir *SC* 253, note 39, p. 184.

en effet cette année-là que naquit la première hérésie importante concernant le Saint Esprit, celle des Pneumatomaques, « ceux qui combattent l'Esprit », appelés aussi Macédoniens, du nom de Macédonios, évêque de Constantinople. C'étaient des théologiens appartenant à la tendance homéousienne, partisans de l'*homoiousios* (d'essence semblable) au lieu de l'*homoousios* (de même essence) nicéen. Bien qu'opposés en ce qui concerne le Fils aux Ariens ou Arianisants de toute couleur, les Macédoniens se rapprochent d'eux en contestant comme eux la divinité de l'Esprit Saint. Ils vont faire naître par réaction toute une littérature consacrée à la défendre : les *Lettres à Sérapion* d'Athanase visant des hérétiques de même tendance qu'il nomme les Tropiques, les *Traités du Saint Esprit* de Basile de Césarée et de Didyme l'Aveugle pour ne citer que les plus importants.

Avant cette date la doctrine du Saint Esprit, n'ayant pas été contestée, ne tient pas quantitativement beaucoup de place dans la littérature patristique et les questions concernant la Trinité semblent souvent se limiter à un binitarisme Père/Fils, plutôt que s'étendre à un trinitarisme. Certains seraient tentés de dire que la réflexion concernant l'Esprit Saint était alors inexistante : ce serait certainement erroné et on commettrait ce faisant la même erreur qu'un historien du xxie siècle qui, voulant écrire l'histoire d'une époque du xxe siècle, s'appuierait uniquement et sans critique sur la presse journalistique privilégiant les faits « sensationnels » au détriment des faits ordinaires et de la vie de tous les jours. Ce qui est tenu par l'Eglise dans un état de possession tranquille occupe dans la littérature théologique beaucoup moins de place que ce qui est attaqué et qu'il faut défendre : la doctrine du Saint Esprit jusqu'en 360 en est une bonne illustration. Malgré les problèmes que peuvent poser tel ou tel texte des Pères Apostoliques ou Apologètes la personnalité du Saint Esprit et sa divinité sont montrées surtout par les nombreux passages citant l'une après l'autre les trois personnes : ses rôles d'inspirateur de l'Ecriture et de l'Eglise, de sanctificateur des âmes, sont pareillement soulignés. Irénée présente aussi en peu de mots une doctrine assez complète. La personnalité et la divinité de l'Esprit sont là aussi supposées par les formules trinitaires et celles qui le mettent en parallèle avec le Fils. L'Esprit a participé avec le Fils à la Création comme les deux mains du Père. Tous deux sont inspirateurs de l'Ecriture sans que leurs fonctions soient clairement distinguées. L'Esprit a eu aussi son rôle dans l'Incarnation du Fils et la poursuit dans l'Eglise : il est avant tout celui qui sanctifie, qui vivifie, qui donne les charismes, apporte la filiation adoptive ; c'est là la tâche propre de l'Esprit. Mais Irénée ne dit rien de la manière dont l'Esprit Saint procède du Père.

Dans la préface du *Traité des Principes* [84] Origène expose les points qui sont clairs à la règle de foi de son temps :

> « (Les apôtres) ont ensuite transmis que le Saint Esprit est associé au Père et au Fils en honneur et en dignité. En ce qui le concerne on ne voit pas clairement s'il est né ou n'est pas né, s'il faut le considérer comme Fils de Dieu ou non. Mais tout cela doit être cherché dans la mesure de nos forces à partir de la sainte Ecriture et scruté avec sagacité. Cet Esprit a inspiré tous les saints prophètes et apôtres : les anciens n'avaient pas un autre Esprit que ceux qui ont été inspirés à la venue du Christ ; Tout cela est très clairement prêché dans l'Eglise ».

Que l'Esprit Saint soit associé au Père et au Fils en honneur et en dignité suppose qu'il est comme eux une personne et qu'il est Dieu, bien que ce dernier terme ne lui soit pas explicitement attribué. Mais il possède la même « substantialité » que les deux autres :

> « il n'appartient à personne si ce n'est au Père, au Fils et au Saint Esprit d'être immaculé de façon substantielle, mais la sainteté dans toute créature est une réalité accidentelle et ce qui est accidentel peut déchoir » [85].

L'Esprit n'est donc pas une créature. De la Trinité, il a en outre l'incorporéité absolue qui est son privilège à elle seule : il est en effet explicitement cité après le Père et le Fils dans deux des trois passages du *Traité des Principes* qui affirment cela [86], le troisième employant selon Rufin le mot Trinité [87], terme rare dans les œuvres grecques d'Origène, mais cependant attesté.

La question de l'origine de l'Esprit Saint ne paraît pas claire à Origène selon la règle de foi. Le *Commentaire sur*

84. § 4.   85. *PArch* I, 5, 5.   86. I, 6, 4 ; II, 2, 2.
87. IV, 3, 15 (27).

Jean fera un peu avancer la question. Nous avons vu plus haut pourquoi ce que Rufin a traduit par « *natus aut innatus* » l'est par Jérôme en « *utrum factus sit aut infectus* » [88]. La règle de foi n'enseigne pas davantage que l'Esprit est Fils de Dieu. Il est l'inspirateur de l'Écriture, aussi bien de l'Ancien que du Nouveau Testament : on retrouve ici la même préoccupation que trahissait l'énoncé concernant le Père, celle de contrer les Marcionites et les Gnostiques qui séparaient les deux Testaments.

Dans l'étude sur la Trinité qui ouvre le *Traité des Principes* il est question du Saint Esprit dans les chapitres 3 et 4 [89]. Alors que les philosophes païens connaissent quelque chose du Père et même du Fils — Origène fait allusion à la seconde hypostase du Moyen Platonisme — ils n'ont aucune notion de l'Esprit Saint : Origène ne voit donc pas de rapport entre lui et la troisième hypostase du Moyen Platonisme, l'Ame du Monde qu'interprétant Origène, nous avons rapprochée plus haut de l'âme humaine du Christ. A ce propos le Saint Esprit est traité de *subsistentia,* expression qui dans le latin de Rufin désigne une substance individuelle, un être individuel, par distinction de *substantia* qui a un sens général, comme le traducteur s'en explique lui-même dans le premier livre qu'il a ajouté à sa traduction de l'*Histoire Ecclésiastique* d'Eusèbe [90]. La même affirmation que le Saint Esprit est une *subsistentia* se trouve un peu plus haut [91] : « Le Saint Esprit est un être (*subsistentia*) intellectuel et il existe d'une existence propre (*proprie subsistit et extat*). » Comme Origène ne possède pas de terme pour désigner la personne autre que *hypostasis* et *ousia,* la personnalité de l'Esprit est donc clairement affirmée, du moins à travers Rufin, par l'expression de *subsistentia intellectualis.* Origène continue en reproduisant des textes des deux Testaments parlant de l'Esprit Saint, notamment le don de l'Esprit Saint par les apôtres après le baptême par le geste de l'imposition des mains. La formule baptismale invoquant les trois personnes montre « la grande autorité et dignité qu'a l'Esprit Saint en tant qu'être substantiel » [92] et plus encore le texte concernant le blasphème contre l'Esprit qui ne sera jamais remis, alors que le blasphème contre le Fils peut l'être [93].

---

88. Voir p. 230.
89. I, 3, 1-4, puis, avec les deux autres personnes, de I, 3, 5 à I, 4, 2.
90. I, 29 ou X, 30 (*GCS* Eusèbe II).   91. *PArch* I, 1, 3.
92. *PArch* I, 3, 2.   93. *Mt* 12, 32.

Origène n'a pas trouvé affirmé dans la règle de foi que le Saint Esprit est né ou n'est pas né, qu'il est Fils ou non, mais il n'a pas vu non plus dans les Ecritures qu'il ait été fait ou créé. Il ne lui échappe pas que le mot esprit est fréquemment employé par la Bible, parfois même pour désigner la nature de Dieu [94]. Il pose donc en principe d'après « quelques-uns de nos prédécesseurs » parlant du Nouveau Testament — mais il étend aussi cette affirmation à l'Ancien — que « partout où l'esprit est nommé sans un ajout désignant quel est cet esprit, il faut entendre l'Esprit Saint » [95]. Dans la connaissance de Dieu communiquée aux hommes et aux anges les trois personnes collaborent : « Toute la science venant du Père, par la révélation du Fils, est connue dans l'Esprit Saint. » L'Esprit est donc comme le milieu spirituel où se produit la connaissance. Et l'Esprit connaît le Père car c'est lui qui scrute les profondeurs de Dieu [96]. Nous allons revenir dans un instant à propos du *Commentaire sur Jean* sur la connaissance qu'a l'Esprit Saint, à cause d'une contradiction, en réalité seulement apparente, entre deux textes.

Ensuite Origène parle, nous l'avons vu, d'appropriations trinitaires, attribuant au Père le don de l'être, au Fils celui de la rationalité, à l'Esprit Saint celui de la sainteté : il se trouve donc chez les saints et c'est lui qui prépare l'Eglise, purifiée des péchés, en un peuple saint. On pourrait croire, à cause de cette fonction plus noble, à cause aussi du passage concernant le blasphème contre l'Esprit, à une hiérarchie trinitaire qu'il dominerait : mais Origène refuse de mettre l'Esprit au-dessus du Père et du Fils [97] : on peut voir plus haut, à propos du Fils, la discussion, faite à ce sujet, de ce qu'ont cru trouver Jérôme et Justinien. « Une unique source de divinité (le Père) gouverne l'univers par sa Parole et sa Raison (le Fils) et sanctifie par l'Esprit (le souffle) de sa bouche tout ce qui est digne de sanctification. [98] » Ou encore d'après le *Commentaire sur Jean* [99] la « matière des charismes » qui se confond avec l'Esprit Saint est produite (*énergouménès*) par Dieu, procurée (*diakonouménès*) par le Christ et subsiste (*hyphestôsès*) selon l'Esprit Saint. Les charismes sont donc l'Esprit Saint en personne.

94. *PArch* I, 1, 1 et 4.   95. I, 3, 4.   96. *1 Co* 2, 10.
97. Voir plus haut p. 250 ce que nous disons de la hiérarchie inverse que supposent Jérôme et Justinien, contredits par Pamphile et Athanase.
98. *PArch* I, 3, 7.   99. II, 10 (6), 77.

Un autre chapitre du *Traité des Principes* est consacré à
l'Esprit Saint [100]. Sa première préoccupation est d'affirmer
contre Marcion et Valentin, expressément nommés, qu'il y a un
seul Saint Esprit qui a inspiré à la fois les deux Testaments, de
même qu'il y a un seul Père et un seul Fils. Mais alors que
dans l'antique alliance il n'était donné qu'aux prophètes,
actuellement, après la venue du Sauveur, il est répandu abondamment sur toute l'Eglise et il enseigne à lire l'Ecriture
selon son sens spirituel. Ce Saint Esprit distribue les charismes, car en lui on trouve « toute la nature des dons » : cette
expression « nature » a le même sens que celle de « matière »
(*hylè*) que nous venons de signaler dans le *Commentaire sur
Jean* [101] et les charismes correspondent dans une certaine
mesure à ce que la théologie scolastique appellera grâces
actuelles, c'est-à-dire les grâces attachées à un acte ou à une
fonction. Origène attaque alors sans les nommer explicitement
les Montanistes qui attribuent le nom de Paraclet à « je ne
sais quels esprits vils », c'est-à-dire aux démons qui provoquent l'extase-inconscience et qu'ils confondent indignement
avec l'Esprit Saint. Puis il étudie le mot Paraclet qui, appliqué à l'Esprit, lui semble signifier consolateur et, appliqué au
Christ, intercesseur.

Un autre passage important concernant l'Esprit Saint est à
lire dans le *Commentaire sur Jean* [102]. Son point de départ
est *Jn* 1, 3 : « Tout a été fait par lui (= le Verbe). » Trois
opinions sont alors présentées : ou le Saint Esprit doit son
existence au Verbe, étant compris dans ce tout ; ou il ne la
lui doit pas, étant alors sans origine ; ou il n'a pas réellement
une existence propre (*ousia idia*) différente du Père et du
Fils : cette dernière solution est modaliste et Origène se rallie
à la première. Il y a donc trois réalités subsistantes (*hypostasis*, identique à *ousia idia*), le Père, le Fils et l'Esprit Saint,
et — réponse à la seconde hypothèse — seul le Père est sans
origine. L'Esprit est donc le plus haut des êtres qui viennent
du Père par le Fils : c'est pourquoi il n'est pas dit Fils. Seul
le Fils est fils par nature et l'Esprit Saint a besoin de l'intermédiaire du Fils pour subsister individuellement, mais aussi
pour être sage, intelligent, juste et tout ce qu'il est et participer à toutes les dénominations du Fils. On ne peut prendre
prétexte du mot *égénéto* de *Jn* 1, 3 (« a été fait ») pour sou-

100. II, 7.   101. II, 10 (6), 77.   102. II, 10 (6), 73-88.

tenir que l'Esprit est pour Origène une créature : ce serait oublier ce que nous avons dit plus haut [103] du caractère interchangeable avant Nicée des verbes *gignomai* et *gennaô* ainsi que de leurs dérivés avec une ou deux n, pour signifier la création ou la génération.

A première vue, selon une lecture rapide, ce passage paraît en contradiction avec un texte du *Traité des Principes* dont nous n'avons pas encore parlé [104]. Origène refuse l'idée que le Saint Esprit connaîtrait sur révélation du Fils : mais la raison de ce refus c'est la représentation d'un Saint Esprit passant de l'ignorance à la science. Il serait sot de le dire Saint Esprit et de lui attribuer, à un moment du moins, de l'ignorance ; ou de dire qu'il n'était pas auparavant Saint Esprit et qu'il aurait progressé jusqu'à devenir Saint Esprit. Dans ce cas il n'aurait pas été compris dans l'unité de la Trinité avec le Père et le Fils. En fait il a toujours été Saint Esprit.

Ces deux passages sont en fait parfaitement conciliables. La pointe du second, c'est que le Saint Esprit est tel de toute éternité et n'a pas commencé à l'être ni à en posséder la science. Mais cela est compatible avec l'affirmation de l'autre passage : le Saint Esprit tient son existence, sa science et tout ce qu'il est du Père par le Fils. Cela de toute éternité, comme la génération du Fils, et il n'y a jamais eu en lui de changement. Il s'agit clairement ici de l'acte divin qui lui donne l'existence et non seulement de sa manifestation aux hommes en ce qui concerne l'« économie ».

Le *Commentaire sur les Romains* contient d'abondants exposés sur les fonctions de l'Esprit Saint et ses dons [105].

Dans son *Traité du Saint Esprit* Basile, qui est habituellement assez favorable à Origène, malgré des réserves, écrit :

> « L'homme pourtant n'avait pas sur l'Esprit des idées absolument saines ; cependant, en beaucoup d'endroits, lui aussi, remué par la force de la coutume, a parlé du Saint Esprit en termes conformes à la piété. » [106]

Malheureusement Basile ne dit pas ce qui lui inspire ce jugement et les textes qu'il cite en les louant sont orthodoxes. On

103. Voir p. 230.   104. I, 3, 4.
105. Par exemple X, 1 (*PG* 14). Tous les passages de l'Épître aux Romains qui parlent de l'Esprit Saint sont commentés dans cet écrit.
106. XXIX, 73 (*SC* 17 ou 17 bis).

peut se demander si Basile était vraiment conscient du progrès que la réaction aux Pneumatomaques a fait faire à la doctrine de l'Esprit Saint par son intermédiaire et celui des autres Cappadociens, progrès sur la recherche laborieuse qui est celle d'Origène. La conscience du développement du dogme est chose relativement récente.

Nous avons expliqué plus haut le subordinatianisme reproché à Origène et qu'on trouve aussi chez les autres Anténicéens en montrant qu'il n'est pas en contradiction avec l'orthodoxie parce qu'il n'exprime pas une inégalité de puissance — le Père communique au Fils et le Fils à l'Esprit tout ce qu'ils sont, excepté le fait d'être Père et Fils — mais des réalités que reconnaît nécessairement l'orthodoxie, l'origine et la médiation. Nous avons parlé cependant de textes maladroits, à vrai dire très peu nombreux. Le plus gênant est le suivant : « nous disons que le Sauveur et l'Esprit Saint dépassent toutes les créatures sans comparaison possible, et d'une manière tout à fait transcendante, mais qu'ils sont dépassés par le Père autant et même plus qu'ils ne dépassent les autres êtres, et non les premiers venus » [107]. Origène s'oppose ici à des gens qui, ignorant *Jn* 14, 28 « Le Père est plus grand que moi », expression qu'Origène applique au Verbe et non à l'Homme-Dieu, ce que feront aussi des postnicéens comme Hilaire de Poitiers, exagèrent l'honneur rendu au Fils. Il s'agit explicitement de « gloire » (*doxa*) et non de puissance. Si le Père dépasse en gloire les deux autres, c'est qu'il en est le Père et l'Alexandrin en trouve la justification dans *Jn* 14, 28. Certes l'orthodoxie postérieure ne s'exprimera pas ainsi, elle évitera tout ce qui pourrait suggérer une supériorité du Père sur les deux autres : ce subordinatianisme est cependant d'une autre nature que celui des Ariens et quand on emploie ce mot il faut faire attention à ses divers sens possibles sous peine de rejeter dans l'hétérodoxie toute l'Eglise des martyrs, car on peut accuser de subordinatianisme presque tous les Pères de cette période.

Si on excepte à propos de l'humanité du Christ l'hypothèse de la préexistence des âmes que nous allons maintenant étu-

107. *ComJn* XIII, 25, 151.

dier plus complètement en traitant des origines de l'humanité, la doctrine d'Origène sur la Trinité et l'Incarnation constitue, à condition de la lire dans son contexte historique, un net progrès sur les temps précédents. On a voulu voir dans Origène « l'ancêtre commun de l'hérésie arienne et de l'orthodoxie cappadocienne » qui a vaincu l'arianisme. Formule frappante, brillante et paradoxale, certes. Mais si Origène a eu une influence sur Arius — sur qui ont joué aussi des influences antiochiennes venant de son maître Lucien d'Antioche et peut-être par lui de Paul de Samosate — il s'agit alors d'un Origène fragmentaire et mal compris, non envisagé dans l'ensemble de sa doctrine [108].

---

108. Telle est la conclusion qui ressort de la thèse, bien discutable d'ailleurs, de R. LORENZ, *Arius judaizans ? Untersuchungen zur dogmengeschichtlichen Einordnung des Arius*, Göttingen 1980 : la conception arienne du Fils viendrait, non de la doctrine origénienne du Logos, mais de celle de l'âme préexistante du Verbe selon Origène !

Chapitre onzième

L'ÉGLISE DE LA PRÉEXISTENCE
ET DE LA CHUTE

L'essentiel de la création divine est constitué pour Origène
par les êtres raisonnables, les créatures non raisonnables ayant
été faites par Dieu dans un second temps pour ainsi dire, à la
suite de la faute des premières : elles sont d'importance
seconde et relatives à l'homme [1]. La création des anges et
des démons se confond à l'origine avec celle des hommes puisque seule la profondeur de la chute originelle les différencie.
L'angélologie et la démonologie origéniennes sont assez développées, mais nous n'en ferons pas un exposé complet : pour
le premier point on peut consulter l'*Origène* de J. Daniélou [2]
dont c'est une des parties les meilleures.

Un principe domine la cosmologie d'Origène : la fin est
semblable au commencement. La fin sera dans la soumission
de tous à Dieu, comme le dit Paul : Dieu sera alors tout en
tous [3]. C'est donc à partir de la fin qu'Origène va essayer de
comprendre le commencement. Tout cela est dit, certes,
« davantage par manière de discussion et d'examen que d'affirmations certaines et définies » [4] : nous sommes toujours dans
une théologie en recherche. D'autre part bien des points étudiés par Origène montrent que cette similitude entre fin et

1. Tel est l'argument essentiel de G. DORIVAL pour refuser, malgré
Jérôme, de lire dans le *Peri Archon* la métempsychose : « Origène a-t-il
enseigné la transmigration des âmes dans des corps d'animaux ? », dans
Origeniana Secunda, Rome 1980, pp. 11-32.
2. Pp. 219-247.   3. *1 Co* 15, 23-28 : *PArch* I, 6, 1-2.   4. *Ibid.*

commencement ne doit pas être entendue trop strictement d'une identité et d'une égalité parfaites : commencement et fin sont semblables à cause de la soumission de tous à Dieu, mais cela n'exclue pas la possibilité d'un progrès entre le début et la fin.

Origène soulève à plusieurs reprises l'idée de mondes successifs. Il le fait par manière d'hypothèse : autrement il y aurait incompatibilité entre ces mondes successifs qui supposeraient des possibilités indéfinies de rechutes et la fin définitive qu'est l'apocatastase. Qu'entend-il par là ? Il ne le précise pas. D'après ce qu'il dit lui-même on distingue d'abord le monde intelligible (*noètos*) des idées, raisons et mystères contenu dans le Verbe, puis le monde des intelligences préexistantes (*noéros*), ensuite le monde actuel, enfin celui de la résurrection. D'ailleurs les mots *kosmos* et *aiôn, mundus* et *saeculum,* monde et siècle, correspondent chez lui à des notions qui manquent de précision.

Ce chapitre contiendra deux parties : d'abord l'hypothèse de la préexistence des âmes, ensuite celle de la chute originelle située dans cette préexistence [5].

La préexistence des âmes

Nous avons vu que le monde coéternel à Dieu est, d'après ce qu'expose clairement le *Traité des Principes* I, 4, 3-5, celui des « idées » ou des « raisons » et non celui des intelligences. Ces dernières ont commencé à être et c'est là une des raisons de leur « accidentalité » congénitale [6].

5. La plupart des études sur Origène parlent de la préexistence et de la chute : les exposés anciens sont souvent sujets à caution et il y a peu d'exposés d'ensemble récents. Citons cependant, outre les articles indiqués au cours du chapitre, quelques autres touchant des points particuliers : avec ces derniers articles nous sommes plus ou moins d'accord. G. BÜRKE, « Des Origenes Lehre vom Urstand des Menschen », *Zeitschrift für katholische Theologie* 72, 1950, 1-39 ; U. BIANCHI, « Presupposti platonici e dualistici di Origene, *De Principiis* », dans *Origeniana Secunda*, pp. 33-56 ; A. CASTAGNO MONACI, « L'idea della preesistenza delle anime e l'esegesi di *Rm* 9, 9-21 », *ibid.* 69-78 ; G. SFAMENI GASPARRO, « Doppia creazione e peccato di Adamo nel *Peri Archon* : Fondamenti biblici e presupposti platonici dell'esegesi origeniana », *Ibid.* 57-67.

6. *PArch* II, 9, 2.

Toutes les créatures raisonnables, celles qui deviendront plus tard anges, hommes, démons, ont donc été créées ensemble et absolument égales. Elles étaient absorbées dans la contemplation de Dieu et formaient l'Eglise de la préexistence, unie comme l'Epouse à l'Epoux à l'intelligence préexistante jointe au Verbe et créée avec elles. Nous verrons plus loin pourquoi Origène préfère les appeler des intelligences que des âmes [7].

Nous avons vu en exposant l'anthropologie trichotomique que ces intelligences étaient menées par leur *pneuma* et revêtues de corps éthérés, le corps étant une caractéristique essentielle de la créature par opposition à la Trinité ; d'autre part qu'elles ont toutes été créées selon l'image de Dieu, non seulement celles qui deviendront des hommes, mais aussi celles qui seront les anges, et encore celles qui, reniant leur participation à Dieu sans cependant parvenir à la détruire, car elle est indélébile, constitueront les démons.

Cette théorie de la préexistence, y compris celle de l'humanité du Christ, est pour Origène, suivant la ligne constante de sa théologie quand il ne s'appuie pas directement sur l'Ecriture, une hypothèse, mais une hypothèse favorite selon laquelle il pense constamment, même quand elle n'est pas explicitement mentionnée. Et on ne voit pas qu'il ait jamais accordé la moindre probabilité aux deux autres solutions courantes parmi les chrétiens du problème de l'origine des âmes, que nous allons exposer bientôt.

D'où vient cette hypothèse et quelles en sont les raisons ? La réponse à la première question ne fera pas de doute : du platonisme. Cela est vrai, mais il ne semble pas que la préexistence ait chez Origène les mêmes raisons que chez Platon. En effet, il n'y a guère dans l'œuvre d'Origène d'allusion claire à la contemplation des idées dans la préexistence et à

---

7. On désigne habituellement ces intelligences par le pluriel *noes*, de *noûs*. Cette forme appartient à la *koinè* et à la langue postérieure. Mais, en ce qui concerne Origène ce pluriel n'est attesté que par des textes écrits après lui, cités à tort par P. Koetschau dans son édition *GCS* V du *Peri Archon* comme représentant sa pensée. Nous n'avons jamais trouvé dans les œuvres grecques d'Origène le mot *noûs* au pluriel. Comme il décline ce mot suivant la déclinaison attique et non selon celle de la *koinè*, à moins qu'il ne cite le Nouveau Testament, il aurait dit certainement au pluriel, non des *noes*, mais des *noi*.

la réminiscence qui permettrait à l'homme de retrouver ces idées à travers les êtres sensibles qui en participent, dans le courant de son existence terrestre. Bien que pour Origène les êtres sensibles soient les images de mystères divins, parmi lesquels se trouvent les idées contenues dans le Verbe, on lit chez lui peu d'allusions claires et indiscutables à la réminiscence. Deux fois il est question cependant [8] d'une instruction reçue de Dieu avant d'entrer dans le corps terrestre, d'une instruction dont l'âme vêtue du corps terrestre se souvient : il ne s'agit pas cependant de reconnaître dans les êtres sensibles les idées auxquelles ils participent, mais d'être instruits dans les choses divines : cela est exprimé davantage par voie de question posée que d'affirmation claire et peut être aussi une conséquence de la doctrine de l'image de Dieu [9].

En fait les raisons qui ont déterminé Origène à soulever cette hypothèse sont chrétiennes : c'est d'abord le problème de l'origine de l'âme tel qu'il se posait à son époque ; et ensuite la controverse avec Valentiniens et Marcionites. Dans la préface du *Traité des Principes* [10] Origène montre l'incertitude dans laquelle se trouve à son époque la règle de foi à propos de l'origine de l'âme :

> « L'âme naît-elle par l'intermédiaire de la semence, de sorte que son principe et sa substance seraient contenus dans les semences corporelles elles-mêmes, ou a-t-elle une autre origine ? dans ce cas est-elle engendrée ou non, est-elle mise de l'extérieur dans le corps ou non ? Cela n'est pas suffisamment précisé par la prédication apostolique. »

Pamphile commente ce texte dans son *Apologie pour Origène* [11]. Il constate qu'il y a dans l'Eglise une grande diversité d'opinions sur ce sujet et les énumère. Les uns tiennent que les âmes sont créées et insérées par Dieu quand le corps se forme dans l'utérus maternel : mais cette opinion peut faire accuser Dieu d'injustice devant l'inégalité des conditions humaines. Il s'agit là de la solution dite créationniste, terme qui

---

8. *ComJn* XX, 7, 52 ; *PEuch* XXIV, 3.

9. Malgré M. B. von STRITZKY, « Die Bedeutung der Phaidrosinterpretation für die Apokatastasislehre des Origenes », *Vigiliae Christianae* 31, 1977, 282-297.

10. I, pref. 5.   11. IX : *PG* 17, 604 C-607 A.

prête à confusion car dans tous les cas pour un chrétien l'âme est créée par Dieu : il exprime ici seulement qu'elle est l'objet d'une création immédiate et directe. Pour leurs adversaires, dits traducianistes, il s'agit bien aussi d'une création, mais indirecte et médiate : ils supposent que l'âme dérive avec le corps de la semence paternelle. En effet, suivant l'opinion dominante, non cependant exclusive, de l'antiquité, l'enfant sort tout entier de la semence du père, la mère étant en quelque sorte le récipient ou le terrain où la semence se développe. Cette seconde alternative est, elle aussi, soumise à des objections graves. Si l'âme est vraiment ce souffle de l'Esprit Saint que le Seigneur au début insuffla à Adam [12], comment la faire venir avec le corps de la semence du père ? N'est-ce pas alors la faire mourir avec le corps, conséquence que notre foi ne reçoit pas ? Car l'immortalité de l'âme et la rémunération finale sont professées par la règle de foi [13], toujours selon la préface au *Traité des Principes*. Pamphile ajoute qu'on ne peut traiter d'hérétiques ceux qui tiennent ces deux opinions, malgré les graves objections qui leur sont faites, parce que rien de certain n'est dit à ce sujet par l'Ecriture ou par la prédication apostolique et qu'on ne peut accuser Origène d'hérésie à cause de sa doctrine de la préexistence, lorsqu'il a dit ce qui lui paraissait le meilleur.

En effet, puisque ce point n'était pas précisé par la règle de foi, Origène pensait, conformément à l'intention maîtresse du *Peri Archon*, qu'il était laissé à l'investigation théologique qui pouvait sur la double base de l'Ecriture et de la raison formuler des hypothèses. Cette opinion ne pouvait être taxée d'hérésie à son époque puisque la règle de foi ne contenait rien à son sujet et elle permettait d'échapper aux objections que soulevaient les deux autres hypothèses possibles. En outre deux intentions polémiques y sont impliquées. L'égalité originelle de toutes les créatures raisonnables que seule la faute différenciera par suite des décisions du libre arbitre de chacun est une réponse aux diverses natures d'âmes des Valentiniens qui méconnaissent la responsabilité individuelle, les « pneumatiques » étant sauvés sans mérite et les « hyliques » damnés sans culpabilité, le libre arbitre ne jouant son rôle que d'une certaine façon pour les « psychiques ». L'hypothèse de la préexistence avait en outre aux yeux

12. *Gn* 2, 7. 13. *PArch* préf. 5.

d'Origène l'avantage de lui fournir un argument contre l'objection la plus difficile que les Marcionites opposaient à la bonté du Dieu créateur : l'inégalité des conditions humaines à la naissance. Est-ce par l'action d'un Dieu bon que tel enfant naît aveugle ou affligé d'autres infirmités qu'il ne peut avoir méritées, que les uns naissent dans des contrées civilisées, chez les Grecs évidemment, où ils peuvent jouir d'une excellente éducation, et les autres dans des régions barbares ? La réponse d'Origène sera que la condition où l'homme vient au jour ici-bas est la conséquence de la profondeur d'une faute originelle située dans cette préexistence : il parle même d'un premier jugement divin précédant la naissance, analogue au Jugement dernier [14]. Il n'était pas embarrassé pour trouver des supports scripturaires, surtout l'histoire de Jacob et d'Esaü, l'un aimé, l'autre haï de Dieu dès sa naissance [15].

Dans les siècles qui suivront immédiatement l'Alexandrin l'origine des âmes ne se précise guère, mais la préexistence apparaît non seulement mythique, mais encore hérétique. Elle est combattue dès le début du IVe siècle par Pierre d'Alexandrie. A la même époque, comme nous l'avons vu, Pamphile de Césarée l'explique et l'excuse, sans cependant la faire sienne. Les compilateurs de la *Philocalie d'Origène,* Basile de Césarée et Grégoire de Nazianze, vont supprimer discrètement de leurs citations du *Traité des Principes,* surtout du chapitre sur le libre arbitre, des passages où elle s'affirme trop crûment. Elle est très attaquée pendant la première crise origéniste, mais on n'est pas plus avancé sur le fond. Rufin exprime son embarras et son ignorance sur l'origine de l'âme dans l'*Apologie* qu'il adresse au Pape Anastase [16]. La seule chose qu'il sait, c'est « ce que l'Eglise enseigne clairement, que Dieu est le créateur des âmes et des corps ». Augustin lui-même a toujours hésité sur ce sujet : on le voit par une lettre à Jérôme [17] où il se montre préoccupé du mal et de l'inégalité des conditions humaines et ses *Rétractations* [18] témoignent des mêmes difficultés.

---

14. *PArch* II, 9, 8.
15. *Ml* 1, 2-3 repris par *Rm* 9, 11 : ainsi *PArch* III, 1, 22.
16. § 6 : *CChr* XX.
17. 131 dans la correspondance de Jérôme : *CUFr* VIII.
18. I, I, 3 ; II, XLV (LXXI) ; II, LVI (LXXXIII) : CSEL XXXVI.

La faute originelle dans la préexistence

La préexistence des âmes ne se comprend donc que par la faute originelle qui s'y situe, car c'est seulement complétée par cette dernière qu'elle peut s'opposer aux attaques marcionites contre le Dieu créateur en montrant dans les diversités des situations où se trouvent les créatures raisonnables un résultat des décisions de leur libre arbitre. Remarquons aussi que la doctrine origénienne du péché originel ne se réduit pas à ce que nous allons dire et contient des affirmations qui étaient à l'époque et seront encore longtemps plus traditionnelles : l'impureté de l'enfant à sa naissance fonde pour lui la nécessité du baptême et justifie particulièrement le baptême des enfants ; cette impureté est liée à l'acte charnel qui lui a donné son origine, etc. C'est donc une explication entre autres de la faute originelle qui est liée à la préexistence.

Les créatures raisonnables étaient, rappelons-le, absorbées dans la contemplation de Dieu comme les bienheureux le seront dans la restauration finale. Elles formaient une unité, une Eglise, qui avait pour chef et Epoux le Christ dans son humanité préexistante. La chute va disloquer cette Eglise et mettre fin à cette unité. Son origine est exprimée de deux façons qui toutes deux sont en rapport étroit avec la pratique de la vie spirituelle. D'abord la *satietas,* la satiété de la contemplation divine [19]. Ce terme latin traduit le grec *koros* : il ne signifie pas que l'infinité divine puisse en quelque façon rassasier une créature, mais comme l'a montré dans une analyse du mot Marg. Harl [20], *koros* et *satietas* expriment le dégoût de la contemplation, quelque chose de comparable à l'« acédie » qui est pour les moines orientaux une des grandes tentations du moine, le dégoût du spirituel et finalement de toutes choses. Une seconde explication [21] part d'une étymologie classique chez les Grecs, bien que très probablement artificielle [22], rattachant *psychè,* âme à *psychos,* froid. Dieu est feu et chaleur. S'éloignant de Dieu les intelligences se sont refroidies et

---

19. *PArch* I, 3, 8 et I, 4, 1.

20. « Recherches sur l'origénisme d'Origène : la satiété (*koros*) de la contemplation comme motif de la chute des âmes » : *Studia Patristica* VIII (*Texte und Untersuchungen* 93), 1966, 374-405.

21. *PArch* II, 8, 3-4.

22. Voir P. CHANTRAINE, *Dictionnaire étymologique de la langue grecque : Histoire des mots,* tome III, Paris 1968, pp. 1294-1296.

LE THÉOLOGIEN

sont devenues des âmes. Il s'agit donc d'une baisse de ferveur et de charité. Mais la dégradation de l'intelligence en âme comporte des degrés, car toutes ne sont pas tombées au même niveau. De là est venue la diversité des créatures raisonnables, leurs différents ordres, anges, hommes et démons, et à l'intérieur de chaque ordre une diversité continue. La chute originelle est ainsi non la cause immédiate, mais le motif de la diversité du monde sensible créé par Dieu après elle.

De toute façon la chute est due à une décision du libre arbitre de la créature raisonnable qui est une de ses caractéristiques essentielles et que, selon la doctrine constante d'Origène, Dieu respecte et ne force jamais, même s'il la sollicite instamment. Dans l'exposé de la règle de foi donné par la préface du *Traité des Principes* [23] nous lisons :

« Le point suivant est aussi défini par la prédication ecclésiastique : toute âme raisonnable est douée de libre arbitre et de volonté... Il faut donc comprendre que nous ne sommes pas soumis à la nécessité et que nous ne sommes pas forcés de toute manière, même contre notre gré, de faire le mal ou le bien. Si nous sommes doués de libre arbitre, certaines puissances peuvent bien nous pousser au mal et d'autres nous aider à faire notre salut, nous ne sommes pas cependant contraints par la nécessité d'agir bien ou mal. Pensent le contraire ceux qui disent que le cours et les mouvements des étoiles sont la cause des actes humains, non seulement de ceux qui ne dépendent pas du libre arbitre, mais aussi de ceux qui sont en notre pouvoir. »

Face au déterminisme païen de l'astrologie et des philosophies inspirées par elle, face aussi au déterminisme gnostique des « hérétiques aux natures », Origène restera dans toute sa pensée un tenant intrépide du libre arbitre de l'homme, une des idées-forces de sa théologie et, en dialogue avec l'action divine un des moteurs de sa cosmologie. Il lui a consacré un des chapitres majeurs du *Traité des Principes* [24] conservé en grec par la *Philocalie* : après une réflexion d'ordre philosophique il s'efforce d'écarter les objections qu'on pourrait lui faire à partir de textes scripturaires : ce chapitre a eu une influence

23. § 5.
24. III, 1 : ou *Philoc* 21 ; sur le même sujet *Philoc* 22-27.

considérable et le *De libero arbitrio* d'Erasme s'en inspirera largement [25].

La chute a-t-elle été universelle, atteignant toutes les intelligences ? Une au moins y a certainement échappé, celle qui était unie au Verbe, car Origène la dit impeccable, transformée dans le Verbe comme le fer dans le feu devenant feu [26]. Mais d'autres aussi n'ont-elles pas échappé à la chute ? La plupart des auteurs le nient, partant d'un a-priori : la chute a dû être aussi universelle que l'apocatastase finale. Nous verrons dans le dernier chapitre de ce volume s'il est vrai de dire qu'Origène professe clairement une apocatastase universelle. En ce qui concerne l'universalité de la chute elle semble bien contredite par certains textes du *Traité des Principes* qui, comme l'a montré M. Simonetti [27], supposent que des intelligences ont échappé à la chute [28]. Parmi ces créatures angéliques qui n'ont pas péché certaines, pense Origène, se sont incarnées comme le Christ, non par suite d'une faute, mais pour servir les hommes et aider la mission du Rédempteur. Le *Commentaire sur Jean* [29] fait une hypothèse de ce genre à propos de Jean-Baptiste et, sur la foi d'un apocryphe, *La Prière de Joseph,* de plusieurs patriarches de l'Ancien Testament. Le *Commentaire sur Ephésiens* de Jérôme [30], largement inspiré de celui d'Origène, reproduit à propos de *Ep* 1, 4 la même opinion au sujet des prophètes et des saints de l'Ancien Testament, envoyés sur terre et mis dans des corps terrestres sans avoir péché, pour aider la Rédemption.

1) Tous les anges sont-ils dans ce cas pour Origène ou seulement leurs degrés supérieurs, les autres ayant péché, mais beaucoup moins profondément que les hommes et les démons ? Il est difficile de le dire. Le *Traité des Principes* [31] affirme que les anges ont obtenu leurs fonctions, plus hautes ou plus basses, parmi ceux qui commandent ou parmi ceux qui obéissent, de leurs propres mérites : le contraire aurait correspondu à une partialité indigne du Créateur. On peut s'étonner de

---

25. A. Godin, *Erasme lecteur d'Origène,* Genève 1982, pp. 469-489.

26. *PArch* II, 6, 4-6.

27. « Due note sull'angelologia origeniana » *Rivista di cultura classica e medioevale,* 4, 1962, 169-208.

28. *PArch* I, 5, 5 ; I, 6, 2 ; I, 8, 4 ; II, 9, 6 ; IV, 2, 7.

29. II, 29-31 (24-25), 175-192, surtout 186-190.

30. *PL* 26, 446-447.

31. I, 5, 3 ; I, 9, 1.

cette insistance d'Origène sur le mérite qui vient de la polémique antivalentinienne. De toute façon cela suppose qu'il y a
chez les anges une diversité de mérites. Tient-elle à un progrès à partir de l'état commun, que certains textes n'excluent
pas, ou au contraire à des degrés divers de chute ? Une homélie sur les Nombres, s'appuyant sur *1 Co* 6, 3 : « Ne savez-
vous pas que nous jugerons les anges » montre les anges gardiens jugés eux aussi avec leurs pupilles humains au Jugement
dernier, ce qui suppose qu'ils puissent pécher [32]. Peut-être
même les fonctions des anges gardiens, que ce soit ceux des
individus, des nations ou des Eglises, ou même des différents
règnes de la nature, représentent-elles pour eux une sorte de
châtiment miséricordieux à cause de la chute primitive.

Avec les anges il faut mentionner les astres. Car le *Traité
des Principes* [33] présente, suivant la tradition philosophique,
mais toujours de manière hypothétique, les astres comme des
êtres animés et raisonnables, dont les âmes préexistaient et
qui ont été soumis à la vanité des corps visibles pour le service des hommes. Eux aussi seraient susceptibles de pécher.
Leur venue dans le corps est-elle la suite d'une faute comme
semblent le penser nombre d'interprètes anciens ou modernes
d'Origène, ou s'est-elle faite seulement pour le service de
l'homme, sans démérite de leur part ? Le texte rufinien semble plutôt en faveur de la seconde solution.

2) A l'opposé des anges sont les démons dont les noms sont
parallèles à ceux des ordres angéliques, Trônes, Dominations,
Principautés, Puissances, etc. [34]. Eux aussi peuvent être gardiens, gardiens à l'envers, en s'efforçant de faire pécher celui
qu'ils ont pris en charge, individu ou nation. A leur tête est
leur chef, Satan, le Diable, le Malin, en qui Origène voit
le « Principe » de la chute suivant Job 40, 14 (19) d'après la
Septante : « Il est le commencement du " modelage " du Seigneur, fait pour être la risée de ses anges. [35] » Ce mot *plasma,*
modelage, désigne la création du monde sensible qui, nous
allons le voir, suivra la chute. Ou en d'autres termes : « c'est
lui le premier terrestre, parce qu'étant tombé le premier des
réalités supérieures et ayant désiré une autre vie que la vie la
meilleure il a été digne d'être le principe ni de la production
(*ktisma*), ni de la création (*poièma*) mais du modelage (*plasma*)

---

32. *HomNb* XI, 4.   33. I, 7, 2-5.   34. *PArch* I, 5, 2.
35. *ComJn* I, 17, 95.

du Seigneur, fait pour être la risée de ses anges » [36]. Cela ne veut pas dire que Satan et ses démons aient comme les hommes des corps terrestres : leurs corps sont « par nature quelque chose de subtil, comme un souffle léger » [37] de même que le corps des anges est éthéré [38]. La chute de Satan [39], entraînant toutes les autres est figurée par la prophétie d'Ezéchiel [40] sur le Prince de Tyr et celle d'Isaïe [41] sur le roi de Babylone. Origène inaugure ainsi une tradition : l'affirmation de la grandeur de Satan avant la chute quand il portait « le sceau de la ressemblance », c'est-à-dire la participation à l'image de Dieu ; l'orgueil qui a entraîné la catastrophe ; l'appellation de Lucifer, *Eôsphoros,* « porte-aurore », désignant l'étoile du matin et appliquée aussi au Christ. Cette origine angélique de Satan est aussi affirmée par la règle de foi selon la préface du *Traité des Principes* [42] :

« Du Diable et de ses anges, ainsi que des puissances contraires, la prédication ecclésiastique a enseigné l'existence, mais elle n'a pas exposé assez clairement leur nature et leur manière d'être. On trouve cependant chez beaucoup l'opinion que le Diable a été un ange et que, devenu apostat, il a convaincu de nombreux anges de le suivre dans son éloignement : c'est pourquoi ces derniers sont appelés jusqu'à maintenant ses anges. »

Et quand la règle de foi mentionne le libre arbitre dont est douée l'âme raisonnable, elle affirme de cette dernière [43] :

« Elle est en lutte avec le Diable et ses anges, ainsi qu'avec les puissances contraires, car ils s'efforcent alors de la charger de péchés. »

Le chapitre du *Traité des Principes* sur le libre arbitre est suivi d'un long développement [44] sur les combats que les puissances diaboliques mènent contre les hommes.

Les démons étaient donc originellement, comme les anges et les hommes, des *logika*, des êtres raisonnables, avec le sens surtout surnaturel que ce mot a habituellement chez Origène :

---

36. *ComJn* XX, 22 (20), 182 : remarquer la gradation *ktisma, poièma, plasma* signalée p. 230-231.
37. *PArch* I, préf. 8.   38. *ComMt* XVII, 30 (*GCS* X).
39. *PArch* I, 5, 4-5.   40. 28, 11-19.   41. 14, 12-22.   42. § 6.
43. § 5.   44. III, 2-4.

ils participaient au Logos divin, Parole et Raison de Dieu.
Mais par le libre choix de leur volonté ils ont refusé cette participation au Logos et sont devenus des *aloga,* des êtres sans
raison, s'assimilant ainsi d'une certaine façon aux animaux,
devenant des bêtes spirituelles si on peut ainsi parler. C'est
pourquoi les images adverses qui, à cause du péché, recouvrent la participation de l'homme à l'image de Dieu, sont
dites indifféremment diaboliques et bestiales [45]. A cause de
leur malice les démons ne peuvent comprendre les réalités
spirituelles et sont ignorants de tout ce qui concerne le salut [46].
Origène donne de même parfois une signification surnaturelle
à l'existence, participation à Dieu qui s'est révélé à Moïse
comme « celui qui est » [47]. Ayant renié cette participation à
la source de leur existence les démons sont devenus dans un
certain sens des *ouk ontes,* des « non étant » [48]. Une possibilité
de conversion des démons n'est pas aussi claire chez Origène
qu'on le dit habituellement : nous y reviendrons dans le chapitre final à propos de la restauration ou apocatastase. Dans
le *Traité des Principes* [49] Origène pose la question sans la
résoudre en laissant deux possibilités : ou la conversion est
possible parce que reste en eux le libre arbitre ; ou « au
contraire la malice durable et invétérée ne se changerait-elle
pas, par l'habitude, d'une certaine façon en nature ? ». La
raison de ce second terme de l'alternative est que le libre arbitre est de plus en plus asservi par l'habitude mauvaise qui
tend à devenir nature. C'est là véritablement une opinion
d'Origène et non du traducteur Rufin car on la retrouve plusieurs fois dans des œuvres conservées en grec. [50]

3) « Le troisième ordre de la création raisonnable est formé de
ces esprits qui ont été jugés par Dieu aptes à remplir le genre
humain, c'est-à-dire les âmes des hommes. » [51]

C'est parce qu'ils ont été impliqués dans la chute primitive
d'une manière moins grave que les démons, et qu'il y a pour
eux espoir de guérison, qu'ils ont été mis dans ce monde sensible et terrestre comme dans un établissement de correction.

45. Voir notre *Théologie de l'Image de Dieu chez Origène,* pp. 181-215.
46. Voir notre *Origène et la « connaissance mystique »* pp. 421-425.
47. *Ex* 3, 14.   48. *ComJn* II, 13 (7), 98.   49. I, 6, 3.
50. *ComJn* XX, 21 (19), 174 : *HomJr* XVIII, 1 ; *FragmMt* 141 (*GCS*
XII/1).
51. *PArch* I, 8, 4.

4) Ce monde sensible et terrestre a donc été l'objet d'une sorte de seconde création contenant les êtres inanimés, les végétaux et les animaux. Le début du livre II du *Traité des Principes* s'occupe du « monde » et de ses différents lieux, terre, mer, air, ciel, etc. Il ne s'agit pas d'exposer ici ce que contiennent ces textes fort complexes avec leur caractère de discussion et leur adaptation de l'astronomie antique. Origène est frappé par la variété de ce monde sensible, créé ainsi pour s'adapter aux besoins des êtres raisonnables que la chute primitive a rendus très différents les uns des autres car ils sont tombés plus ou moins bas. Mais à ce monde très divers le Créateur a cependant donné une unité. Le corps humain, éthéré dans la préexistence, est devenu terrestre, analogue à ce monde sensible où l'homme doit vivre : nous ne revenons pas sur ce point déjà traité. Sous-jacente à cette conception du monde se trouve une idée de la matière qui vient de la philosophie grecque. La matière dont le monde est composé est une sorte de substrat amorphe, capable de recevoir des qualités diverses et d'en changer, car il ne s'engage définitivement en aucune : cependant il ne peut subsister sans être informé par des qualités. Mais, à la différence des philosophes, Origène refuse d'admettre que cette matière soit incréée, car tout a été fait par Dieu à partir de rien [52]. Cette conception de la matière avec la qualité qui l'informe explique non seulement les changements qui se produisent dans la nature, mais aussi l'identité et l'altérité qui existent entre le corps éthéré de la préexistence et le corps terrestre, ainsi que, comme nous le verrons plus loin, entre le corps terrestre et le corps ressuscité.

Il y a donc un lien entre le péché et la corporéité terrestre. De quelle nature est-il ? L'influence platonicienne n'est pas contestable, mais dans quelles proportions joue-t-elle ? Faut-il voir en quelque sorte dans la mentalité d'Origène une liaison nécessaire, qui s'imposerait même d'une certaine façon à Dieu, entraînant un dualisme [53]. Tout cela paraît exagéré. D'abord ceux qui ont péché le plus profondément, les démons, ne sont

---

52. *PArch* II, 1, 4 ; IV, 4, 6-7 ; et bien d'autres textes.
53. Telle est l'opinion exprimée par U. Bianchi dans l'article indiqué note 5. Elle a été un des principaux sujets du colloque tenu à Milan du 17 au 19 mai 1979 entre des historiens des religions et des patrologues. Les exposés et les discussions ont été publiés : *Arché e Telos : L'antropologia di Origene e di Gregorio di Nissa, Analisi storico-religiosa* (éd. U. Bianchi et H. Crouzel), Milan 1981.

pas mis dans des corps terrestres, ni attachés comme les hommes au monde sensible : si le Diable est appelé le Premier Terrestre, c'est qu'il est à l'origine de la chute qui a été la cause de la création du monde sensible, mais non parce qu'il porterait un corps terrestre. Il n'y a donc pas une liaison nécessaire entre péché et matérialité terrestre. Si l'homme a été mis dans cette situation, c'est selon les desseins de Dieu, parce qu'il est encore guérissable et que la mise dans le monde sensible où il s'insère par la qualité terrestre qu'a revêtu son corps est une épreuve, un châtiment miséricordieux, préludant à la Rédemption. Pour comprendre comment d'après Origène la vie dans le sensible constitue une épreuve de notre amour pour Dieu il faut se reporter à la conception du péché que nous avons exposée plusieurs fois dans ce livre, surtout à propos de la virginité et du mariage [54]. Bon par lui-même, car il a été créé par Dieu et est l'image de mystères divins, le sensible met l'homme dans un état de tentation, car ce dernier est toujours tenté de s'arrêter à lui comme à l'absolu qu'il recherche, un absolu faux et décevant car il n'est qu'une image du vrai absolu. Tel est, nous l'avons vu plusieurs fois, l'essentiel du péché selon Origène, un acte d'idolâtrie qui met le sensible à la place de Dieu et un adultère, conformément au thème du mariage mystique. Si l'homme, avec l'aide de la grâce divine qui lui parvient par le Christ Rédempteur, surmonte cette tentation, il offre à Dieu, en union avec le Christ, un amour qui le sauve.

Il ne s'agit donc pas d'une liaison nécessaire entre chute originelle et monde sensible, mais d'une décision libre de Dieu, seule compatible avec la liberté divine à qui toute nécessité, même la plus ténue que l'on puisse imaginer, ôterait en fait sa divinité. Si nous prenons le mot dualisme en son sens philosophique habituel il désigne une doctrine qui fait tout dériver de deux principes irréductibles l'un à l'autre. Il est clair qu'un tel terme ne peut s'appliquer à la synthèse origénienne à cause de l'idée très forte qu'a son auteur de l'absolu divin et de la création à partir de rien. Peut-on voir du dualisme dans la pensée de Platon lui-même ? Cela même paraît discutable à cause de certaines incertitudes qu'elle laisse et qu'illustrent les opinions diverses des historiens de la philosophie. A supposer qu'on puisse traiter Platon de dualiste, il

54. Voir pp. 184-187.

faudrait alors dire qu'Origène a en partie assumé une structure d'origine dualiste, mais que sa conception de Dieu exclut tout dualisme. On ne peut pas dire non plus que la doctrine origénienne soit moniste, ramenant tout absolument à un unique principe, car elle est marquée profondément par ce paradoxe fondamental du Christianisme, d'un Dieu tout-puissant créant librement une créature douée de libre arbitre, c'est-à-dire appelée à accepter sa volonté, mais pouvant aussi s'opposer à lui. Le jeu de l'action divine et de la liberté humaine est un des traits fondamentaux de la synthèse origénienne qu'expose le *Traité des Principes* et qui sous-tend toute l'œuvre de l'Alexandrin. Elle reste en tension entre le dualisme et le monisme.

On dit aussi assez fréquemment que pour Origène la chute est quelque chose d'inéluctable, qui ne pouvait pas ne pas se produire : cette affirmation nous paraît infondée. D'abord est-il légitime de passer ainsi du plan du fait sur lequel reste Origène — affirmativement quand il s'agit de ce que lui livre la « prédication ecclésiastique », hypothétiquement en ce qui concerne ses propres spéculations — au plan du droit ? Puisque certains des êtres raisonnables, en dehors même de l'âme du Christ, ne sont pas tombés, on ne peut accepter cette conclusion. Mais surtout l'inéluctabilité de la chute est en opposition avec le libre arbitre des créatures, qui ne seraient alors pas libres, mais en réalité manipulées, et avec le respect si souvent affirmé que Dieu manifeste à leur égard. S'il s'agit d'une nécessité qui viendrait de Dieu, on donne de Dieu une idée indigne de lui, car on prétend alors qu'il feint de respecter la liberté humaine alors qu'il ne le fait pas et on prête au Dieu bon — une des affirmations constantes d'Origène contre les Marcionites — la responsabilité du mal. Si on prétend que cette nécessité ne vient pas de Dieu on lui ôte sa divinité, lui superposant, ainsi qu'à ses créatures, un Destin qui les détermine. Rien n'est plus contraire à la pensée profonde de notre théologien.

Pour achever cet exposé sur la chute, motif de la création par Dieu du monde sensible, il serait tentant d'esquisser un parallèle entre la conception d'Origène et celle de ses adversaires principaux, les Valentiniens [55]. Les deux plans infé-

55. Voir dans IRÉNÉE, *Contre les Hérésies* I, 1-9 (*SC* 264) l'exposé des doctrines du valentinien Ptolémée.

rieurs du monde selon eux, l'Intermédiaire, royaume du Dieu Créateur, le Démiurge, et des âmes, et le Kénôme, lieu du vide, domaine du Cosmocrator, le Diable, et des corps, sont la conséquence d'un drame qui s'est produit dans le Plérôme, le Paradis des Eons. Ce drame, que l'on pourrait appeler irrévérencieusement, du titre d'un roman pour enfants de la Comtesse de Ségur, « Les malheurs de Sophie », est le suivant. Sophia, la Sagesse, le dernier des Eons, a été prise d'un désir irrépressible de voir le Père, le Dieu suprême, qui a mis en danger tout le Plérôme en menaçant de bouleverser sa hiérarchie. Cette *hybris* inconcevable a été finalement détachée de Sophia sous la forme d'un Eon avorton qu'elle engendre, Sophia-Achamoth, qui pour rétablir l'ordre est expulsé du Plérôme. Telle est la version valentinienne de la chute. D'Achamoth vont sortir et l'Intermédiaire avec son Démiurge et le Kénôme avec son Cosmocrator, ainsi que les créatures angéliques et humaines qui les peuplent. Achamoth intervient directement dans la création des pneumatiques, insufflant, à l'insu du Démiurge, des germes venant du Plérôme auquel elle appartient par son origine dans certaines des créatures faites par le Démiurge. Dans l'eschatologie, quand Achamoth, leur Mère, sera reçue finalement dans le Plérôme et unie au Sauveur, l'Eon masculin qui a été engendré pour la « former » et la sauver, les pneumatiques y seront accueillis eux aussi et unis, comme éléments féminins, aux anges du Sauveur.

Toute mythique qu'elle est, la version origénienne de la chute a peu de commun avec cette mythologie. D'abord la chute est pour lui l'œuvre des créatures raisonnables et non le résultat d'un drame qui s'est passé dans un monde transcendant et dont une des conséquences sera la création des êtres humains. D'autre part le libre arbitre ne joue guère de rôle dans la gnose valentinienne quant au déroulement des événements. Non seulement celui de créatures qui n'existent pas encore, mais même celui de l'initiatrice du drame, Sophia, car ce désir irrépressible de voir le Père n'est pas une volonté libre ; pas davantage le processus par lequel le Démiurge crée ; peut-être dans une certaine mesure l'insufflation des germes pneumatiques par Achamoth. Mais comme dans la distinction des trois natures d'hommes tout a été conçu pour faire le plus possible l'économie du libre arbitre.

L'hypothèse de la préexistence des âmes et la version de la chute qui lui est liée sont certainement ce qu'il y a de plus caduc dans la pensée origénienne et, comme nous l'avons dit, elles furent contestées rapidement par les adversaires de l'Alexandrin, sans être soutenues, mais seulement expliquées, par ses apologistes. Cela sera cependant développé et systématisé et deviendra un des points essentiels de l'origénisme postérieur, tant du IVe que du VIe siècle. On le comprend en partie par la polémique contre les hérétiques du IIIe siècle, Valentiniens et Marcionites, et par le Moyen Patonisme qui constitue l'univers de pensée philosophique dans lequel pense Origène. Tous les éléments ne sont pas nécessairement sans valeur, notamment la conception du péché.

On pourrait se demander quel lien a cette prétendue préhistoire de l'homme avec les récits de la création selon le livre de la Genèse. Nous n'avons malheureusement plus, à part quelques fragments et des renseignements venant d'auteurs postérieurs, le *Commentaire sur la Genèse* qui devait expliquer allégoriquement dans ce sens les premiers chapitres du livre : nous devons nous contenter de la première homélie sur ce livre qui est probablement moins explicite que ne l'était sur ce point le Commentaire, et aussi d'allusions éparses un peu partout. Comme cela a été dit à propos de l'anthropologie trichotomique et de l'image de Dieu, le chapitre 1 de la Genèse figure la création des intelligences préexistantes, la mention du mâle et de la femelle s'appliquant, non à une sexualité qui n'existe pas encore, mais au Christ préexistant dans son humanité et à son Epouse, l'Eglise de la préexistence, ensemble des intelligences. Le chapitre 2 parle de la création du corps, mais sur lui pèse une lourde imprécision : s'il s'agit du corps terrestre et sexué consécutif à la chute, comment Origène le verrait-il dans ce chapitre 2, antérieur au chapitre 3 qui figure la chute ? Selon le témoignage de Procope de Gaza, nous l'avons vu [56], le *Commentaire sur la Genèse* l'interprétait du corps « étincelant » qui revêtait l'intelligence préexistante et alors les deux créations, celle du chapitre 1 et celle du chapitre 2, devraient être considérées comme concomitantes, une créature ne pouvant exister sans corps. Mais dans ce cas que

56. Voir pp. 128-129

faisait Origène des versets 21 à 25 du chapitre 2, de la création de la femme et de son union à l'homme par les soins de Dieu, passage qui tient une grande place dans la conception origénienne du mariage comme dans celle de toute l'Eglise primitive ? L'interprétait-il seulement du « grand mystère » [57] de l'union du Christ et de l'Eglise et indirectement seulement de celle de l'homme et de la femme, son image ? Le chapitre 3 devait dans le *Commentaire sur la Genèse* figurer la chute et les « tuniques de peau » du verset 21, selon Procope de Gaza, la « qualité » terrestre qui va désormais cacher l'éclat du « corps étincelant » qui revêtait l'intelligence préexistante. Or ce n'est qu'à ce moment qu'on peut parler d'une seconde création concernant le monde sensible et pareillement d'un corps sexué : Origène lui-même remarque que l'Ecriture mentionne seulement après le départ du Paradis qu'« Adam connut Eve son épouse » [58]. Pour compliquer encore le tableau ajoutons qu'il n'est pas du tout sûr qu'Origène, tout en les allégorisant, n'ait pas vu en Adam et en Eve des personnages réels. Certaines expressions semblent le montrer et, de toutes façons, pour Origène comme pour Paul, l'allégorisation d'un récit n'est pas incompatible avec la croyance en son historicité. La perte du *Commentaire sur la Genèse* nous empêche de répondre à ces questions, mais nous pouvons être sûrs qu'Origène se tirait de toutes ces difficultés, avec son ingéniosité habituelle.

57. *Ep* 5, 32.
58. *Gn* 4, 1 : *Fragm 1 Co* XXIX *JThS* IX, 370.

Chapitre douzième

L'ÉGLISE DES TEMPS PRÉSENTS

L'Eglise selon Origène est coextensive à l'histoire des êtres raisonnables : nous l'avons déjà appris plusieurs fois. Elle a commencé avec la création des intelligences préexistantes. Leur unité constituait alors l'Eglise de la préexistence, unie comme l'Epouse à l'Epoux au Christ dans son humanité préexistante. Son lieu céleste est souvent appelé par Origène la Jérusalem céleste, mère du Logos, mère des intelligences, monde supérieur qui semble se confondre avec le « sein du Père ». Mais la chute précosmique brise cette unité. Les anges restent dans le sein du Père, voyant la face de Dieu, constituant alors la portion céleste de l'Eglise où les rejoindront les bienheureux, puisque, selon Origène, contrairement à plusieurs de ses contemporains, les justes vont au Paradis avant même la Résurrection ; le reste de l'Eglise, projeté sur terre, est brisé par le péché en mille morceaux. Mais l'Eglise se reconstitue tant bien que mal avec l'ancien Israël. Bien qu'elle ne possède pas encore l'Epoux et que ce temps soit comme une période de fiançailles, l'Epoux se manifeste à elle quelquefois dans les théophanies selon l'état primitif humano-angélique de la préexistence. Mais la plupart du temps il use de messagers, les « amis de l'Epoux », patriarches, prophètes et anges, pour entretenir dans l'Eglise encore enfant l'amour et le désir de lui. Tout cela est abondamment développé dans le *Commentaire sur le Cantique des Cantiques*.

Vient enfin le moment fixé par le Père, l'Incarnation :

« Et il a laissé à cause de l'Eglise, lui, le Seigneur, qui est le mari, le Père près duquel il se trouvait quand il était sous la forme de Dieu ; il a laissé aussi sa Mère, car il était lui aussi fils de la Jérusalem d'en-haut. Il s'est attaché à son Epouse tombée ici-bas et ils sont devenus sur cette terre deux dans une même chair. » [1]

Les malheurs de Jérémie sont la prophétie de l'Incarnation :

« Il laisse son Père et sa Mère, la Jérusalem d'en-haut, il va vers le lieu terrestre et dit : J'ai abandonné ma maison, j'ai délaissé mon héritage [2]. Son héritage, c'était le lieu où il vivait avec les anges, c'était sa condition au milieu des puissances saintes. J'ai donné mon âme très aimée dans les mains de ses ennemis [3]. Il a livré son âme aux mains des ennemis de cette âme, aux mains des Juifs qui l'ont tué. » [4]

Comme nous l'avons dit, c'est l'Homme-Dieu qui est directement le sujet de la kénose, indirectement le Verbe. Et comme pour Jérémie c'est le drame. La majeure partie de la Synagogue qui était alors l'Eglise le refuse, le fait mettre à mort, le trahit avec l'amant adultère, le Diable. Au sein de l'Eglise les Juifs sont remplacés par ceux qui viennent des nations. Désormais l'Epouse possède l'Epoux, mais encore partiellement, « à travers un miroir, en énigme » et elle soupire vers l'union parfaite, « face à face » [5], le mariage définitif et complet. Il se produira à la fin des temps.

« C'est vrai : dans la résurrection des morts on ne prendra plus de femme ni de mari, mais on sera comme les anges dans le ciel [6]. Mais cela est vrai aussi qui est dit, comme en parabole, d'un mariage différent de ceux de la terre : Le royaume des cieux a été comparé à un roi humain qui célébrait les noces de son fils, etc. [7], et : Alors le royaume des cieux sera comparé à dix vierges qui, ayant pris leurs lampes, etc. [8]. Le Fils du Roi, à la résurrection des morts, contractera donc un mariage qui est au-dessus de tout mariage, que l'œil ait vu, l'oreille entendu et dont l'idée soit montée au cœur de l'homme [9]. Et ce vénérable, divin et spirituel mariage sera

1. ComMt XIV, 17 (GCS X).   2. Jr 12, 7.   3. Ibid.
4. HomJr X, 7.   5. 1 Co 13, 12.   6. Mt 22, 30.   7. Mt 22, 2.
8. Mt 15, 1.   9. 1 Co 2, 9.

célébré par des paroles ineffables, qu'il n'est pas possible à
l'homme de prononcer [10]... un mariage dont on ne pourra plus
dire : Ils seront deux dans une même chair [11], mais avec plus
d'exactitude : L'Epouse et l'Epoux sont un seul esprit. » [12]

Ces trois périodes qui suivent la préexistence correspondent
respectivement à l'Ancien Testament, à l'Evangile temporel et
à l'Evangile éternel. En affirmant que ces deux formes de
l'Evangile diffèrent par l'*épinoia*, une conception humaine des
choses [13], Origène professe qu'ils sont identiques par l'*hypostasis*, la substance, et le *pragma*, la réalité, les termes qui
s'opposent habituellement à l'*épinoia* et l'étude que nous
avons faite sur la situation paradoxale du Nouveau Testament,
encore image et en même temps déjà réalité [14] montre chez
lui un sens aigu de la dimension essentielle du temps de
l'Eglise ici-bas, que nous appellerons le sacramentalisme : les
réalités divines nous sont déjà données, mais dans les réalités
sensibles elles-mêmes, sous un voile d'image.

Une notion plus circonscrite du sacrement ne se dégagera
que dans le haut Moyen Age. On pourrait dire que pour Origène le sacrement fondamental est le Christ, un homme en
qui « réside corporellement la plénitude de la divinité » [15] et
après lui il y a deux autres « sacrements » secondairement fondamentaux, l'Eglise, une société humaine qui est le corps du
Christ, l'Ecriture, un livre humain qui exprime la Parole de
Dieu. Mais nous parlons ici un langage qui n'est pas encore
celui d'Origène. Des sept gestes religieux auxquels la théologie médiévale réservera le nom de sacrement cinq ont chez
lui une doctrine, baptême, eucharistie, pénitence, mariage et
ordre. Nous avons déjà parlé du mariage, nous allons traiter
de l'ordre à travers un exposé sur le sacerdoce, puis montrer
brièvement ce qu'il dit des trois autres sacrements.

La hiérarchie ecclésiastique

Origène a développé très fortement une doctrine de l'Eglise
envisagée surtout sous son aspect spirituel. J. Chênevert lui a
consacré un livre basé sur le seul *Commentaire sur le Canti-*

---

10. *2 Co* 12, 4.   11. *Gn* 2, 24.
12. *1 Co* 6, 17 : *ComMt* XVII, 33 (*GCS* X).
13. *ComJn* I, 8 (10), 44.   14. Cf. pp. 151-155.   15. *Col* 2, 9.

que des Cantiques, qui en est le lieu privilégié, mais non exclusif, et H. J. Vogt l'a aussi étudié dans toute une partie de son
ouvrage. Sur l'Eglise visible son œuvre fournit aussi de nombreux renseignements, bien qu'ils ne soient guère développés
pour eux-mêmes et qu'ils se présentent surtout incidemment
au hasard des exégèses. On peut avoir une idée de leur importance par le livre d'A. Vilela, *La condition collégiale des prêtres au IIIe siècle* [16].

Le point de départ de ces informations est surtout, dans
les homélies sur l'Hexateuque l'exégèse allégorique du sacerdoce lévitique. Ce dernier ne figure pas seulement les fonctions cléricales dans l'Eglise, mais, à la manière constante
d'Origène, tout un arc-en-ciel de significations qui s'enrichissent réciproquement : sacerdoce du Christ, sacerdoce commun
à son corps l'Eglise, d'où sacerdoce des fidèles, sacerdoce
visible ministériel de l'Eglise, sacerdoce invisible de la perfection, sacerdoce céleste du Christ et des anges. A propos du
sacerdoce des fidèles un des passages les plus caractéristiques
se trouve à la fin du *Contre Celse* [17] : les chrétiens ne prennent pas les armes parce qu'ils sont prêtres et participent ainsi
au rôle que les païens reconnaissent à leurs prêtres. C'est par
leurs prières qu'ils contribuent au salut de l'Etat.

La hiérarchie ministérielle est représentée par les évêques,
prêtres et diacres. Les homélies d'Origène sont souvent très
sévères contre les défauts du clergé qui ne répond pas toujours à l'idéal de sainteté très exigeant qui devrait être le sien
selon Origène : la hiérarchie visible est en effet l'image de la
hiérarchie de la sainteté et devrait par conséquent y participer.
Il lui reproche, sans négliger d'ailleurs, étant prêtre lui-même,
de s'impliquer lui aussi dans ces critiques, de manifester de
l'orgueil et de l'arrogance, de prendre des airs de seigneurs,
d'être autoritaire, d'avoir l'esprit de carrière au lieu d'envisager le ministère comme un service, d'avoir parfois le mépris
des humbles et des pauvres, de vaciller entre une rigueur exces-

---

16. Dans le livre de A. Vilela (Paris 1971) 114 pages sont consacrées à
Origène, 16 à Clément, 26 à Tertullien, 86 à Cyprien, 32 à Hippolyte :
Origène et Cyprien sont donc les principales sources. J. Chênevert,
L'Eglise dans le Commentaire d'Origène sur le Cantique des Cantiques,
Bruxelles/Montréal/Paris, 1969 ; H. J. VOGT, *Das Kirchenverständnis des
Origenes,* Cologne/Vienne 1976. Sur le sacerdoce Th. SCHAEFER, *Das Priester-
Bild im Leben und Werk des Origenes,* Francfort, 1977.

17. VIII, 73.

sive et une indulgence non moins excessive [18]. Les élections épiscopales, faites par le peuple — ce qu'Origène ne semble guère approuver [19] — et les évêques voisins, sont parfois manipulées par l'argent, même à cette époque où le martyre était une possibilité fréquente, et par le népotisme et les intérêts familiaux. Le portrait n'est guère flatté, mais il ne faudrait certainement pas le généraliser pour l'époque : adressées à des chrétiens, les homélies ont tendance à accuser les traits, à la différence du *Contre Celse* dont les destinataires sont des païens. On peut cependant en conclure que, même en ces temps héroïques, il se trouvait des membres du clergé qui ne vivaient pas à la hauteur de leur vocation.

Les exigences formulées à l'égard de la vie des clercs sont déjà presque monastiques : séparation du monde, pauvreté, consécration totale à Dieu. La séparation du monde correspond à une exigence d'anachorétisme, non certes effectif, car ils sont avant tout pasteurs, mais spirituel. Ils sont présents au milieu du peuple, mais ne doivent pas avoir l'esprit du monde : il leur faut porter partout leur consécration à Dieu. Car :

> « Ce n'est pas dans un lieu qu'il faut chercher le sanctuaire, mais dans les actes de la vie, les mœurs. S'ils sont selon Dieu, s'ils s'accomplissent d'après son précepte, peu importe que tu sois dans ta maison, ou sur le forum, peu importe même que tu te trouves au théâtre : Si tu sers le Verbe de Dieu, tu es dans le sanctuaire, n'en aie aucun doute. » [20]

Quant à la situation matrimoniale des membres du Clergé la seule loi attestée chez Origène comme chez ses contemporains est, selon *1 Tm* 3, 2 et 12, *Tt* 1, 6, la « loi de monogamie » : l'évêque, le prêtre, le diacre doivent être « l'homme d'une seule femme », c'est-à-dire selon la compréhension attestée à l'époque, ils ne peuvent se remarier s'ils sont veufs et on ne peut ordonner des remariés. Cette monogamie est, bien entendu, opposée à une « bigamie » ou à une « polygamie » successives, non à une bigamie simultanée que la loi romaine ne permettait pas officiellement. On a voulu à plusieurs reprises faire d'Origène un partisan du célibat ou plutôt de la continence [21] ecclésiastique, dont l'obligation par une loi pré-

---

18. Tout cela est détaillé par A. Vilela, *op. cit.*, pp. 65-79.
19. *HomGn* III, 3 ; *HomNb* XXII, 4.   20. *HomLv* XII, 4.
21. La continence imposée aux clercs, mariés avant leur ordination.

cise ne sera attestée que plus tard, à partir du début du IVe siècle (concile d'Elvire) : mais pour cela il faut solliciter légère-
ment les textes, surtout l'*Homélie sur le Lévitique* VI [22]. Origène transpose la génération physique, qui restait un devoir
pour les prêtres et les lévites de l'Ancienne Loi en une génération spirituelle selon une exégèse allégorique de nature très
commune chez lui. Mais c'est forcer quelque peu ce qui est
dit que d'en conclure que cette génération spirituelle serait
incompatible avec la génération physique : en tout cas cela
n'est pas clairement dit.

Dans le latin de Rufin et de Jérôme le mot *sacerdos* s'applique à la fois à l'évêque et au prêtre, ce dernier étant subordonné au premier. Les évêques et les prêtres sont parfois assimilés aux apôtres, les prêtres l'étant aussi aux soixante-douze
disciples. Dans l'assemblée eucharistique évêque et prêtres sont
assis et les diacres debout assurent l'ordre : le presbytérium
est assimilé au sénat d'une ville. Evêque et prêtres ont le
droit d'être sustentés par les contributions des fidèles pour
qu'ils puissent être entièrement consacrés à leur tâche. Bien
d'autres informations sur la vie du clergé sont ainsi données
au fil des exégèses.

Le baptême [23]

Le baptême de l'Eglise, comme les autres sacrements, est
situé par Origène dans une série de symbolismes, correspondant à la triple distinction de l'Ancien Testament ombre, de
l'Evangile temporel image et de l'Evangile éternel réalité. Il
y a en effet un baptême d'Ancien Testament figuré par la
traversée de la Mer Rouge sous la conduite de Moïse, figure
de la loi, qui s'oppose à celle du Jourdain à la suite de Jésus,
fils de Navé, Josué, figure de « mon » Jésus. D'un côté l'amertume de la Mer Rouge est celle de la Loi avec sa lettre, de
l'autre la douceur du Jourdain est celle de l'Evangile. La principale manifestation de ce baptême d'Ancien Testament a été
celui de Jean qui n'est pas à confondre avec celui de Jésus,

22. § 6.
23. Voir C. BLANC, « Le baptême d'après Origène », *Studia Patristica* XI
(*Texte und Untersuchungen* 108), 1972, 113-124 ; H. CROUZEL, « Origène
et la structure du sacrement », *Bulletin de Littérature Ecclésiastique*, 63,
1962, 81-104.

administré dans l'Esprit et dans le feu. Celui de Jean est conféré au-delà du Jourdain dans cette Transjordane qui représente toujours pour Origène l'ancienne alliance, puisque le Jourdain n'a pas été encore traversé, qui figure l'Incarnation du Christ. Il est un baptême sensible, tourné vers les réalités anciennes, ne signifiant que la pénitence [24].

Le baptême de Jésus, certes, est sensible, c'est un baptême d'eau. Mais c'est aussi par les réalités auxquelles il participe un baptême d'Esprit et un baptême de feu [25]. Ces réalités sont multiples. Un texte curieux semble laisser supposer comme une « présence réelle » de l'Esprit Saint dans l'eau du baptême : « Voyons si l'eau ne se distinguerait pas de l'Esprit par l'*épinoia* seule (c'est-à-dire par une façon humaine de voir les choses) et non par l'*hypostasis* (la substance, la réalité propre) [26]. » Nous avons déjà rencontré cette distinction à propos de l'Evangile temporel et de l'Evangile éternel, une seule réalité par leur *hypostasis,* différant seulement par la manière dont l'homme les considère, l'*épinoia.* Il y a là un écho de *Jn* 7, 38-39 : « ... de son sein couleront des fleuves d'eau vive. Il disait cela de l'Esprit que devaient recevoir ceux qui croiraient en lui » et, à travers ce texte de plusieurs autres, de l'Ancien Testament, représentant l'Esprit par une eau qui s'écoule. [27]

Ce don de l'Esprit, qui opère la rémission des péchés et donne la vie, est rattaché selon *Rm* 6, 3 ss à la mort et à la résurrection du Christ auxquelles le baptisé est conformé. La Passion a été appelée un baptême par Jésus lui-même [28]. C'est pourquoi le martyre, configuration en acte à la mort et à la résurrection du Christ, est le baptême suprême dont le baptême d'eau est une image sacramentelle. Il ne serait guère conforme à la mentalité d'Origène de représenter le baptême de sang comme une sorte de substitut du baptême d'eau, comme on a pu l'entendre autrefois dans les catéchismes : ce serait en quelque sorte subordonner le mystère à l'image. Configuration à la résurrection du Christ le baptême est le

24. *ComJn* VI, 44 (26), 228-230 ; *FragmJn* LXXXI (*GCS* IV).
25. *ComJn* VI, 43 (26), 223-224.
26. *FragmJn* XXXVI (*GCS* IV).
27. *Is* 43, 20 ; 44, 3 ; 55, 1 ; 58, 11 ; *Ez* 47, 1-12 ; *Jl* 3, 1 ; 4, 18 ; *Za* 13, 1 ; 14, 8 ; *Pr* 18, 4.
28. *Mc* 10, 39 : *ComMt* XVI, 6 (*GCS* X).

commencement d'une « première résurrection » [29] qui s'opère « à travers un miroir, en énigme », par opposition à la « seconde résurrection », la finale, qui sera face à face. Cette expression « première résurrection » vient d'*Ap* 20, 5 dans la péricope *Ap* 20, 1-6 qui était le texte de base des représentations millénaristes (ou chiliastes) : en l'interprétant par *Rm* 6, 3 ss., Origène aura voulu certainement désamorcer en quelque sorte ce genre d'interprétations, d'une manière parfaitement conforme à sa distinction capitale entre l'Evangile temporel et l'Evangile éternel.

Le baptême est en outre l'image d'une autre réalité mystérieuse que nous étudierons plus complètement dans le chapitre sur l'eschatologie, le baptême de feu, c'est-à-dire la purification eschatologique, notre Purgatoire, dont Origène est le premier grand théologien et qu'il voit surtout indiqué dans *1 Co* 3, 12-15. Il sera donné au moment du Jugement et purifiera des dernières souillures : mais il faut pour cela être passé par le premier baptême. Nous ne résistons pas au plaisir de citer à ce sujet, dans la traduction de Jérôme, un magnifique passage :

> « Ainsi le Seigneur Jésus se tiendra dans le fleuve de feu auprès de l'épée flamboyante [30], et quiconque, après le terme de cette vie, voudra passer au Paradis et aura encore besoin de purification, il le baptisera dans ce fleuve, puis le laissera aller dans le lieu qu'il désire ; mais celui qui ne portera pas le signe des premiers baptêmes ne sera pas baptisé dans le bain de feu. Il faut d'abord être baptisé par l'eau et l'Esprit pour pouvoir montrer, quand on sera arrivé sur les bords du fleuve de feu, qu'on a vécu conformément aux bains d'eau et d'Esprit et qu'on mérite de recevoir le baptême de feu dans le Christ Jésus. » [31]

Ce symbolisme a à la fois des résonnances mythologiques et

---

29. H. CROUZEL, « La "première" et la "seconde" résurrection des hommes d'après Origène », *Didaskalia* 3, 1973, 3-19.

30. *Gn* 3, 24, celle qui interdit à Adam et à Eve le jardin d'Eden.

31. *HomLc* XXIV, 2 : voir aussi *ComMt* XV, 23 (*GCS* X), mais en supprimant la correction incompréhensive « *kai blepei* » faite par Klostermann d'après la traduction latine. C'est le baptême lui-même qui est « à travers un miroir, en énigme » par opposition au Purgatoire qui rend pur « face à face » : Origène applique cette opposition à toutes les réalités de l'Evangile temporel et de l'Evangile éternel, et non seulement comme Paul à la connaissance.

bibliques : on pense aux fleuves entourant l'Hadès qu'il faut traverser dans la barque du nocher Charon pour gagner les Champs-Elysées. Mais le Christ est à la fois le ministre de ce baptême et le fleuve où le baptisé est plongé : Origène représentera de même le feu du Purgatoire comme étant Dieu lui-même, « feu dévorant » [32]. C'est « dans le Christ Jésus » que ce baptême est reçu. Le Sauveur est figuré à la fois par Jésus, fils de Navé, Josué, qui baptise les Hébreux dans le Jourdain et par le fleuve lui-même, car il est « le fleuve qui réjouit la cité de Dieu » [33]. La mention dans ce texte de deux baptêmes, distinguant le baptême de la confirmation, semble devoir être attribuée au traducteur Jérôme. Quant au caractère douloureux de ce baptême il est souligné ailleurs : « Bienheureux qui est baptisé dans l'Esprit Saint et n'a pas besoin de l'être dans le feu ! Trois fois malheureux celui à qui le baptême de feu est nécessaire ! Mais Jésus est l'un et l'autre baptême. [34] »

En termes origéniens le baptême de Jean est donc un pur symbole, une ombre ; celui de l'Eglise est image, et cela veut dire qu'il est à la fois symbole et mystère ; le baptême eschatologique de feu et la conformation finale à la résurrection du Christ sont mystère. Ou, en termes scolastiques, le baptême de Jean est un pur *sacramentum,* un signe ; celui de l'Eglise est à la fois *sacramentum* et *res ;* et le baptême eschatologique est *res,* réalité.

Deux éléments interviennent dans le baptême d'eau. En effet, « ce n'est plus alors de la simple eau, car elle est sanctifiée par une invocation (= une épiclèse) mystique » [35]. Cette épiclèse est l'invocation « au nom du Père et du Fils et de l'Esprit Saint » qui fait participer l'eau « à la puissance de la Sainte Trinité » et lui confère « une vertu éthique et contemplative » [36], donnant la grâce de vivre en chrétien et de comprendre et contempler Dieu et ses mystères. Or cette action l'eau baptismale l'opère *par elle-même,* si le sujet, évidemment, est convenablement disposé : « Le bain de l'eau est le symbole de la purification qui lave l'âme de toutes les souillures de la méchanceté ; il n'en est pas moins *par lui-même* (*kath'hauto*) pour celui qui se livre à la puissance divine qui vient des invocations à la Trinité adorable, principe et source

2. *Dt* 4, 24 ; 9, 3.   33. *Ps* 45, 5.   34. *HomJr* II, 3.
35. *FragmJn* XXXVI (*GCS* IV).   36. *Ibid.*

des divins charismes. [37] » Il n'y a pas d'anachronisme à constater que ce texte exprime clairement ce que la théologie postérieure nommera l'*ex opere operato*, c'est-à-dire le fait que le sacrement agit par l'action de la grâce, non par l'action de celui qui le reçoit (l'*ex opere operantis*), encore que ce dernier, en conséquence de la liberté humaine, doit se disposer à la recevoir, comme notre texte le dit aussi : « pour celui qui se livre (*tô emparéchonti heauton*) à la puissance divine ».

L'Eucharistie [38]

Une appréciation correcte de la doctrine origénienne de l'Eucharistie est difficile, plus que celle du baptême, car, tout en affirmant dans des textes clairs la réalité de la présence du Christ sous les espèces eucharistiques, Origène donne aux textes évangéliques qui en sont l'occasion là aussi tout un arc-en-ciel de significations, où celles qui expriment la « présence réelle » côtoient les plus désincarnées. Il faut distinguer pareillement plusieurs niveaux de significations. Au plus bas degré un sens purement littéral, entendu conformément à la signification origénienne du sens littéral que nous avons signalée dans le chapitre sur l'exégèse, la matérialité brute de l'expression, sans égard à l'intention du locuteur, qui constitue pour les exégètes modernes le sens littéral : c'est celui qu'ont compris les Juifs et qui les a scandalisés dans le discours du Pain de Vie, y voyant une invitation à l'anthropophagie [39]. Mais pour Origène ce sens littéral est faux et il est cité parmi les rares exemples évangéliques de « lettre qui tue » [40]. En fait, pour parler selon Origène, les textes eucharistiques du Nouveau Testament n'ont pas réellement de sens littéral valable : ce sens littéral est une mauvaise compréhension.

La signification eucharistique de ces textes est donc un premier sens allégorique, qui se situe dans le cadre de l'Evangile temporel, à la fois réalisation et prophétie du mystère : par ses éléments sensibles, le pain et le vin, il est encore symbole d'une réalité supérieure, le Verbe Parole de Dieu et nourri-

---

37. *ComJn* VI, 33 (17), 166 : texte cité par Basile, *De l'Esprit Saint*, XXIX, 73 (*SC* 17 et 17 bis).

38. Voir L. Lies, *Wort und Eucharistie bei Origenes*, Innsbruck/Vienne/Munich 1978 ; H. Crouzel, art. cit. (note 23).

39. *Jn* VI, 60 : *HomLv* VII, 5.   40. *HomLv* VII, 5.

ture des intelligences. Plusieurs textes affirment ces deux significations qui ne s'excluent pas, mais au contraire coexistent constamment. Le pain et le vin sont corps et sang du Christ et renvoient à une vérité plus divine, le Verbe, non plus en tant que corps et sang, mais en tant que Parole que Dieu adresse aux hommes. Un texte célèbre témoigne de la vénération manifestée à l'eucharistie et du soin que les fidèles prennent à ne pas perdre une parcelle du « corps du Seigneur », mais s'étonne qu'on ne manifeste pas le même respect à la Parole de Dieu en la recueillant et en la méditant [41].

Ces deux significations qu'Origène considère toutes deux comme allégoriques à des niveaux différents ont entraîné de la part des commentateurs des jugements variés. Pour certains l'interprétation par le Verbe-Parole supprime en fait la présence réelle bien qu'elle soit affirmée ; pour d'autres sans la supprimer elle lui fait du tort. Nous avons peine à comprendre l'une et l'autre position et ne voyons pas comment l'interprétation par le Verbe ferait tort à l'autre, alors qu'elles s'enrichissent mutuellement. Le rapport entre le pain-corps du Christ et le Verbe-Parole est le même qui existe entre la chair du Christ et sa divinité. Quelque fondamentale que soit pour le chrétien l'humanité du Christ, de toute façon elle renvoie à la divinité du Verbe qui nous fait connaître le Père.

Quelques explications sont à donner sur l'expression « corps typique et symbolique » employée par Origène [42]. Entendue dans le sens de la théologie postérieure au XIIᵉ siècle, elle supprimerait complètement la présence réelle. Mais il n'en est pas de même pour la théologie patristique d'inspiration platonicienne. Pour reprendre les paroles lumineuses de A. von Harnack [43] : « Nous entendons actuellement par symbole une chose qui n'est pas ce qu'elle signifie, tandis que jadis on entendait par symbole une chose qui est en quelque façon ce qu'elle signifie : et d'autre part la réalité céleste était toujours cachée dans et derrière cette apparence, sans jamais se confondre entièrement avec elle sur terre. » Que l'Eucharistie soit « un corps typique et symbolique », c'est pour Origène, surtout dans sa conception de l'Évangile temporel, à la fois mystère et image, une affirmation de la présence réelle du Christ

41. *HomEx* XIII, 3.   42. *ComMt* XI, 14 (*GCS* X).

43. *Lehrbuch der Dogmengeschichte*, I, Tübingen 1909, p. 476 : traduction prise à K. RAHNER, « La doctrine d'Origène sur la pénitence », *Recherches de Science Religieuse* 1950, p. 449.

— le mystère — sous un voile de signe — le pain et le vin.

Il faut en outre remarquer qu'en superposant à la signification du pain-corps du Christ celle de la personne même de
Jésus, Verbe-Parole incarné, Origène reste fidèle à la double
signification qui parcourt tout le discours johannique sur le
Pain de Vie [44]. Jésus part de la réaction de la foule devant
le miracle de la multiplication des pains et se désigne lui-
même comme le Pain de Vie descendu du ciel. Le sens proprement eucharistique est, certes, partout sous-jacent, mais il est
surtout présent à partir du verset 51 quand il est question
de manger la chair du Christ et de boire son sang. En fait on
ne peut parler de deux significations, car l'Eucharistie sacramentelle n'est telle que parce qu'elle rend présent sous forme
sensible la personne même de Jésus, Dieu et homme. On peut
le dire à la fois de Jean et d'Origène.

Le *Commentaire sur Matthieu* [45] contient un long développement sur l'Eucharistie, qui nous paraît, certes, aujourd'hui
maladroit dans certaines de ses expressions, mais ce serait un
manque de sens historique que d'être trop sévère envers ce qui
est un des tout premiers essais de réflexion sur ce sacrement.
L'auteur veut insister pour la réception fructueuse de l'Eucharistie sur les dispositions nécessaires selon *1 Co* 11, 27-32.
Quoi qu'en pensent les « plus simples » elle ne sanctifie pas
automatiquement tous ceux qui communient, mais seulement
celui qui la reçoit avec une conscience pure. Deux phrases qui
nous semblent malheureuses [46] paraîtraient dire, si on les iso-
lait des autres, que l'action de l'Eucharistie serait nulle et le
sacrement inutile : seules les bonnes dispositions porteraient
un fruit. Replacées au contraire dans leur contexte elles énon-
cent une pensée correcte : l'Eucharistie met celui qui la reçoit
indignement dans un état de faiblesse, de léthargie, de mort
spirituelle. Au contraire si l'âme est bien disposée le pain agit
« en proportion de la foi » [47] : il augmente la faculté contemplative de l'âme qui voit ce qui lui est utile, c'est-à-dire les
mystères. Le sacrement a donc par lui-même une action réelle,

---

44. *Jn* 6, 26-65.   45. XI, 14 (*GCS* X).

46. « Ainsi ce n'est pas le fait de ne pas manger du pain sanctifié par
la parole de Dieu et l'invocation qui nous prive lui-même de quelque
bien, ni le fait d'en manger qui nous fait abonder en quelque bien. Car
la cause de la privation est la malice et les péchés, celle de l'abondance
la justice et ses actes. »

47. *Rm* 12, 6.

débilitante si l'état de l'âme est mauvais, illuminatrice s'il est bon. Il manque, certes, une distinction expressément formulée entre l'opération propre du sacrement et les dispositions qui sont la condition nécessaire de son action surnaturelle, entre l'*ex opere operato* et l'*ex opere operantis,* mais tout cela est indiqué.

Comme plusieurs de ses prédécesseurs, Justin ou Irénée, Origène distingue dans le pain et le vin deux éléments, la matière qui suit le sort de toute nourriture corporelle et, soit « la prière (*euchè*) prononcée sur lui », soit, d'après *1 Tm* 4, 5, « la parole de Dieu et l'invocation (*enteuxis*) » soit encore « la parole qui vient de lui », le Christ, c'est-à-dire celle qu'a prononcée le Christ à la Cène [48]. Dans un autre texte [49] il est question de « ces pains... sur lesquels sont invoqués (*épikéklètai,* l'épiclèse) les noms de Dieu, du Christ et du Saint Esprit ». Des passages d'homélies indiquent la succession de la liturgie de la parole et de la liturgie eucharistique dans l'office dominical [50]. D'autres, échos d'une pratique de l'Eglise primitive encore conservée en Orient, exigent l'abstention des relations conjugales avant de recevoir l'eucharistie [51]. Peu de textes insistent sur le caractère sacrificiel de l'eucharistie, sauf en ce qui concerne le sacrifice d'actions de grâce qui est la signification première du mot *eucharistia.* Le lien entre la Passion du Sauveur et l'Eucharistie est assez souvent insinué, rarement exprimé clairement : en fait plusieurs de ces textes manifestent la discipline de l'arcane, et le secret qui couvrait dans la pratique de l'Eglise certains points du culte explique dans une certaine mesure la retenue d'Origène à parler du sacrement et sa préférence pour la parole de Dieu, nourriture des âmes.

Le lien de l'Eucharistie à l'Eglise est aussi exprimé assez rarement. Certes, le pain eucharistique et l'Eglise sont l'un et l'autre corps du Christ, et ils sont liés par leur rapport au corps physique du Seigneur. Car si le corps eucharistique est figure du corps physique, figure au sens réaliste donné par Origène au « type » et au « symbole », le corps physique est aussi figure de l'Eglise, « le vrai et plus parfait corps du

---

48. Les deux premières formules sont en *ComMt* XI, 14 (*GCS* X), la troisième en *CCels* VIII, 33.

49. *Fragm 1 Co* XXXIV, *JThS* IX, p. 502, l. 13.

50. *HomEx* XI, 7 ; *HomLv* XIII, 5.

51. *Fragm 1 Co* XXXIV, *JThS* IX, p. 502, l. 8 ; *SelEz* 7, 2 (*PG* 13, 793 **B**).

Christl » [52], vrai au sens platonicien qui l'oppose à l'image, non à l'erreur ou au mensonge.

La pénitence [53]

Un texte du *Traité sur la Prière* [54] a été l'occasion d'une littérature assez considérable sur la pénitence chez Origène :

> Celui sur qui Jésus a soufflé comme sur les apôtres [55], celui dont les fruits dénotent qu'il a reçu l'Esprit Saint et qu'il est devenu spirituel, parce que l'Esprit le dirige en fils de Dieu dans chacune de ses actions accomplies selon le Logos, remet ce que Dieu remet et retient ce qu'il y a d'inguérissable (*ta aniata*) dans les péchés ; comme les prophètes ne prêchaient pas leurs propres paroles, mais celles que Dieu voulait, de la même façon il sert Dieu, le seul à avoir le pouvoir de remettre les péchés. »

Les prêtres de l'Ancien Testament n'offraient de sacrifice expiatoire que pour les péchés qui pouvaient être pardonnés :

> « De même les apôtres et ceux qui leur ressemblent, prêtres selon le (vrai) Grand Prêtre, ayant reçu la science du service divin, savent, parce que l'Esprit le leur a enseigné, pour quels péchés ils doivent offrir les sacrifices, quand et de quelle manière, et pour quels péchés ils ne doivent pas le faire... Je ne sais comment certains, se donnant des pouvoirs qui dépassent la dignité sacerdotale, peut-être parce qu'ils ne possèdent pas suffisamment la science du prêtre, se targuent de pouvoir pardonner l'idolâtrie, de remettre (*aphiénai*) l'adultère et la fornication, comme si même le péché pour la mort pouvait être ôté par leur prière à ceux qui l'ont osé. Ils n'ont pas lu : Il y a un péché pour la mort et pour lui je ne dis pas qu'il faut prier. »

Dans ce passage Döllinger [56] et Harnack [57] lisaient : Tout

52. *ComJn* X, 36 (20), 236 : cf. 35 (20), 228.
53. La littérature concernant la pénitence chez Origène est assez considérable. Citons K. RAHNER, « La doctrine d'Origène sur la pénitence », *Recherches de Science Religieuse* 37, 1950, 47-97, 252-286, 422-456 ; de même H. J. VOGT, *op. cit.* (note 16).
54. XXVIII, 8-10 (*GCS* II).   55. *Jn* 20, 22.
56. *Hippolytus und Kallistus oder die römische Kirche in der ersten Hälfte des dritten Jahrhunderts*, Ratisbonne 1853, pp. 254-268.
57. *Lehrbuch der Dogmengeschichte*, I, Tübingen 1909, pp. 448-449, note 1.

spirituel, non le prêtre seul, a pouvoir de pardonner les péchés ; il y a des fautes irrémissibles dont l'idolâtrie (apostasie)
et les fautes de la chair. Selon eux Origène s'associait ici à la
protestation de Tertullien et d'Hippolyte contre le fameux
« Edit de Calliste », si tant est qu'il faille voir le Pape de ce
nom, désigné par l'*Elenchos* attribué à Hippolyte, dans le
Pontifex Maximus du *De Pudicitia* de Tertullien.

Mais cette interprétation n'a guère de fondement. D'abord
il n'est question que de prêtre dans le passage : seul s'acquitte
dignement du pouvoir des clefs selon l'intention divine celui
qui est un spirituel, qui remet les péchés comme Dieu le fait
et le veut et qui a la science exigée par sa fonction. Voir
ensuite, suivant le sens qui paraît obvie au premier abord,
l'affirmation de péchés irrémissibles, c'est mettre ce texte en
opposition avec tous les autres écrits d'Origène où les passages
concernant la pénitence sont nombreux. En fait, à la suite de
Philon, il déclare *aniata,* inguérissables, dans d'autres passages, des fautes qui sont finalement remises : ou bien il veut
exprimer une impossibilité seulement relative à l'homme mais
qui n'existe pas pour Dieu ; ou bien, ce qui est le plus pro-
bable, il faut traduire ce mot comme un participe, « non
guéries » [58]. Origène reproche ici à certains prêtres, ou évêques, de prétendre pardonner ces péchés par leur prière seule,
dans une rémission, *aphésis,* gracieuse, sans qu'ils aient été
auparavant dûment expiés par la pénitence publique qui seule
manifestera le repentir, montrant le pécheur apte à recevoir le
pardon, transformant ainsi un « péché pour la mort » en un
péché qui n'est plus pour la mort. Nous allons voir les preuves
de cette interprétation. En tout cas l'abondance de la littérature de ces soixante-dix dernières années sur cette question est
telle, et ses arguments si forts, que la thèse de Döllinger et de
Harnack n'a plus aucune probabilité. Mais pour cela ce texte
doit être replacé dans toute la doctrine origénienne de la pénitence.

Plusieurs textes grecs d'Origène, sans parler des innombrables textes latins, montrent susceptibles de pardon ces péchés
prétendus irrémissibles. Deux sont particulièrement importants
car ils sont contemporains du *Traité sur la Prière* : on ne peut

---

58. Voir H. CROUZEL, « Notes critiques sur Origène ». II : Le sens de
aniatos dans le *Traité de la Prière* XXVIII, 8, *Bulletin de Littérature Ecclésiastique,* 59, 1958, 8-12.

même pas dire qu'Origène aurait changé d'avis à un certain moment. C'est ainsi que dans le libre XXVIII du *Commentaire sur Jean* [59] Lazare ressuscité figure l'apostat délié par le ministère des apôtres, c'est-à-dire de l'Eglise. De la même époque sont aussi les fragments sur la Première Epître aux Corinthiens, fragments d'homélies, semble-t-il. Un de ceux-ci [60] dont l'authenticité est montrée par l'emploi, jusque dans ses nuances les plus délicates, de l'anthropologie trichotomique d'Origène, qu'on ne retrouve guère chez ses successeurs, a trait à l'excommunication par Paul de l'incestueux de *1 Co* 5, 1-5 : à la fin du fragment Origène le voit pardonné par Paul en *2 Co* 2, 6-11, comme d'ailleurs tous les Pères anciens, sauf le Tertullien montaniste du *De Pudicitia* dont cette interprétation contredisait la thèse fondamentale. Un autre de ces fragments [61] est la véritable clef du texte litigieux du *Traité de la Prière* : « (Le païen) se repent quand il veut et reçoit la rémission (*aphésis*) de ses péchés, mais celui qui a forniqué après avoir reçu la foi, même s'il se repent ensuite, ne reçoit pas la rémission (*aphésis*) de ses péchés, mais il peut les recouvrir (*épikalypsai*). Bienheureux, est-il dit, ceux dont les péchés ont été remis (*aphéthèsan*), ceux qui viennent du paganisme ; et ceux dont les péchés ont été recouverts (*épékalyphthèsan*), ceux qui ont péché après avoir reçu la foi et qui les ont recouverts par leurs bonnes œuvres, comme l'incontinence par une grande tempérance. »

En effet les prêtres blâmés par le *Traité sur la Prière* remettaient (*aphiénai*) la fornication et l'adultère par leur prière seule dans une *aphésis* gracieuse et totale, réservée au baptême, et aussi au baptême suprême, le martyre. Le baptisé ne peut recevoir de nouveau cette *aphésis* du baptême, à moins d'être martyrisé. Il ne peut que « recouvrir » ses fautes par la pénitence ou du moins par différentes bonnes œuvres, en opposant ces actes vertueux aux péchés auparavant commis. Les péchés commis après le baptême doivent être expiés, l'expiation étant le signe d'une véritable conversion qui seule rend possible la réception du pardon.

Dans une homélie [62] Origène énumère sept manières d'obtenir la rémission ou pardon des péchés. Les deux premières, le

59. XXVIII, 7 (6) 51-60 (*GCS* IV).
60. XXIV, *JThS* IX, p. 364.   61. XXVI, *JThS* IX, p. 366.
62. *HomLv* II, 4.

baptême et le martyre, ont trait à ce qui dans le texte précédent est appelé *aphésis*. Les quatre suivantes se rapportent aux bonnes œuvres qui, comme nous l'avons vu, « recouvrent » le péché et chacune est appuyée sur des textes du Nouveau Testament : l'aumône [63] ; le pardon des offenses [64] ; la conversion du frère pécheur [65] ; la charité surabondante [66]. Aucune de ces quatre ne correspond à une pénitence que nous appellerions sacramentelle. Mais la septième y correspond : « Il y a encore une septième, bien que dure et laborieuse, une rémission des péchés par la pénitence, lorsque le pécheur lave son lit de ses larmes et que ses larmes sont pour lui son pain jour et nuit [67], lorsqu'il ne rougit pas d'avouer son péché au prêtre du Seigneur et de chercher un remède... » A cette occasion Origène cite *Jc* 5, 14-15, le texte qui est à l'origine de l'onction des malades : il l'applique à la pénitence, voyant dans le malade dont il s'agit un malade spirituel.

Cette septième sorte de pénitence ne s'applique-t-elle qu'à la pénitence publique, décidée par l'évêque pour les très grosses fautes et limitée à une seule fois ? Le P. Galtier, dans un article dont les conclusions ont été plutôt mal accueillies par la critique [68], montre par des textes d'homélies, d'une part qu'Origène semble craindre assez souvent une inflation, entraînant un péril de dévaluation, de la pénitence publique qui serait étendue à des fautes, graves certes, mais moindres [69], d'autre part qu'il envisage pour ces fautes une pénitence qui puisse être plus fréquente que la pénitence publique [70], qui se ferait elle aussi par l'intermédiaire du prêtre [71], mais dans laquelle il est conseillé au pénitent de bien choisir son médecin [72] : elle n'est donc pas réservée à l'évêque ou à ses représentants explicitement désignés comme la pénitence publique. Il s'agit d'une pénitence pour des péchés que nous considérerions aujourd'hui comme mortels, mais qui ne sont pas les péchés très graves pour lesquels il fallait avoir recours à la pénitence publique : elle comporte un aveu au prêtre représenté comme le médecin et ce dernier indique des moyens de

63. *Lc* 11, 41.   64. *Mt* 6, 12 et 14-15.   65. *Jc* 5, 20.   66. *Lc* 7, 47.
67. *Ps* 6, 7 ; 41, 4.
68. « La rémission des péchés moindres dans l'Eglise du troisième au cinquième siècle », *Recherches de Science Religieuse*, 13, 1923, 97-129 : Origène 97-104.
69. *HomJos* VII, 6 ; *CommMt* XVI, 8 (*GCS* X).   70. *HomLv* XV, 2.
71. *HomNb* X, 1.   72. *HomPs* 37, II, 6 (*PG* 12, 1386).

guérison, d'expiation, soit dans des bonnes œuvres, soit dans des pratiques de pénitence corporelle, mais le tout se déroulant d'une manière privée. Si nous projetons sur cette pratique dont Origène témoigne la notion postérieure de sacrement, peut-on dire que cette pénitence est sacramentelle ou faut-il réserver cette qualité à la pénitence publique ? Personnellement nous ne voyons pas de raison de lui refuser un caractère sacramentel. Si le texte évangélique essentiel considéré comme instituant ce sacrement est *Jn* 20, 23 : « A ceux à qui vous remettrez les péchés, ils seront remis, à ceux à qui vous les maintiendrez ils seront maintenus », c'est l'intervention et le jugement du prêtre, héritier de la mission apostolique, qui constituent le sacrement et ils se trouvent aussi bien là que dans la pénitence publique. Origène manifeste-t-il ainsi une pratique courante dans l'Eglise de son temps ou un comportement qu'en tant que pasteur il voudrait promouvoir, la rareté des témoignages en dehors de lui ne permet pas d'en décider.

En corollaire, il y a chez Origène des essais divers pour graduer la gravité des péchés. Citons celui qui suit [73] : « Je pense qu'il y a une différence entre charnel et terrestre... Si tu pèches pour la mort [74], tu n'es plus charnel, mais terrestre. Si tu pèches, mais non pour la mort, tu n'es pas tout à fait terrestre, tu n'es pas tombé de la grâce du Christ, mais tu es alors charnel. » La distinction postérieure des péchés mortels et véniels est ici, sous d'autres expressions, exactement indiquée : le second n'ôte pas la grâce du Christ, le premier le fait, donnant la mort à l'âme.

Si le lecteur trouve un peu maigre ce chapitre consacré à l'Eglise des temps présents, il ne devra pas oublier que les quatre chapitres consacrés à la doctrine spirituelle d'Origène, concernant respectivement l'anthropologie, la connaissance, les thèmes mystiques, l'ascèse et la morale, entrent aussi sous le vocable « L'Eglise des temps présents », car ils ont pour sujet la vie quotidienne du chrétien. La distinction entre la doctrine spirituelle d'Origène et sa théologie spéculative, toute fondée qu'elle est, n'est évidemment pas une séparation et on a pu percevoir à plusieurs reprises à propos des trois sacrements leurs effets moraux et spirituels.

---

73. *Fragm 1 Co* XIII, *JThS* IX, p. 242.　　74. *1 Jn* 5, 16.

Chapitre treizième

L'ÉGLISE DES TEMPS FUTURS

Avec la préexistence des âmes le point le plus attaqué de la synthèse origénienne a été la doctrine eschatologique : comme presque toujours injustement, surtout en ce qui regarde la résurrection et la fameuse « apocatastase » c'est-à-dire la restauration finale. Sur le premier point toute la postérité, jusque dans les temps les plus récents, a jugé Origène à partir du contresens fait par Méthode d'Olympe à propos de l'*eidos sômatikon*, sans prendre la peine d'étudier dans le détail ses propres déclarations, nombreuses, mais éparpillées dans toute son œuvre. On en est même arrivé parfois à cette absurdité de donner raison à Méthode et à ses successeurs malgré ce que dit Origène lui-même, comme si Méthode était un meilleur témoin de la pensée d'Origène que l'intéressé. Quant à l'apocatastase on s'en est tenu à certaines déclarations du *Traité des Principes*, durcies et rigidifiées, sans tenir compte d'autres déclarations du même livre et des autres œuvres et, au lieu d'expliquer le *Traité des Principes* à partir de l'ensemble de l'œuvre, on a interprété l'ensemble de l'œuvre en fonction du « système » tiré du *Traité des Principes* grâce à une méthode sélective qui laissait de côté toutes les nuances et supprimait le sérieux des nombreuses discussions entre plusieurs thèses en supposant gratuitement qu'en fait Origène adhérait à l'une d'entre elles.

Mort et immortalité [1]

Une doctrine que l'on trouve assez fréquemment chez Origène — l'exposé le plus complet est dans l'*Entretien avec Héraclide* [2] — est celle des trois sortes de morts. Conformément à la distinction stoïcienne du bien, du mal et de l'indifférent, Origène distingue une « mort au péché » qui est bonne, une « mort du péché » qui est mauvaise et une mort indifférente, ni bonne ni mauvaise par elle-même qu'il appelle aussi « physique » et « commune ». Cette dernière n'est pas un mal en elle-même car, contrairement à la doctrine aristotélicienne des trois sortes de biens — biens du corps, biens de l'âme, biens du dehors [3] — contre laquelle il polémique souvent [4], Origène n'admet, à la suite du platonisme, comme biens et maux, que ceux qui regardent l'âme. La mort du péché est opposée à la vie divine qui participe à l'Esprit divin et au Christ qui est Vie. La mort au péché consiste essentiellement dans la conformation à la mort du Christ qu'accompagne la conformation à sa résurrection selon *Rm* 6. Quant à la mort indifférente elle a comme contraire la vie indifférente qui nous est commune avec les animaux. Cette mort est inévitable pour tous ceux qui sont composés d'âme et de corps. Elle est l'« ombre de la mort » [5]. Il y a en effet entre la mort physique et la mort du péché une relation d'image à réalité : la vraie mort est la mort de l'âme, appartenant à l'ordre surnaturel et mystérieux ; la mort physique, qui est de l'ordre naturel, est son ombre.

On trouve fréquemment pour la mort physique la définition classique : séparation de l'âme et du corps. Elle tient au caractère composé de l'être humain, car tout composé est dissociable. Mais elle atteint le corps seul qui devient insensible. La mort est la privation de la vie du corps, non de celle de l'âme. Ces conceptions ne présentent aucune originalité par rapport à la philosophie platonicienne.

1. Voir notre article « Mort et immortalité chez Origène », *Bulletin de Littérature Ecclésiastique*, 79, 1978, 19-38, 81-96, 181-196. Tous nos articles cités dans ce chapitre doivent paraître en recueil sous le titre *Etudes sur l'eschatologie d'Origène* à Turin (Bottega d'Erasmo).

2. §§ 24-27.

3. *Ethique à Nicomaque* I, 8-9, 1098 B-1099 B.

4. Ainsi *ComPs* 4 dans *Philoc* 26. De même GRÉGOIRE le Thaumaturge, *RemOrig* II, 11-12 ; III, 28 ; VI, 75-77 ; IX, 122.

5. *Ps* 22 (23), 4.

Il y a un lien entre la mort du péché et la mort physique. Il se comprend grâce aux conceptions exprimées dans le *Traité des Principes* sur l'hypothèse de la préexistence et de la chute précosmique. D'après les renseignements de Procope de Gaza concernant le *Commentaire sur la Genèse* d'Origène, c'est après la chute que le corps « étincelant » de la préexistence est passé d'une qualité céleste, incorruptible et immortelle, à une qualité terrestre, corruptible et mortelle, changement figuré par les tuniques de peau [6] dont Dieu vêtit alors nos premiers parents.

Or la condition terrestre et charnelle, si elle n'est pas péché en elle-même, puisqu'elle a été créée par Dieu qui n'est pas l'auteur du mal, est cependant liée au péché puisque sa création a suivi la chute et qu'elle est occasion de tentation. Nous avons exposé cela à plusieurs reprises en indiquant la nature du péché selon Origène, le fait de s'arrêter au sensible qui n'est qu'image des biens eschatologiques, sans poursuivre son chemin vers les mystères qu'il indique.

La relation entre le péché et la mort physique est affirmée par bien des textes : cette dernière est la suite de la faute, le salaire du péché. Pour certains textes on peut se demander s'il s'agit de la mort physique ou de la mort du péché, mais cette indistinction même est caractéristique de la liaison qui les unit. La mort à laquelle notre corps terrestre est condamné frappe de malheur toute notre vie terrestre. « Malheureux que je suis, qui me délivrera de ce corps de mort ? » [7] s'écrie Paul qu'Origène commente. C'est pourquoi les saints ne fêtent pas l'anniversaire de leur naissance. Seuls ceux qui aiment la vie du corps se jugent heureux de vivre dans ce corps de mort. Même si nous savons que la gloire future sera sans comparaison avec la vie présente pleine de misères, nous voyons venir avec crainte le jour de la mort et nous voudrions bien lui échapper.

Fréquemment la mort physique du Christ est rapprochée de la mort au péché du chrétien qui se conforme à la mort du Christ. Ainsi la mort physique, châtiment du péché comme nous venons de le voir, prend une valeur rédemptrice. Elle l'acquiert grâce au sacrifice du Christ. Dans l'Ancien Testament déjà la peine de mort portée pour un grave crime épuisait la peine du péché, car « Dieu ne punit pas deux fois la

6. *Gn* 3, 27.   7. *Rm* 7, 24 : *HomJr* XX (XIX), 7.

même chose » [8] : elle était donc déjà un châtiment rédempteur.
C'est surtout la mort du Christ qui est le principe de la mort
au péché que reçoivent tous ceux qui sont baptisés dans sa
mort et mortifient en conséquence leurs membres terrestres.
Dans le Christ lui-même elle n'atteint pas le Verbe, mais la
nature humaine qui lui est jointe [9] et elle a été semblable à
toutes les morts humaines, avec la différence cependant que
le Christ l'a librement et volontairement assumée pour ses
amis : il est descendu dans l'Hadès, « libre parmi les morts » [10],
plus fort que la mort, la dominant au lieu d'être dominé par
elle, pour délivrer ceux qui ont été vaincus par elle. Par la
mort du Christ est détruite la mort ennemie du Christ, celle
du péché. Tel est le grand paradoxe de la Rédemption. Cette
mort au péché, mort bienheureuse qui nous vaut d'être vivifiés
avec le Christ, Origène la trouve dans plusieurs expressions
pauliniennes : « Je suis crucifié avec le Christ : ce n'est plus
moi qui vis, c'est le Christ qui vit en moi. [11] » « Qu'il ne
m'arrive pas de me glorifier, si ce n'est dans la croix de notre
Seigneur Jésus-Christ, par qui le monde m'est crucifié et moi
au monde. [12] » « Vous êtes morts et votre vie est cachée avec
le Christ en Dieu. [13] »

Nous avons vu que le martyr est l'imitateur le plus parfait
du Christ dans sa mort, et par là dans sa résurrection. Il participe à l'œuvre de rédemption du Christ. Il obtient la rémission des péchés non pour lui seul, mais aussi pour les autres
et il met en déroute les puissances diaboliques. L'efficacité
salvifique de son acte est si grande aux yeux d'Origène qu'il
lui arrive durant la période de paix religieuse qui marqua le
règne de Philippe l'Arabe de regretter pour cette raison dans
ses homélies la fin des persécutions : elles allaient cependant
reprendre à une grande échelle sous le successeur et assassin
de Philippe, Dèce. Il pourrait y avoir là l'amorce d'une
réflexion sur la mort du chrétien, configuration à la mort et à
la résurrection du Christ, baptême suprême et en acte, quand
elle est animée par les sentiments du martyre. Cette réflexion
est à peine ébauchée dans deux textes. L'un distingue le « mar-

---

8. *Na* 1, 9 selon les Septante : *HomLv* XI, 2 et XIV, 4.
9. *HomJr* XIV, 6.
10. *Ps* 87 (88), 6 : *ComCt* III (*GCS* VIII, p. 222, l. 26) ; *SerMt* 132
(*GCS* XI) ; *ComMt* XVI, 8 (*GCS* X).
11. *Ga* 2, 20 : *HomNb* VII, 3 ; cf. XII, 3.
12. *Ga* 6, 14.   13. *Ep* 3, 3.

tyre à découvert », c'est-à-dire les supplices, du « martyre dans le secret », les sentiments intérieurs qui font le martyr et peuvent exister en dehors d'une mort dans les supplices [14]. Le second se trouve dans une homélie [15] : « Je ne doute pas qu'il y en ait dans cette assemblée, connus de Dieu seul, qui sont déjà martyrs par le témoignage de leur conscience, prêts, si on le leur demande, à répandre leur sang pour le nom de notre Seigneur Jésus-Christ. » Le mot témoignage, *testimonium*, représente sans doute *martyrion*, à la fois témoignage et martyre. Sur ce point Cyprien sera plus explicite qu'Origène [16] : le martyre est un don de Dieu, tous n'y sont pas admis ; mais Dieu voit les pensées intérieures et chez ceux qui n'ont pas eu l'occasion du martyre il en couronne cependant le désir et l'acceptation.

Le texte de l'*Entretien avec Héraclide* [17] auquel nous avons fait allusion plus haut distingue encore deux sortes d'immortalités. En ce qui regarde la mort physique l'âme humaine jouit d'une immortalité absolue. Mais elle peut être aussi immortelle selon la mort du péché, si « elle se trouve affermie dans la béatitude ». Si celui qui va vers Dieu participe à l'immutabilité même de Dieu [18], si le juste, même ici-bas, tend à une certaine impeccabilité, l'opinion attribuée au *Traité des Principes* selon laquelle le bienheureux dans la béatitude pourrait encore tomber n'est en réalité qu'une hypothèse dans une discussion. On pourrait distinguer selon Origène une immortalité de nature et une immortalité de grâce, la première étant image de la seconde.

La principale raison de l'immortalité de nature selon l'*Entretien avec Héraclide* est la nécessité, au nom de la justice divine, de la rémunération finale. Plusieurs autres raisons sont formulées dans le *Traité des Principes* [19]. Le désir qu'a l'homme de connaître Dieu, de comprendre ses œuvres et la manière dont elles sont faites, ne peut être satisfait ici-bas. Dieu l'ayant mis en l'homme, il ne saurait être vain, il doit recevoir son accomplissement. Cela suppose l'immortalité de la faculté humaine du connaître, c'est-à-dire de la partie supérieure de l'âme, intelligence ou faculté hégémonique ou cœur, siège de la personnalité. Ce raisonnement est basé sur l'idée qui sera

14. *ExhMart* XXI (*GCS* I).   15. *HomNb* X, 2.
16. *De Mortalitate* XVII (CSEL III).   17. §§ 24-27.
18. *Hom 1 R (1 S) 1*, § 4 (*GCS* VIII).   19. II, 11, 4.

plus tard exprimée sous la forme suivante : « *desiderium natu-*
rae nequit esse inane — un désir de la nature ne peut être
vain ». Un autre essai de preuve se trouve à la fin de l'*Ana-*
cephaleosis qui clôt le même livre [20]. La démonstration s'appuie sur l'idée de participation qui a chez Origène le caractère
fortement existentiel de la notion platonicienne. L'âme humaine participe aux mêmes réalités intelligibles et divines que
les puissances angéliques : bien qu'il y ait là du plus et du
moins, comme pour les yeux et les oreilles qui voient et entendent avec une intensité diverse, alors qu'ils sont semblables,
les intelligences humaines et les puissances angéliques sont de
même nature. Or ces dernières sont incorruptibles et immor-
telles : c'est aussi le cas des âmes humaines. Mais la lumière
intellectuelle à laquelle toute la création raisonnable participe,
c'est la nature des trois personnes. Le raisonnement d'Origène
passe alors à une seconde forme du même argument. Toute
substance qui tire participation de la lumière éternelle est
elle-même incorruptible et immortelle, avec des degrés divers
dans cette participation. Soutenir que l'intelligence humaine
capable de comprendre Dieu pourrait recevoir la mort dans
sa substance même serait blasphémer contre Dieu à l'image
de qui l'homme a été créé et contre le Fils qui est lui-même
cette image selon laquelle l'homme a été créé. Cette démonstration suppose évidemment la croyance en Dieu, commune à
la plupart des philosophes païens du temps, et aussi, pour le
premier argument, la foi en l'existence de puissances angéliques. Elle s'adresse probablement à certains chrétiens de l'époque, les Thnètopsychites, qui supposaient que l'âme meurt
avec le corps pour ressusciter avec lui : nous en avons parlé à
propos de la vie d'Origène [21].

L'immortalité de l'âme, opposée à la mort commune, fait
donc partie de la nature même de l'être raisonnable : don de
Dieu, certes, mais inhérent à la création de l'homme comme
de l'ange, lié à la participation à l'image de Dieu dont le
contenu est, pour parler un langage qui n'est pas celui d'Origène, à la fois naturel et surnaturel. Le caractère naturel de
cette première sorte d'immortalité est défendu par Origène
contre le Valentinien Héracléon qui la nie parce qu'il confond
les deux immortalités [22], ne voyant pas qu'une substance mor-

---

20. IV, 4, 9-10.   21. Voir pp. 55-57.
22. *ComJn* XIII, 61 (59), 427-430.

telle et corruptible ne peut devenir immortelle et incorruptible. Le corps mortel « revêtira » l'immortalité à la résurrection, sans changement de substance, mais seulement de qualité. Quand il s'agit de cette substance incorporelle qu'est
l'âme, il n'y a pas de « substrat » commun à la nature corporelle et à la nature incorporelle, alors qu'il y en a un sous
les formes diverses de la nature corporelle. Si l'âme était mortelle et corruptible elle ne pourrait recevoir l'immortalité et
l'incorruptibilité : pour les posséder elle doit les avoir dans
sa substance même, car elle est simple et non composée de
substance et de qualités. Au contraire le corps, ici-bas mortel et corruptible, peut « revêtir » l'immortalité et l'incorruptibilité, car ce sont des qualités qui se surajoutent à sa
substance.

Ces notions de substance et de qualité appartiennent à la
conception commune de la matière chez platoniciens, aristo-
téliciens, stoïciens : nous les expliquerons davantage en exposant la doctrine origénienne du corps ressuscité. Si habituellement le corps est dit vêtement de l'âme, Origène appelle paradoxalement l'âme vêtement du corps, car à la résurrection elle
le « revêtira » des qualités d'immortalité et d'incorruptibilité
qui appartiennent à sa nature à elle [23].

Mais le Christ est dit aussi dans le même passage « vêtement de l'âme ». En effet c'est lui qui revêt l'âme de la
seconde immortalité — et en revêt le corps à travers elle :
il s'agit d'une immortalité de grâce qui supprime la mort du
péché et est de l'ordre de la « vraie vie ». Cette « vraie vie »,
l'âme, à la différence des personnes de la Trinité, ne la possède pas, redisons-le, substantiellement, mais accidentellement,
parce qu'elle lui est donnée par Dieu, et elle la possède dans
la mesure où son libre arbitre l'accueille.

Ici-bas tout homme est pécheur, même le plus juste et le
plus saint. Les progrès du spirituel lui donnent une conscience
de plus en plus aiguë de ses propres péchés. Dans la Trinité
seule la sainteté est substantielle : celle de la créature est accidentelle, sujette au progrès ou au relâchement. L'impeccabilité sur terre n'existe que de façon progressive : qui s'approche de Dieu participe à son immutabilité. L'homme de la parabole
du Bon Samaritain, qui représente Adam, est laissé à
demi-mort, car la mort commune n'a atteint que la moitié de

23. *PArch* II, 3, 2.

son être. Il a été dépouillé de ses vêtements : il a perdu l'immortalité liée aux vertus [24]. Cette seconde immortalité est un don de la grâce divine, venant de la Trinité, mais surtout lié à la personne du Fils, car c'est le don de la Vie, et la Vie comme la Résurrection sont des dénominations (*épinoiai*) du Christ, se confondant avec sa nature divine. Le Christ est Résurrection, c'est-à-dire immortalité au péché et béatitude. Il n'est pas Résurrection pour les méchants, qui cependant ressusciteront, mais en revanche il l'est déjà pour ceux qui sont dans la « première résurrection » [25], celle qui s'opère dès ici-bas par le baptême et la vie chrétienne, sans conférer cependant une immortalité complète au péché. Nombreux sont les textes qui attribuent ainsi au Christ le don de l'immortalité. Parfois il n'est pas précisé s'il s'agit de l'exemption de l'une ou de l'autre mort. Mais dans la continuelle polysémie qui est un des traits majeurs du vocabulaire origénien, mêlant à un ou plusieurs sens littéraux une ou plusieurs significations allégoriques tantôt mises au premier plan, tantôt restant à l'arrière-plan comme des harmoniques musicaux, les deux acceptions sont certainement contenues.

Entre mort et résurrection

Plusieurs questions se posent à Origène. L'âme est-elle absolument privée de corps ? Quel est le lieu de l'âme avant la résurrection ? Quelle est son activité ? Enfin en quoi consiste la purification eschatologique qu'Origène voit en *1 Co* 3, 11-15 ?

Que l'âme soit absolument privée de corps entre mort et résurrection contredirait une affirmation qui est trois fois répétée dans le *Traité des Principes* [26] : seule la Trinité est sans corps. Les créatures raisonnables, bien qu'incorporelles en tant qu'âmes, sont toujours vêtues d'un corps, même les anges et les démons, ainsi que les intelligences préexistantes et les ressuscités. En traitant de l'anthropologie trichotomique nous avons vu de quelle ambiguïté est marqué le concept de

---

24. *FragmLc* 168 (*GCS* IX²).
25. H. Crouzel, « La "première" et la "seconde" résurrection des hommes d'après Origène », *Didaskalia* 3, 1973, 3-19.
26. I, 6, 4 ; II, 2, 2 ; IV, 3, 15.

corps désignant tantôt le corps terrestre seul, tantôt l'ensemble
des corps terrestres ou éthérés, sans oublier les passages où
l'incorporéité a un sens purement moral. Le corps est souvent
la caractéristique de l'état de créature, représentant son accidentalité face à la substantialité des trois personnes. Nous
retrouvons ici la même ambiguïté. Certes la plupart des textes
d'Origène montrent l'âme sans corps entre mort et résurrection. Il en est un cependant qui fait exception : il est conservé
par Méthode d'Olympe dans son *Aglaophon ou De la Résurrection,* que nous possédons tout entier seulement en version
paléoslave, et en grec par la notice de la *Bibliotheca* de Photius qui rend compte de ce livre [27]. En s'appuyant sur le caractère corporel manifesté par la parabole du riche et de Lazare [28]
— la langue, le doigt, le sein d'Abraham, la position couchée,
tout cela daté d'avant la résurrection puisque les frères du
riche sont encore vivants sur terre —, et par l'apparition de
Samuel à Saül chez la nécromancienne [29], il attribue à l'âme
entre la mort et la résurrection une certaine enveloppe corporelle exprimée, suivant une notion méso- et néoplatonicienne,
comme le « véhicule » (*ochèma*) de l'âme, l'enveloppe de
pneuma corporel qui faisait pour les platoniciens le joint entre
l'âme et le corps et subsistait après la mort autour de l'âme,
expliquant les apparitions de fantômes [30].

A propos du lieu où se trouvent les défunts avant la Résurrection il n'y a pas d'unanimité dans l'Eglise primitive. Pour
Tertullien par exemple seuls les martyrs sont admis au Paradis avant ce moment : les autres, justes ou pécheurs, attendent
dans le lieu que l'Ancien Testament appelait Schéol, le Nouveau Testament d'un terme grec Hadès, les latins *inferus,
infernus* ou *infernum,* au singulier ou au pluriel : les justes y
trouvent consolation, les mauvais les supplices. Il ne correspond pas à ce que nous nommons l'enfer, désigné par le mot
Gehenna, la Géhenne, mais plutôt à ce qui est quelquefois
nommé en français « les Enfers », par exemple quand on
parle de la descente du Christ dans les Enfers après sa mort.
Il ne faut donc pas confondre chez Origène lui-même l'Hadès,
lieu des morts que décrit la parabole du mauvais riche —

27. *Aglaophon* III, 17 : *Bibl* 234, 300 B.
28. *Lc* 16, 19-31.
29. *1 R (I S),* 28, 3-25.
30. H. CROUZEL, « Le thème platonicien du "véhicule de l'âme" » chez
Origène », *Didaskalia* 7, 1977, 225-237.

qui y souffre — et de Lazare — qui y est heureux — et la Géhenne, lieu de supplices [31].

D'après la fameuse homélie d'Origène sur la visite de Saül chez la nécromancienne et l'évocation de Samuel [32], l'Hadès est le lieu où se rendaient après la mort les saints de l'Ancien Testament, car, à cause du péché commis au début de l'humanité, ils ne pouvaient aller au Paradis où était l'arbre de vie, gardé par les Chérubins à l'épée flamboyante. C'est de là que Samuel monte pour se montrer à Saül. Jean-Baptiste y descend après sa mort, là aussi précurseur de la venue du Christ. Après la mort de Jésus, pendant que son *pneuma* est remis entre les mains du Père, que son corps est placé au tombeau, son âme, unie au Verbe et forte de la force même de Dieu, est menée elle aussi dans l'Hadès, dont elle va délivrer les âmes captives, après avoir cependant, suppose Origène, établi le Bon Larron dans le Paradis. Ces saints de l'Ancienne alliance, le Christ va les mener au Paradis avec lui dans son Ascension glorieuse : il leur a ainsi rouvert la voie qu'avait fermée le péché d'Adam. Désormais les justes de la nouvelle alliance ne vont plus dans l'Hadès, mais, abstraction faite de ce que nous allons dire de la purification eschatologique, directement au Paradis, dès avant la Résurrection. La réponse de Jésus au Bon Larron est l'argument majeur. Ce n'est pas un des moindres titres de gloire d'Origène que d'avoir, le premier parmi les écrivains ecclésiastiques, ouvert le Paradis aux justes dès leur mort, malgré tous les courants contemporains — et encore postérieurs — qui les maintenaient, soit dans l'Hadès, comme nous l'avons vu pour Tertullien, soit même dans le voisinage du corps, selon ce que nous avons dit en racontant la vie d'Origène [33]. Et cela devrait lui faire pardonner les hésitations et les positions contrastantes qu'il manifeste à propos de l'éternité de la Géhenne.

En ce qui concerne le lieu des réprouvés, tant avant qu'après la Résurrection, Origène emploie les expressions néotestamentaires, Géhenne du feu, feu éternel, feu inextinguible, ténèbres extérieures. La règle de foi, telle qu'Origène l'exprime dans la préface du *Traité des Principes* [34], affirme que l'âme « lorsqu'elle aura quitté ce monde, recevra un sort conforme

---

31. H. Crouzel, « L'Hadès et la Géhenne chez Origène », *Gregorianum* 59, 1978, 291-331.
32. *GCS* III.   33. Voir p. 57.   34. *PArch* I, préf. 5.

à ses mérites : ou bien elle obtiendra l'héritage de la vie éternelle et de la béatitude, si ses actions le lui valent, ou bien elle sera abandonnée au feu éternel et aux supplices, si les péchés commis par ses méfaits l'y entraînent ».

Deux problèmes sont posés par les expressions néotestamentaires que cite Origène : En quoi consiste ce feu ? Pourquoi ce feu, dit constamment par lui, à la suite du Nouveau Testament, éternel ou inextinguible, est-il parfois — non toujours — considéré par lui comme médicinal, donc comme devant cesser avec la correction du damné ?

Il faut distinguer ce feu de celui de la purification eschatologique qui est, nous allons le voir, Dieu lui-même, « feu dévorant » [35]. Le feu éternel est différent de notre feu matériel, car celui-ci s'éteint, non celui-là. Il est invisible et brûle des réalités invisibles. Mais il y a analogie entre les deux : la souffrance des hommes qui meurent par le feu donne une idée de ce que peut faire souffrir ce feu-là. Le *Traité des Principes* [36] tente de ce feu une explication psychologique : c'est un feu que chaque pécheur s'allume à lui-même et qui se nourrit de ses propres péchés. Origène dit fréquemment que nos actes laissent leurs traces sur notre âme et qu'au jour du Jugement ces marques seront dévoilées et tous pourront les lire. Le pécheur voyant sur lui les traces de toutes ses mauvaises actions subira les accusations de sa conscience et ces remords constitueront le feu qui le châtie. On peut partir aussi de l'analogie des passions dont l'homme brûle dès ici-bas. Les pécheurs pris dans les rêts de ces passions au moment où ils quittent le monde, sans s'être amendés en rien, les subissent alors de la manière la plus aiguë. Une troisième approche est tentée, sans rapport avec le feu, à partir du supplice de l'écartèlement, dans la destruction de l'harmonie intérieure de l'âme. Ces images constituent un effort théologique pour approcher par voie d'analogie le mystère de la peine du dam. La flagellation que subissent soit un corps nu, soit un corps habillé, donne selon Origène une certaine idée des souffrances qui seront alors supportées, comparées à celles de maintenant : cette image [37] suggère pour le damné ressuscité le supplice du sens.

Le second problème est plus difficile. Origène use donc

---

35. *Dt* 4, 24 et 9, 3.   36. II, 10, 4-5.
37. *SelPs* 6, d'après Pamphile, dans *PG* 12, 1177-1178 **B**.

continuellement des expressions « feu éternel » (*pyr aiônion*)
et « feu inextinguible » (*pyr asbeston*) et cependant hasarde
à plusieurs reprises l'idée que le châtiment serait d'ordre médicinal, donc aurait une fin ; d'autres fois il pose la question
sans la résoudre, comme si l'Ecriture ne lui paraissait pas sur
ce point assez claire. Nous envisagerons le problème d'une
manière plus générale à la fin de ce chapitre à propos de
l'« apocatastase » : pour le moment nous resterons au niveau
des textes parlant de feu éternel. On trouve dans les *Homélies
sur Jérémie* conservées en grec des passages qui vont dans tous
les sens. L'Homélie XX (XIX), 4 pourrait suggérer, indirectement, que la vérité sur les châtiments pourrait être leur caractère médicinal : il n'est pas exclu cependant qu'il y ait une
certaine ironie dans ce passage, comme semble le montrer
l'expression : « Combien de ceux qu'on pense sages... » Selon
l'Homélie I, 15, Dieu ne fait pas que détruire la construction
du diable, il l'anéantit, envoyant la paille dans un feu inextinguible et l'ivraie au feu. Mais puisque le supplice du feu éternel ne saurait corrompre les personnes, ce que Dieu anéantit
par le feu semble être la construction du diable dans l'homme
et nous retrouvons le caractère médicinal. A l'opposé l'Homélie XVIII, 1, à propos de Jérémie descendant dans l'atelier
du potier [38] suppose que l'état où l'homme est saisi par la
mort est d'une certaine façon définitif, comme celui du vase
qui a été cuit au feu. Nous allons voir encore plusieurs exemples de ces continuels balancements que l'on rencontre souvent dans les mêmes œuvres.

La raison essentielle pour laquelle l'expression *pyr aiônion*
ne paraît pas à Origène impliquer nécessairement l'éternité
telle que nous l'entendons est que l'adjectif *aiônios* traduit par
éternel conserve toute l'ambiguïté du mot dont il dérive, *aiôn*.
Dans les deux Testaments à côté de la signification « éternité » conçue comme une durée sans fin, on trouve celle que
nous reproduisons par « siècle », de longue période de temps,
spécialement la durée du monde actuel. Dans le *Traité des
Principes* [39] Origène définit, d'après Rufin, à propos de la
génération éternelle du Fils, les adjectifs *sempiternum* et *aeter-
num* : « ce qui n'a pas eu de début à son existence et ce qui
ne peut jamais cesser d'être ce qu'il est ». Sur ce point Origène n'a aucune hésitation et nous l'avons vu employer à plu-

---

38. *Jr* 18, 1-16.   39. I, 2, 11.

sieurs reprises la formule que vulgarisera Athanase : « Il n'y a pas eu de moment où le Fils n'était pas. [40] » Et la génération du Fils n'est pas seulement éternelle, mais encore continuelle : double affirmation qui nous rapproche de la notion d'éternité conçue non seulement comme un temps sans commencement ni fin, mais comme la récapitulation de tout dans un unique présent.

Mais quand il s'agit des êtres raisonnables l'*aiôn* représente souvent une durée très longue, mais qui a une fin. Selon le *Commentaire sur les Romains* [41] :

> « l'éternité signifie dans l'Ecriture, tantôt le fait que l'on ignore la fin, tantôt celui de ne pas avoir de fin dans le siècle présent, mais d'en avoir une dans le futur. Parfois l'éternité désigne un certain espace de temps, même le temps d'une vie humaine ».

Et Origène donne de ces différents sens des exemples scripturaires. Il accepte d'assigner à la vie bienheureuse une durée infinie, mais le sens des mots *aiôn* et *aiônios* dans l'Ecriture ne lui paraît pas suffisamment clair, pour des raisons que nous exposerons à propos de l'apocatastase, en ce qui concerne le châtiment des damnés : aussi subsistent des hésitations et des affirmations dans les deux sens.

Il en est de même des « ténèbres extérieures » d'après les deux paraboles des invités aux noces et des talents [42] : elles désignent soit l'état d'ignorance des damnés, soit le corps ténébreux qui sera le leur à la résurrection [43]. Représentent-elles un état définitif ou temporaire ? Dans le *Commentaire sur Jean* [44] Origène reconnaît formellement qu'il n'en sait rien. Dans le *Commentaire sur Matthieu* [45] il suggère avec précaution l'idée d'un châtiment médicinal.

En parlant du baptême nous avons vu qu'il était pour Origène l'image sacramentelle d'un autre baptême, le baptême de feu, qui, selon Jean-Baptiste, sera donné par Jésus [46] : c'est pour Origène celui de la purification eschatologique, notre

---

40. *PArch* I, 2, 9 (Rufin) ; IV, 4, 1 (Rufin et Athanase) ; *ComRm* I, 5 (*PG* 14) (Rufin), Cf. p. 244.

41. *ComRm* VI, 5 (*PG* 14).   42. *Mt* 12, 13 ; 25, 30 : cf. 8, 12.

43. *PArch* II, 10, 8.   44. XXVIII, 8 (7), 61-66 (*GCS* IV).

45. *ComMt* XVII, 24 (*GCS* X) ; *SerMt* 69 (*GCS* XI).

46. *Mt* 3, 11 et parallèles.

Purgatoire [47]. On le trouve figuré aussi par d'autres images :
le thème, inspiré peut-être par la gnose valentinienne, des
« douaniers de l'au-delà » représentés par les publicains, les
anges déchus qui, postés aux frontières de ce monde, dépouil-
lent les passagers de ce qui leur appartient à eux, les démons [48] ; ou encore l'exégèse de *Lc* 12, 58-59, la prison dont
on ne sortira pas avant d'avoir payé le dernier sou [49]. Mais le
lieu scripturaire majeur est *1 Co* 3, 11-15 : sur le fondement
qu'est Jésus-Christ on peut construire avec des matières impé-
rissables, or, argent, pierres précieuses, ou périssables, bois,
foin, paille. Mais quand viendra le Jour, l'œuvre de chacun
sera éprouvée : si elle subsiste le constructeur recevra son
salaire ; si elle est consumée il subira dommage, mais lui sera
sauvé comme à travers le feu. Ce texte est expliqué trente-
huit fois dans ce qui nous reste d'Origène : parfois il est appliqué à l'ouvrier apostolique, orthodoxe ou hérétique, mais le
plus souvent à toute l'action du chrétien. L'or, l'argent, les
pierres précieuses, représentent les actes vertueux ; le bois, le
foin, la paille, des fautes qui ne sont pas des plus graves et
où la personnalité et la volonté ne sont pas complètement en-
gagées. Le Jour est celui du Jugement : il adviendra soit à la
fin de notre vie, soit à la consommation des siècles. Le feu qui
consume, c'est d'après le plus grand nombre des textes, redisons-
le, Dieu lui-même, « feu dévorant » [50], car Dieu consume non
des matières sensibles, mais des réalités spirituelles, nos
péchés. C'est aussi le Christ, suivant un *agraphon* [51] : « Ceux
qui s'approchent de moi s'approchent du feu, ceux qui s'éloignent de moi s'éloignent du Royaume ». Cette identification
de Dieu au feu qui purifie est d'autant plus remarquable qu'on
la retrouvera dans les intuitions de certains mystiques postérieurs, s'appuyant sur l'expérience de leurs purifications intérieures, par exemple sainte Catherine de Gênes dans son célèbre *Traité du Purgatoire* : le feu purifiant n'est autre pour elle
que celui de l'amour divin, source d'une grande joie et d'une
grande souffrance, car il rend l'âme consciente de son impu-

---

47. H. CROUZEL, « L'exégèse origénienne de 1 Cor 3, 11-15 et la purification eschatologique » dans *Epektasis : Mélanges patristiques offerts au
Cardinal Jean Daniélou* (éd. J. Fontaine et Ch. Kannengiesser), Paris 1972,
273-283.
48. *HomLc* XXIII.   49. *HomLc* XXXV.   50. *Dt* 4, 24 et 9, 3.
51. Un *agraphon* est une phrase attribuée à Jésus et absente du Nouveau
Testament.

reté et la purifie ainsi. C'est donc Dieu, ou le Christ, qui pour Origène purifiera celui qui a construit en bois, foin ou paille, en consumant douloureusement son édifice. Mais parfois aussi Origène parle dans ce contexte d'un feu propre à chaque pécheur, qui aurait été allumé par ses péchés.

A la fin du paragraphe consacré à la pénitence [52] nous avons donné un exemple des gradations que met Origène entre les péchés, distinguant ceux qui font perdre la grâce du Christ de ceux qui ne la font pas perdre, nos péchés véniels. L'Homélie XIII sur Jérémie [53] conservée en grec pose avec clarté le problème auquel répond la doctrine du Purgatoire. Serait-il conforme à la justice de Dieu de damner celui qui sort de cette vie chargé, certes, de bonnes actions, mais aussi de péchés ? Le serait-il aussi de l'admettre dans ce cas sans purification dans la béatitude ? Mais plusieurs passages montrent que cette doctrine n'est guère familière à certains des auditeurs d'Origène, persuadés que s'ils n'ont pas commis d'idolâtrie ou de fornication ils iront tout droit au ciel malgré tout le reste. Quant au caractère douloureux de cette purification nous l'avons vu affirmé à propos du baptême de feu : il l'est aussi au sujet de *1 Co* 3 11-15 et Origène n'hésite pas à s'appliquer à lui-même la crainte de cette purification. Commentant le désir qu'a Paul de mourir pour être avec le Christ [54], il s'écrie :

« Moi, je ne puis parler ainsi, car je sais que, lorsque je m'en irai, il faudra que mes bois soient brûlés en moi. » [55]

Les apôtres eux-mêmes ont dû traverser le fleuve de feu, passer auprès de l'épée flamboyante — nécessairement, puisque le feu est Dieu et son Christ — et ils l'ont fait sans subir de dommage :

« Mais s'il existe un pécheur comme moi, il viendra à ce feu comme Pierre et Paul, mais il ne le traversera pas comme Pierre ou Paul. » [56]

Quelle est l'activité des justes dans la béatitude auprès du Seigneur, après avoir souffert ou sans avoir souffert de cette ultime purification ? Séparées du corps terrestre ces âmes n'en sont pas moins actives. Un fragment du *Commentaire sur les*

52. Cf. pp. 292-293.   53. §§ 5-6.   54. *Ph* 1, 23.   55. *HomJr* XX, 3.
56. *HomPs 36*, III, 1 (*PG* 12, 1337 B).

Psaumes [57], partant de l'identification fréquente dans la littérature grecque comme dans l'Ecriture de la mort avec le sommeil, montre que dans la mort comme dans le rêve l'âme agit sans le moyen du corps. Son activité principale est, bien entendu, celle à laquelle aboutit d'après le *Traité des Principes* [58] le *cursus studiorum* de l'école des âmes, la contemplation des œuvres de Dieu, puis la « contemplation et compréhension de Dieu, nourriture essentielle des créatures raisonnables », connaissance qui s'identifie d'après *Gn* 4, 1 avec l'amour dans l'union. Cette activité s'exercera encore d'une manière plus parfaite après la résurrection. Mais avant qu'en vienne le moment, les saints s'intéressent-ils selon Origène à leurs frères encore sur terre ? Il est souvent question de leur intercession auprès de Dieu, à partir de deux témoignages de l'Ancien Testament : Samuel défunt prophétise pour Saül chez la nécromancienne [59] et de Jérémie il est écrit : « Celui-ci est l'ami de ses frères qui prie beaucoup pour le peuple et pour la ville sainte tout entière, Jérémie, le prophète de Dieu. » [60] Origène cite ces deux exemples à plusieurs reprises [61] pour montrer que les saints au ciel ne restent pas dans l'oisiveté, mais sont pleins de charité pour leurs frères encore en ce monde, qu'ils aident de leurs prières et de leur intercession. Plusieurs textes soulignent l'intervention des martyrs, corédempteurs avec le Christ, pour leurs frères. Les saints de l'Ancien Testament eux aussi marchent devant nous en première ligne dans nos combats contre les puissances mauvaises. Les bienheureux, comme Paul, souffrent avec ceux qui souffrent, se réjouissent avec ceux qui sont dans la joie. Avec le Christ lui-même ils partagent les misères des croyants. Les anges eux-mêmes assistent invisiblement dans les églises aux assemblées des fidèles et ainsi, quand ces derniers sont réunis, une double Eglise est présente, angélique et humaine : les âmes des défunts y sont aussi.

Dans une homélie célèbre [62] Origène ne craint pas de dire, considérant le Christ dans son Corps total, que la joie du Christ et des saints ne sera complète que lorsque tout le Corps sera reconstitué dans la Jérusalem céleste :

---

57. *SelPs* 3, 6 : *PG* 12, 1128 BC.   58. II, 11, 6-7.
59. *1 R (1 S)* 28, 3-25.   60. *2 M* 15, 14-16.
61. Voir l'article « Mort et immortalité... » (note 1), pp. 193-196 : de même pour ce qui suit.
62. *HomLv* VII, 2.

« Mon Sauveur pleure mes péchés. Mon Sauveur ne peut se
réjouir tant que je reste dans l'iniquité... Les Apôtres eux-
mêmes n'ont pas encore reçu leur joie, mais ils attendent que
je devienne participant de leur liesse. A leur départ d'ici les
saints ne reçoivent pas aussitôt la récompense intégrale de
leurs mérites, mais ils nous attendent, bien que nous tardions,
bien que nous soyons paresseux. Il n'y a pas pour eux de joie
parfaite tant qu'ils souffrent de nos erreurs et pleurent nos
péchés. »

Ces expressions, paradoxales dans la pensée d'Origène lui-
même, veulent souligner la puissante solidarité qui unit dans
le Christ tous les membres de son Corps. Ce sermon, lu dans
l'abbaye de Clairvaux au chapitre, y provoqua des mouvements divers, et Bernard, pris entre le scandale des uns et
l'admiration des autres, dut le lendemain s'expliquer à son
sujet devant ses moines [63]. C'est par son intermédiaire, selon
H. de Lubac [64], que cette homélie inspirera cinq siècles plus
tard le *Mystère de Jésus* de Pascal.

La Résurrection des hommes [65]

En parlant du baptême nous avons dit qu'Origène, avec
l'intention de désamorcer en quelque sorte le contenu millé-
nariste qu'on donnait à *Ap* 20, 1-6 en l'interprétant littéralement, appelait « première résurrection » [66], en dépendance de
Rm 6, celle que produit le baptême et la vie chrétienne qui
le suit : il s'agit là d'une résurrection imparfaite ou mieux en
devenir, « à travers un miroir, en énigme ». Jésus est Résurrection en tant qu'auteur à la fois de cette première résurrection et de la seconde. Corrélativement, Origène appelle « vivants » ceux qui n'ont pas péché gravement après le baptême
et passent ainsi en toute innocence de la première résurrection
à la seconde, et « morts dans le Christ » ceux qui ont péché
gravement et se sont repentis. Cette seconde distinction a été

63. Sermon 34 *de diversis* : *PL* 183, 630 ss.
64. *Exégèse Médiévale* I/1, Paris 1959, 281-284.
65. H. CROUZEL, « La doctrine origénienne du corps ressuscité », *Bulletin de Littérature Ecclésiastique* 81, 1980, 175-200, 241-266. Pareillement :
« Fonti prenicene della dottrina di Ambrogio sulla Risurrezione dei mor-
ti », *La Scuola Cattolica*, 102, 1974, 373-388.
66. Voir l'article cité note 25.

mal comprise par Méthode d'Olympe [67] qui voit dans les
« morts » des pécheurs non repentants et ainsi prête à Origène
l'idée du salut universel.

Mais nous nous intéressons ici à la « seconde résurrection » qui est « face à face » et totale. Bien des points seraient
à examiner si nous avions pour but un exposé complet : ainsi
le rapport de la résurrection du Christ à celle des hommes ;
la résurrection œuvre de Dieu seul capable de ressusciter.
Origène voit les ressuscités répartis en différents ordres ou
classes [68], suivant les mérites de leur vie terrestre : il trouve
cela figuré par plusieurs textes, notamment par les descrip-
tions du camp des Hébreux dans le Livre des Nombres. Et
cette diversité est marquée par des passages affirmant en même
temps leur unité. Il mentionne la résurrection pour la damnation à la suite de *Daniel* 12, 2, lu selon Théodotion, et voit
dans les « ténèbres extérieures » les corps sombres et obscurs
des damnés ressuscités, que les supplices ne peuvent corrompre. La raison de cette résurrection des damnés est que l'âme
n'est pas châtiée sans le corps, argument qui reproduit le raisonnement majeur d'Athénagore dans la seconde partie de
son *Traité de la Résurrection*. Nous avons vu dans le paragraphe précédent ce que pense Origène des peines de la Géhenne.

Plusieurs textes de l'Ancien Testament prophétisent directement la résurrection, d'autres suivent une exégèse spirituelle [69]. Parmi les premiers *Job* 19, 25-26 selon la Septante
et, à la suite d'un raisonnement assez curieux, la fin du même
livre ; *Daniel* 12, 1-3 selon Théodotion. Parmi les seconds la
foi d'Abraham se disposant à sacrifier Isaac selon *He* 11,
17-19 ; la description du camp d'Israël dans le Livre des
Nombres 1-2. Quant à la prophétie d'Ezéchiel sur les osse-
ments desséchés qui reprennent vie [70], Origène, conformément à l'explication que donne le prophète lui-même et contrairement à l'opinion d'autres Pères comme Méthode — qui
reproche à Origène son interprétation — et Ambroise, se

---

67. *Aglaophon* III, 21 : texte grec dans Photius, *Bibl* 234, 301 B.

68. H. CROUZEL, « Différences entre les ressuscités selon Origène » dans
*Jenseitsvorstellungen im Antike und Christentum : Gedenkschrift für Alfred
Stuiber, Jahrbuch für Antike und Christentum,* Ergänzungsband 9, Münster
i. W., 1982, 107-116.

69. H. CROUZEL, « Les prophéties de la Résurrection chez Origène »
dans *Forma Futuri : Studi in onore del Cardinale Michele Pellegrino,*
Turin 1975, 980-992.

70. *Ez* 37, 1-14.

refuse à y voir une prophétie de la Résurrection au sens littéral et individuel : puisqu'elle représente selon Ezéchiel la
résurrection du peuple d'Israël après l'exil, elle n'est prophétie de la résurrection qu'au sens spirituel et collectif, figurant
celle du « Corps véritable et plus parfait du Christ, sa sainte
Eglise » [71]. Le rite de la circoncision est pareillement figure
de la résurrection, de même que de la chasteté et de la virginité qui en sont ici-bas le vivant témoignage. Enfin dans
l'arithmétique symbolique qui est à la base de bien des exégèses de l'Alexandrin, la résurrection, celle du Christ et en
conséquence celle des hommes, a deux chiffres, le trois parce
que Jésus est ressuscité le troisième jour, et le huit parce que
la résurrection de Jésus a eu lieu le lendemain du septième
jour, le dimanche.

Mais le point le plus attaqué, dès le tournant des IIIe et
IVe siècles par Méthode d'Olympe et Pierre d'Alexandrie, a été
la conception que se fait Origène du corps ressuscité. Malheureusement les deux adversaires l'ont mal comprise, l'ont cari-
caturée et ont critiqué cette caricature. Et beaucoup de leurs
successeurs, jusqu'au XXe siècle compris, au lieu de rechercher
cette doctrine dans les œuvres mêmes de l'Alexandrin où elle
est partout éparse, ont voulu s'épargner cette peine et se sont
contentés de reproduire les accusations de Méthode, perpé-
tuant ainsi ses contresens.

Pour comprendre une doctrine il faut déterminer sa problématique et ses principales préoccupations. A la base de la
conception origénienne du corps ressuscité se trouve ce que
dit Paul dans *1 Co* 15, 12-58, mais surtout dans la comparaison avec la graine et la plante développée dans les versets
35 à 44. Le mystère des rapports du corps terrestre et du
corps glorieux est celui de leur identité et de leur altérité :
comme entre la graine et la plante il y a continuité et cependant différence. Telle est l'intuition centrale qu'Origène développe à l'aide de doctrines philosophiques diverses. Dans
cette tâche il reste préoccupé par des opinions qu'il juge erronées et dont il veut dépasser les insuffisances. En effet il veut
affirmer la réalité de la résurrection des corps devant infidèles et hérétiques qui la nient. Mais il perçoit avec acuité

---

71. *ComJn* X, 35-36, 230-238 ; *ComPs 1, 6* §§ 13 et 15 dans MÉTHODE,
Aglaophon, I, 21 et 23, ou EPIPHANE, *Panarion* 64, 13 et 15 (*GCS* Méthode
et *GCS* Epiphane II).

que les conceptions que se font de ce mystère nombre de chrétiens ont une grande responsabilité dans ce refus. Les adversaires en sont choqués dans leur bon sens et, confondant ces représentations grossières avec la foi en la résurrection elle-même rejettent le tout. L'incroyance et ce que nous appellerions aujourd'hui l'« intégrisme » se rejoignent paradoxalement : pour pouvoir mieux mépriser la religion chrétienne, ses détracteurs l'entendent de la façon la plus abrupte, refusant toute autre explication.

Origène s'oppose donc d'abord à la doctrine de la résurrection qui est courante chez nombre de chrétiens de son temps, ceux qu'on appelle habituellement millénaristes ou chiliastes. Nous avons mentionné leur croyance en un règne millénaire du Christ et des martyrs dans la Jérusalem terrestre avant la résurrection finale. En ce qui concerne l'état du corps dans cette dernière, ils s'imaginent que le corps ressuscité sera identique au corps terrestre de sorte qu'on mangera et boira, qu'on se mariera et procréera, et que la Jérusalem céleste sera semblable à une ville d'ici-bas. Le corps spirituel ne différera en rien du corps psychique et tout dans l'au-delà sera semblable à la vie dans ce bas monde. Car, étant des anthropomorphites, les millénaristes prennent à la lettre les anthropomorphismes bibliques. Ils suppriment toute altérité entre le corps terrestre et le corps glorieux, n'en conservant que l'identité. Une illustration en est donnée par la première partie du *Traité de la Résurrection* d'Athénagore [72]. Semblant ignorer complètement le caractère fluent des éléments matériels dans le corps, dont Origène a au contraire une notion nette, il pose le problème suivant : si un animal mange un homme et ensuite un homme cet animal, à qui appartiendront à la Résurrection les parties du corps du premier passées ainsi dans le second ? Il répond à ce problème en appelant à la rescousse la théorie de la digestion du médecin Galien et en confondant le point de vue physique et le point de vue moral : un homme et un animal ne peuvent assimiler qu'une nourriture conforme à leur nature et toute nourriture contraire à la nature sera rejetée ; or l'homme est pour l'homme une nourriture contraire à la nature ; donc le second ne pourra assimiler ce qui vient du premier et il le rejettera. On voit à quel niveau se situent les conceptions qu'Origène repoussera. Or les païens, en l'es-

72. Ed. Schoedel, Oxford 1972.

pèce Celse, identifient à cela la doctrine chrétienne de la résurrection qui est pour cette raison l'objet de leurs moqueries. Origène subodore des représentations semblables sous le refus opposé par les Sadducéens à la Résurrection selon *Mt* 22, 23-33 avec leur objection de la femme aux sept maris. Et comme les Sadducéens sont pour lui la figure des hérétiques, ces derniers sont dans le même cas, eux dont Origène dit dans l'*Entretien avec Héraclide*[73] que toutes les hérésies nient la résurrection : il s'avance, ce faisant, un peu trop loin, comme le montre le très orthodoxe *Traité sur la Résurrection* de Tertullien[74], composé à une époque où, sans avoir rompu encore avec la Grande Eglise, son auteur ne craint pas de s'appuyer ouvertement sur la révélation du Paraclet, selon les Montanistes.

Dans l'exposé de la doctrine origénienne nous commençons par ce qui concerne l'altérité. Le texte majeur est la conversation de Jésus et des Sadducéens[75]. Les ressuscités seront comme des anges dans le ciel. Mais cette comparaison ne met-elle pas en danger le caractère corporel de la résurrection ? Ce serait vrai pour des chrétiens d'aujourd'hui, habitués à considérer les anges comme de « pur esprits » incorporels. Ce n'est pas vrai pour Origène car son opinion dominante — nous l'avons signalée en parlant du corps à propos de l'anthropologie trichotomique — est que les anges, comme les démons, ont un corps, d'une nature plus ténue que le nôtre. Or les corps des ressuscités seront semblables à ceux des anges : « ceux qui sont jugés dignes de la résurrection des morts deviennent comme des anges dans le ciel (non seulement par l'absence d'activité sexuelle), mais aussi parce que leurs corps d'humiliation transfigurés deviennent semblables aux corps des anges, éthérés, une lumière étincelante (*augoeidés*)[76] ». Comme l'indique ce texte les bienheureux à la résurrection ne revêtent pas un autre corps qui serait éthéré, mais ce sont leurs corps terrestres eux-mêmes qui deviennent éthérés : la « substance » reste la même, seule la « qualité » change, de terrestre devenant céleste. Les corps glorieux sont donc qualifiés d'« étincelants » (*augoeidè*) et d'éthérés. La doctrine de l'éther qui s'exprime ici est d'origine philosophique, attestée chez Platon comme chez Aristote. L'éther désigne pour Ori-

73. 6 5.   74. *CChr* II.   75. *Mt* 22, 29-33.
76. *ComMt* XVII, 30 (*GCS* X).

gène un lieu du ciel, supérieur à celui de l'air qui fait partie
des quatre éléments communs, et aussi la nature des corps qui
s'y trouvent, l'état le plus pur que puisse recevoir la nature
corporelle. Les astres sont éthérés. Mais Origène refuse d'appliquer ce terme à Dieu qui n'est pas corporel. Il l'applique
au corps glorifié de Jésus et au corps de l'homme ressuscité.
Dans deux passages [77] il s'oppose cependant à la doctrine
qu'Aristote développait dans son écrit de jeunesse *Sur la Philosophie* et qui faisaient de l'éther un cinquième élément —
la « quintessence » — en plus des quatre classiques. Il ne
refuse pas l'éther comme une « qualité » que revêt la substance,
mais comme un autre corps, ce qui ne serait pas conforme à
l'identité fondamentale du corps ressuscité avec le terrestre.
Si le corps ressuscité doit être éthéré, c'est qu'il doit habiter
des lieux éthérés et « il est nécessaire que l'âme, quand elle
se trouve dans des lieux corporels, use de corps adaptés à ce
lieu ». Si nous avions à vivre dans la mer, nous devrions
avoir des corps marins [78]. A plusieurs reprises est invoqué
dans ce sens *2 Co* 5, 4 : « et nous qui sommes dans la tente
nous gémissons oppressés parce que nous ne voulons pas nous
dévêtir, mais nous revêtir par-dessus, afin que le mortel soit
englouti par la vie ». Pour Origène la tente est le corps qui
est le même dans la vie présente et dans la vie ressuscitée :
mais l'« habitation » du corps change. Ce dernier possède en
cette vie les qualités de mortalité et de corruptibilité, et dans
l'autre monde celles d'immortalité et d'incorruptiblité. Le
changement n'affecte pas la substance du corps — on ne s'en
dévêt pas —, mais les qualités dont on se revêt pour vivre dans
un milieu nouveau. Le vêtement n'est pas le corps, mais les
qualités qui l'informent.

Origène lit en outre en *Mt* 22, 29-33 que dans la résurrection ni hommes ni femmes ne se marieront. D'après le *Commentaire sur Matthieu* [79] la conception de la résurrection sous-
jacente selon lui à l'objection des Sadducéens suppose que
chacun ressuscitera pour une vie semblable à celle d'aujour-
d'hui. Les relations avec les autres êtres humains continueront
comme par le passé, relations de mari à épouse, de père à fils,
de frère à frère. Or le Créateur ne fait que ce qui est utile,

77. *PArch* III, 6, 7 ; *ComJn* XIII, 21, 126.
78. *ComPs 1, 5* d'après Méthode I, 22 ou Epiphane 14, 7-8 (voir note 71).
79. XVII, 29-33.

tel est le postulat qui gouverne la réponse d'Origène. Dans
le monde du devenir il y a génération et corruption, donc relations sexuelles, procréation, rapports de parents à enfants et
de frères à frères. Mais tout ce qui était alors nécessaire ne
l'est plus dans le siècle futur. Supposer avec les Sadducéens
une vie sexuelle, c'est rétablir dans le monde nouveau toutes
les réalités d'ici-bas qu'accompagneront nécessairement leurs
misères. Avec une logique implacable, mais excessive, Origène
en vient à refuser dans le monde futur la permanence des
relations, familiales et autres, qui ont marqué notre vie en ce
bas-monde, sans penser qu'il atteint ainsi au plus profond la
personne même des ressuscités, telle qu'elle s'est formée dans
cette vie, et qu'il met en danger l'identité de l'homme d'ici-bas
avec celui qu'il sera dans le monde futur, non sous le rapport
du corps mais sous celui de la personnalité spirituelle.

Si le Créateur ne fait que ce qui est utile, puisqu'il n'y aura
plus dans l'autre monde d'activité sexuelle, on pourrait
conclure de ce passage, que non seulement les organes sexuels,
mais tous ceux qui sont liés au devenir — c'est-à-dire en fait
tout ce qu'est le corps humain — n'existeront plus sur le
corps ressuscité. Cela, Origène ne le dit clairement nulle part.
Il semble le suggérer, mais à peine, dans deux textes, dont ce
n'est pas là la pointe principale. Cependant l'absence dans le
corps ressuscité des organes et des membres liés au devenir,
absence qui résulte d'un principe invoqué par Origène plutôt
que d'affirmations nettes, sera un des points les plus critiqués
dans la doctrine origénienne de la résurrection pendant les
querelles origénistes. Méthode d'Olympe demandera en plai-
santant quelle sera la forme extérieure du corps glorieux selon
Origène, « ronde, polygonale ou cubique » [80]. Jérôme atta-
quera Origène à travers son défenseur, l'évêque Jean de Jérusalem, et remarquera que le Seigneur transfiguré n'a pas perdu
ses membres pour apparaître « dans la rondeur du soleil et
d'une sphère » [81]. Justinien attribuera à Origène l'idée que
les corps glorieux sont sphériques [82]. Cette absurdité dérive
probablement d'un contresens sur un passage du *Traité de la
Prière* [83] où les corps célestes sphériques auraient été enten-

80. *Aglaophon* III, 15 (*GCS*).
81. *Contre Jean de Jérusalem* 29 (*PL* 26).
82. *Livre contre Origène* dans *PG* 86/1, 973 A et anathématisme 5 (de
543), *ibid*. 989 C.
83. *PEuch* XXI, 3 (*GCS* II).

dus des ressuscités, alors qu'il s'agit des astres. Il est possible aussi que les moines palestiniens qui sont à l'origine du dossier promulgué par l'empereur aient pris au sérieux les questions plutôt ironiques de Méthode et de Jérôme sur la forme extérieure des corps glorieux privés de leurs membres.

En énonçant le principe que le Créateur ne fait rien d'inutile Origène a manifesté une certaine désinvolture devant le mystère, alors que plus de retenue et un aveu d'ignorance auraient été souhaitables : on peut remarquer cependant que, s'il en a tiré quelques conséquences regrettables en ce qui concerne les relations humaines, il n'a pas osé s'engager davantage sur la présence ou l'absence des membres et organes liés au devenir sur les corps glorieux. Ses détracteurs ont poussé sa logique jusqu'à l'absurdité. Mais, excepté sur ce point, l'ensemble de ses opinions sur l'identité et l'altérité du corps terrestre et du corps ressuscité constitue davantage une *expression* du mystère, qu'une *explication* à proprement parler, qui serait impossible.

Utilisant les données du Nouveau Testament et de la philosophie grecque, Origène va tenter d'exprimer de trois manières l'identité du corps terrestre et du ressuscité : par la distinction hellénique de la substance matérielle et de ses qualités que nous avons déjà plusieurs fois rencontrée ; par la notion stoïcienne de « raison séminale » ; par une « forme » (*eidos*) corporelle exprimant l'identité du corps avec lui-même malgré le flux perpétuel de ses éléments matériels.

Dans un passage du *Traité de la Prière* [84] dont la forme très technique contraste avec l'ensemble du livre, Origène distingue deux sortes d'*ousiai*, de substances, à propos du fameux adjectif *épiousios* qui qualifie le pain du Notre Père : il distingue une substance spirituelle et une substance matérielle. Seule cette dernière nous intéresse, car cette matière première qui ne possède par elle-même aucune qualité, mais ne peut exister sans être informée par une qualité, qui reçoit ses qualités du dehors sans s'attacher irrévocablement à aucune, se trouve à la base de toutes les expressions qu'il donne de la nature des corps glorieux. On la rencontre aussi bien dans le *Traité des Principes* que dans le *Commentaire sur Jean* et le *Contre Celse* et le mystère de l'identité et de l'altérité du corps ressuscité par rapport au terrestre est ainsi exprimé en se servant

84. *PEuch* XXVII, 8 (*GCS* II).

de cette doctrine de la matière. Il y a un élément stable, nommé substance, matière, substrat, corps, nature, qui n'est lié par lui-même à aucune qualité, ne peut cependant subsister sans qualité et peut en changer par la volonté du Créateur : ces qualités (*poiotètés*), appelées aussi en termes équivalents *schèma* ou *habitus,* termes qu'on pourrait traduire ici par « état », sont l'élément variable capable de transformer le corps animal en corps spirituel. Ainsi, selon l'exégèse de *2 Co* 5, 4, bien que nous gémissions, accablés par l'habitation du corps corruptible, nous ne voulons pas nous en dévêtir, mais revêtir par dessus la qualité d'incorruptibilité, la « vraie vie », c'est-à-dire la vie divine, engloutissant en nous tout ce qui est mortel.

La notion stoïcienne de « raison séminale » ou « *logos* spermatique » va donner une expression philosophique à l'image paulinienne de la graine et de la plante [85]. Il y a entre elles identité puisque la plante est le même être que la graine à un stade plus avancé de son développement ; il y a altérité, car elles diffèrent grandement par leurs constitutions, leurs dimensions, leurs apparences extérieures, etc. Paul a comparé le corps terrestre à la graine, le corps glorieux à la plante qui en sort après sa « mort » dans la terre [86]. Pour Origène, comme pour le Stoïcisme, il y a dans la graine un *logos* ou une *ratio, logos* spermatique ou raison séminale, c'est-à-dire une force de croissance, de développement, en même temps que d'individuation, qui fera de la semence une plante. Il y a donc, déjà présent dans le corps terrestre, un *logos,* une *ratio,* une force d'individuation et de croissance qui, lorsque le corps terrestre sera mort germera pour donner le glorieux. Ce *logos* ou cette *ratio* constitue vraiment, pour employer les termes précédemment étudiés, la *substance* du corps humain, abandonnant les qualités de corruptibilité et de mortalité pour recevoir celles d'incorruptibilité et d'immortalité. Ce *logos* est donc, dès maintenant dans le corps terrestre, la présence anticipée, virtuelle, ou mieux dynamique, du corps futur. Interprétant la circoncision comme figure de la résurrection, Origène voit dans la chair qui est perdue celle dont il est dit : « Toute chair est du foin et toute sa gloire est comme la fleur du foin » et celle qui est conservée symbolise ce dont l'Evangéliste dit : « Toute chair verra le salut de Dieu » [87]. Cette chair conservée c'est le

85. *1 Co* XV, 35-44. 86. *Jn* 12, 24.
87. *Is* 40, 6, puis 5, cités par *Lc* 3, 6 dans *ComRm* II, 13 (*PG* 14).

logos présent dans notre corps de bassesse et destiné à s'épanouir en corps de gloire. Cette expression de l'identité se trouve elle aussi dans les grandes œuvres d'Origène, depuis le *Traité de la Résurrection,* dont ne subsistent que des fragments : *Traité des Principes, Homélies sur 1 Corinthiens, Commentaire latin sur Matthieu, Contre Celse.*

L'identité du corps terrestre avec le glorieux est encore exprimée d'une troisième façon dans le long fragment du *Commentaire sur le Psaume 1* conservé par Méthode et Epiphane [88]. L'argument qui est au point de départ de ce morceau est difficilement contestable et la science moderne ne contredira pas celle du IIIᵉ siècle : les éléments matériels se renouvellent constamment dans l'organisme et ne peuvent donc pas expliquer l'unité et l'individualité du corps terrestre ; on ne peut donc s'appuyer sur eux pour assurer l'identité du corps glorieux avec le terrestre, alors qu'ils ne jouent pas de rôle dans celle du corps terrestre avec lui-même aux différents moments de son existence. La question primordiale n'est pas le mystère de l'identité du corps terrestre avec le ressuscité qui n'est atteinte que par voie de conséquence, mais plus philosophiquement ce qui assure l'identité du corps terrestre avec lui-même, par-delà le flux constant des éléments matériels. Le corps est comme un fleuve, dit Origène, aux eaux toujours différentes et qui cependant est le même fleuve !

Son unité est ici exprimée par une « forme » (*eidos*) corporelle qu'il faut définir. Il ne s'agit pas d'hylémorphisme au sens aristotélicien, car Origène affirme que c'est un principe d'unité propre au corps, analogue à la substance matérielle et au *logos* spermatique déjà étudiés, alors que pour Aristote c'est l'âme qui est forme (*morphè, eidos*) du corps. Il « caractérise » le corps et reste toujours le même : l'Alexandrin en donne pour preuve la permanence des traits, de l'enfance à la vieillesse, celle des cicatrices ou des taches de rousseur. Il fait appel à certains signes qui révèlent sur le plan corporel la permanence d'une personnalité à travers tous les changements que son apparence a subis. L'*eidos* désigne ici un principe métaphysique qui imprime les caractères de la personnalité dans le corps, le terrestre comme le spirituel, une force dynamique qui assimile les matériaux dont elle s'empare, utilisant leurs qualités pour leur imposer ses propres caractères. Il a

---

88. *Aglaophon* I, 20-24 ; *Panarion* 64, 10 et 12-16 : voir note 71.

pour précédents l'idée platonicienne et la forme aristotélicienne, désignées aussi toutes deux par *eidos*, mais il diffère
largement de l'une et de l'autre, ne serait-ce que par le caractère individuel de son *eidos*. On ne saurait entendre ce mot
de l'apparence extérieure selon son sens vulgaire, bien que
l'*eidos* se manifeste au-dehors par des signes comme nous
l'avons vu. Si ce dernier sens était valable, comment Origène
pourrait-il dire que la forme extérieure demeure la même de
l'embryon au vieillard alors qu'elle change aussi complètement que de la graine à la plante ? Et s'il est vrai qu'Origène
a une certaine tendance à priver le corps ressuscité des organes nécessaires dans un monde de devenir, l'argument se
corse encore.

On peut donc définir l'*eidos* dans ce passage comme le
principe d'unité, de développement, d'existence et d'individuation du corps : il se manifeste au dehors par les traits qui
font reconnaître le personnage, sans se confondre avec l'apparence extérieure qui est changeante comme tous les éléments
matériels qui se succèdent dans l'organisme. Il utilise leurs
qualités en les changeant en ses propres qualités et en leur
imprimant ses caractères. C'est donc l'*eidos* qui constitue l'essentiel du corps que les éléments matériels toujours fluents ne
sauraient déterminer. C'est donc lui qui ressuscitera et assu-
rera entre le corps terrestre et le glorieux l'identité substantielle.

Ce fragment sur le *Ps* 1, 5 et la doctrine de l'*eidos* tiennent
une grande place dans le livre de Méthode d'Olympe intitulé
Aglaophon ou de la Résurrection [89]. Le second opposant du
dialogue, Proclos, avocat d'Origène, dans la seconde partie de
son discours conservée en grec par Epiphane, cite le texte et le
commente [90]. A la fin du dialogue, au livre III, Méthode, par
la bouche du rapporteur Euboulios, soumet ce passage et cette
doctrine à une dure critique. Le livre III n'est pas conservé
en grec par Epiphane qui a découpé sans intelligence le texte
de Méthode, présentant comme la critique d'Origène celle du
discours du premier opposant, Aglaophon, alors qu'il n'est
question d'Origène ni dans le plaidoyer ni dans sa réfutation :
en revanche il est constamment parlé d'Origène dans la seconde

---

89. H. CROUZEL, « Les critiques adressées par Méthode et ses contemporains à la doctrine origénienne du corps ressuscité », *Gregorianum* 53,
1972, 679-716.

90. *Aglaophon* 1, 20-26.

partie du plaidoyer de Proclos qu'Epiphane cite et, au livre III,
dans sa réfutation par Euboulios qu'Epiphane ne cite pas et
que nous connaissons, comme tout le livre, par une version
paléoslave. Dans cette dernière seulement, dont N. Bonwetsch
a publié une traduction allemande, émaillée de fragments
grecs, dont la plupart a été conservé par Photius dans sa notice
sur ce livre [91], on peut lire la critique d'Origène par Eubou-
lios-Méthode. La lecture du commentaire de notre texte par
Proclos et de sa critique par Euboulios permet de mesurer
l'ampleur et la gravité du contresens commis par Méthode sur
la nature de l'*eidos* corporel selon Origène : le contradicteur
n'a pas saisi le sens philosophique du terme, il le prend dans
sa signification vulgaire d'apparence extérieure et rend par là
complètement absurde la doctrine qu'il combat. Il considère
en conséquence que le corps glorieux selon Origène est *un
autre corps* que le corps terrestre, qui a reçu la même apparence extérieure : il rend ainsi vains les efforts de l'Alexandrin pour exprimer l'identité sans négliger l'altérité. Ce malentendu fondamental enlève presque toute leur valeur aux reproches adressés par Méthode à la doctrine origénienne du corps
ressuscité.

A cet exposé d'ensemble sur le corps ressuscité nous devons
ajouter brièvement ce qui concerne le corps glorieux du Christ.
La Transfiguration représente comme un prélude à la Résurrection : elle est chez Origène le symbole de la plus haute
connaissance de Dieu dans son Fils que l'on puisse avoir ici-
bas. Mais le corps transfiguré n'est pas différent du corps terrestre habituel de Jésus : si les trois apôtres voient la divinité
transparaître à travers lui, c'est d'une part que Jésus a voulu
leur manifester sa nature divine, car un être divin et angélique
n'est connu que s'il veut se faire connaître, et d'autre part
qu'ils ont gravi la montagne, symbole de l'ascension spirituelle
et ascétique et qu'ils possèdent ainsi les « yeux spirituels »
qui peuvent accueillir la grâce du Dieu qui se révèle. Après la
Résurrection il faut distinguer d'abord la période précédant
l'Ascension où Jésus apparaît à ses apôtres « dans un état intermédiaire entre l'épaisseur du corps avant la Passion et la
condition où l'âme apparaît dépouillée d'un tel corps » [92]. En
effet il se laisse toucher par ses apôtres, leur montre ses cicatrices : il a « un corps solide et palpable » [93], mais par ailleurs

91. *Bibl* 234 (*CUFr* V).   92. *CCels* II, 62.   93. *PArch* I préf. 8.

traverse les portes fermées. Ce point aussi n'a guère été compris par Méthode. Plusieurs passages du *Commentaire sur Jean* [94] et du *Commentaire sur Matthieu* [95], des fragments conservés par Pamphile [96], présentent l'Ascension avec toute une mise en scène angélique, comme celle de la chair qui monte au ciel. Là Jésus se trouve avec son corps ressuscité : le témoignage le moins contestable en est l'exégèse du Cavalier Verbe de Dieu d'*Ap* 19, 11-16, vêtu d'un manteau aspergé de sang qui figure sa chair et sa Passion dont il garde les marques [97]. Origène ne recule pas devant des expressions très réalistes qui ne doivent cependant pas faire perdre de vue que, puisque la résurrection des hommes est de même nature que celle du Christ, toutes les spéculations de l'Alexandrin visant à exprimer à la fois l'identité et l'altérité s'appliquent *a fortiori* à Jésus. D'après le *Contre Celse* [98] la qualité (*poiotès*) de mortalité du corps de Jésus s'est changée en une qualité éthérée et divine et la chair de Jésus a changé ses qualités pour pouvoir séjourner dans l'éther.

L'apocatastase

Ce mot, qui signifie restauration, rétablissement, et dont l'équivalent latin est *restitutio,* désigne habituellement la doctrine de la restauration de toutes choses à la fin des temps attribuée à Origène et à Grégoire de Nysse. Le substantif *apokatastasis* et le verbe *apokathistèmi* sont employés assez modérément par Origène, dans des sens divers, dont certains peuvent être considérés comme symbolisant allégoriquement l'apocatastase finale, ainsi le retour des Israélites dans leur pays après l'exil. Dans le premier livre du *Commentaire sur Jean* [99] il est question « de ce qu'on appelle l'apocatastase » définie par la situation indiquée par Paul en *1 Co* 15, 25. L'expression « ce qu'on appelle » montre qu'Origène n'est pas l'inventeur de cette apocatastase qu'il a trouvée avant lui, en relation avec le verset paulinien. Dans le *Traité des Principes* les deux emplois d'*apokatastasis* dans les textes de la *Philocalie* ne regardent pas notre apocatastase, mais il est question

94. VI, 56-57, 288-295.   95. XVI, 9 (*GCS X*).
96. *PG* 17, 600 AB ; 600 C.   97. *ComJn* II, 8, 61.   98. III, 41-42.
99. I, 16, 91.

à trois reprises dans la version de Rufin de *restitutio omnium* ou de *perfecta universae creaturae restitutio* et quelquefois dans le même sens du verbe *restituere*.

Le texte majeur qui est à la base de l'apocatastase origénienne est *1 Co* 15, 23-28 qui concerne la résurrection des morts : « Chacun (ressuscitera) à son rang propre : les prémices le Christ, puis ceux qui seront du Christ à sa venue, ensuite la fin, quand il transmettra le royaume à Dieu son Père, quand il aura détruit toute Domination et Principauté et Puissance. Il faut en effet qu'il règne jusqu'à ce qu'il ait mis tous ses ennemis sous ses pieds [100]. Comme dernier ennemi sera détruite la mort. Car (Dieu) a tout soumis sous ses pieds [101]. Quand il est dit que tout lui est soumis, il est clair qu'il faut en excepter celui qui lui a soumis toutes choses. Quand tout lui sera soumis, alors le Fils lui-même sera soumis à celui qui lui a soumis toutes choses, afin que Dieu soit tout en tous. [102] »

Rien dans ce que nous possédons de l'œuvre d'Origène ne permet de lui attribuer l'opinion que lui a prêtée Théophile : cette passation de pouvoir du Fils au Père signifierait la cessation du règne du Fils, comme Théophile l'affirme tout au long de sa *Lettre Pascale* de 401 [103]. Cette soumission du Fils au Père est interprétée par Origène de la soumission au Père de toute la création raisonnable, désormais soumise au Fils : elle ne veut pas dire, comme le prétendent des hérétiques, que le Fils lui-même ne serait pas soumis au Père avant cette soumission finale qui coïncide avec le don par le Père de la perfection de la béatitude [104].

Plusieurs questions se posent à propos de l'usage que fait Origène de ces versets pauliniens, des questions auxquelles il nous faut répondre, non à partir de textes isolés, mais de l'ensemble de l'œuvre. 1) Origène se représente-t-il cette restauration comme incorporelle ? 2) Comme panthéistique ? 3) Est-elle pour lui absolument universelle, supposant le retour en grâce des démons et des damnés et attache-t-il à cette universalité, si universalité il y a, une valeur d'affirmation dogmatique ou est-elle simplement l'objet d'un grand

---

100. *Ps* 109 (110), 1.   101. *Ps* 8, 7.

102. H. CROUZEL, « ″Quand le Fils transmet le Royaume à Dieu son Père ″ : L'interprétation d'Origène. » *Studia Missionalia* 33, 1984, pp. 359-384.

103. Lettre 96 dans la correspondance de Jérôme qui a traduit cette lettre (*CUFr* V) : voir l'article cité dans la note précédente.

104. *PArch* III, 5, 6-7.

espoir ? 4) D'où vient l'insistance d'Origène sur ce texte paulinien et sur la « restauration de toutes choses ».

1) En ce qui concerne une apocatastase incorporelle la question peut paraître sans objet après tout ce que nous avons dit
sur la résurrection des corps. Certes, un moderne dirait peut-
être que ces corps éthérés ne lui paraissent guère consistants
et qu'ils reviennent en fait à une affirmation d'incorporéité :
ce faisant, il substituerait sa propre mentalité à celle d'Origène et ne mériterait guère le titre d'historien. La question est
posée par quatre passages du *Traité des Principes* [105] dans lesquels Origène, lu dans la traduction de Rufin, discute entre
deux hypothèses, celle d'une fin corporelle des créatures raisonnables, appuyée sur des raisons scripturaires, celle d'une
fin incorporelle, soutenue par des raisons philosophiques, et
il ne conclut pas, ce qui n'est pas rare dans ce livre. Certes,
Rufin paraît bien avoir quelque peu télescopé cette seconde
hypothèse, comme le montre le fait que des fragments conservés par Jérôme ne trouvent pas de correspondant chez lui.
Mais il rend compte cependant des deux hypothèses et du
caractère de discussion de ces passages. On ne peut dire la
même chose des fragments traduits par Jérôme : comme leur
but est de faire un recueil de perles hérétiques, ils suppriment
presque complètement le contexte de discussion, ne retiennent
guère que les textes qui parlent d'incorporéité et donnent
l'impression que l'incorporéité finale a été tenue fermement
par Origène. La résurrection des corps n'est pas niée, mais
elle apparaît comme une étape provisoire avant l'incorporéité
totale. On peut se demander si Jérôme n'a pas lu Origène à
travers les opinions de son contemporain Evagre le Pontique,
car la dissolution finale du corps glorieux peut être lue à plusieurs reprises dans les *Kephalaia Gnostica* [106] ; et les textes
de Justinien sont surtout commandés par l'origénisme du
VIe siècle.

Puisque subsiste cette opposition entre Rufin d'une part,
Jérôme et Justinien de l'autre, puisque, selon Rufin lui-même
Origène à chaque fois expose les deux alternatives sans
conclure clairement en faveur de l'une ou de l'autre, la seule

---

105. I, 6, 4 ; II, 1-3 ; III, 6 ; IV, 4, 8. Voir J. RIUS-CAMPS, « La suerte
final de la naturaleza corpórea segûn el *Peri Archon* de Orígenes », *Vetera
Christianorum* 10, 1973, 291-304 ou *Studia Patristica* XIV (*Texte und Untersuchungen* 117), 1976, pp. 167-179.

106. Voir au chap. IX la note 67.

réponse possible pourrait être donnée par l'étude des autres œuvres d'Origène. On a, certes, parfois proposé en faveur de l'incorporéité finale un petit nombre de textes, lus sans tenir compte suffisamment des sens divers qu'Origène donne au mot corps : corporéité terrestre, corporéité éthérée, sens moral de l'incorporéité désignant une manière de vivre. Aussi ces passages ne sont pas significatifs et on ne trouve dans les œuvres autres que le *Traité des Principes* aucune affirmation claire du caractère passager qui serait celui des corps glorieux : et dans ce dernier livre on ne la voit que dans les interprétations de Jérôme. Au contraire, on lit plusieurs fois dans ces autres œuvres, directement ou par voie de conséquence, que l'état des corps glorieux est définitif. Si on pourrait tirer des principes invoqués par Origène que le corps glorieux serait privé des organes liés au devenir, c'est que tout changement est exclu. Origène reproche aux Sadducéens de restaurer pratiquement par la conception qu'ils se font de la résurrection la successivité du monde actuel. Or, si les bienheureux sont revêtus de corps glorieux qui disparaîtront, d'un coup ou peu à peu, pour qu'ils puissent s'abîmer dans l'« hénade », c'est-à-dire l'unité divine, ils sont toujours dans le devenir et le changement. Dans l'*Entretien avec Héraclide* [107] Origène affirme avec force que le corps ressuscité est à l'abri de la mort :

« Il ne se peut absolument pas que le spirituel devienne cadavre ou encore que le spirituel devienne insensible : si en effet il est possible que le spirituel devienne cadavre, il est à craindre qu'après la résurrection, quand notre corps sera ressuscité, selon la parole de l'Apôtre : Il est semé corps animal, il ressuscite corps spirituel [108], nous mourrions tous. En fait le Christ ressuscité des morts ne meurt plus [109], mais ceux qui sont au Christ, ressuscités des morts, ne meurent plus. »

Bien que ce ne soit pas tout à fait le problème posé par les divergences de Rufin avec Jérôme et Justinien, le fait que toutes les œuvres d'Origène, autres que le *Traité des Principes,* présentent comme définitif l'état des ressuscités, a cependant son importance. On ne peut donc attribuer fermement à Origène une apocatastase incorporelle, bien qu'il ait discuté cette hypothèse dans le *Traité des Principes,* en même temps que celle d'une apocatastase corporelle.

107. §§ 5-6.   108. *1 Co* 15, 44.   109. *Rm* 6, 9.

2) L'apocatastase origénienne est-elle panthéistique ? Suppose-t-elle que l'union finale des créatures spirituelles avec Dieu et entre elles se fera par la dissolution de leurs « hypostases », c'est-à-dire de leurs substances ou personnalités. Nous pourrions invoquer de nouveau à ce sujet les textes qui viennent d'être cités sur le fait que les ressuscités ne connaîtront plus la mort. Origène exprime souvent l'unité du fidèle avec Dieu par *1 Co* 6, 17 : « Celui qui s'attache au Seigneur est avec lui un seul esprit », réplique de *Gn* 2, 24 cité auparavant dans le même verset : « Ils seront deux dans une chair une. » Entre le fidèle et le Seigneur, comme entre le mari et la femme, il y a à la fois union et dualité. Pareillement, nous l'avons vu, Origène définit la connaissance, celle de Dieu et des réalités divines qui l'intéresse seule, par *Gn* 4, 1 : « Adam connut Eve son épouse », désignant la connaissance par l'union dans l'amour. On peut évoquer aussi la fameuse image utilisée par lui pour exprimer l'union de l'âme préexistante de Jésus avec le Verbe, celle du fer qui plongé dans le feu devient feu [110] : le fer devient feu en ce sens que celui qui le touche se brûle, mais cependant il reste fer et l'image exprime toujours à la fois la dualité et l'unité. Il n'y a pas là ombre de panthéisme.

En ce qui concerne l'union à Dieu et au Christ qui sera celle de la vie bienheureuse, citons entre autres deux textes. Le premier est du *Commentaire sur Jean* [111] :

> « Alors tous ceux qui seront parvenus à Dieu par le Verbe qui est auprès de lui auront une activité unique, comprendre Dieu, afin de devenir ainsi formés dans la connaissance du Père, tous ensemble exactement un Fils, comme maintenant seul le Fils connaît le Père. »

En d'autres termes, tous les bienheureux, devenus en quelque sorte intérieurs au Fils Unique, connaîtront le Père comme maintenant seul le Fils le connaît. Un texte équivalent, parlant non d'un seul Fils, mais d'un seul Soleil, à partir de *Mt* 13, 43, se trouve dans le *Commentaire sur Matthieu* [112]. Après la résurrection les bienheureux brilleront « jusqu'à ce que tous aboutissent à l'homme parfait [113] et deviennent un unique soleil. Alors ils brilleront comme le soleil dans le royaume de

---

110. *PArch* II, 6, 6.   111. I, 16, 92.   112. X, 2 (*GCS* X).
113. *Ep* 4, 13.

leur Père ». Puisque pour Origène Soleil de Justice est une
des dénominations (*épinoiai*) lumineuses appliquées au Fils,
devenir un unique soleil c'est là aussi devenir un seul Fils
dans le Fils Unique. Mais Origène se fait-il de cette unité de
tous les hommes entre eux dans le Fils Unique une représentation panthéistique ? Elle serait en opposition avec la critique faite par Origène dans le *Contre Celse* du panthéisme
stoïcien. Pour les philosophes du Portique l'histoire du monde
se composait d'une succession de cycles formés de deux pha-
ses. Dans la première, la *diakosmèsis*, c'est-à-dire l'organisa-
tion du monde, ce dernier sort peu à peu du feu divin, un
Dieu représenté comme matériel ; dans la seconde, l'*ekpyrôsis*,
la conflagration, l'embrasement, le monde peu à peu se résorbe
dans le feu divin. Origène juge ainsi cette seconde phase [114] :

> « Libre au Portique de tout vouer à l'embrasement ! Nous
> savons, nous, qu'aucune réalité incorporelle n'est vouée à
> l'embrasement et que ne peuvent se dissoudre en feu ni l'âme
> de l'homme, ni la substance (l'hypostase) des anges, trônes,
> dominations, principautés, puissances. »

Face au panthéisme matérialiste des Stoïciens qui résorbe
toutes les créatures en Dieu et, en conséquence, ne croit pas
en l'immortalité de l'âme, mais seulement en une « survie »
— Origène la désigne par les termes *diamonè* ou *épidiamonè*
— qui ne dure que jusqu'à la conflagration suivante, il affirme
nettement que l'union à Dieu ne saurait supprimer les personnes humaines et angéliques. Plus loin dans le même livre [115]
il oppose à nouveau la conflagration stoïcienne à la béatitude
chrétienne en montrant que cette dernière est, certes, l'œuvre
du Logos divin, mais il faut qu'elle soit reçue et acceptée par
la liberté humaine : « Les gens du Portique disent que, une
fois réalisée la victoire de l'élément qu'ils jugent le plus fort
(= le feu qu'est Dieu) sur les autres, aura lieu l'embrasement
où tout sera changé en feu. Nous affirmons, nous, qu'un jour
le Logos dominera toute la nature raisonnable et transformera
chaque âme en sa propre perfection, au moment où chaque
individu, n'usant que de sa simple liberté, choisira ce que
veut le Logos et obtiendra l'état qu'il aura choisi. » La liberté

114. *CCels* VI, 71, traduction M. Borret, *SC* 147.
115. *CCels* VIII, 72, traduction du même.

de l'homme est un élément essentiel de la voie qui conduit à l'apocatastase et nous verrons que cela doit être aussi pris en considération. En tout cas ces deux textes opposant la restauration finale selon le christianisme à la conflagration stoïcienne excluent de la première tout panthéisme.

3) Origène a-t-il professé une apocatastase universelle, incluant le retour en grâce des démons et des damnés ? Si tous les textes sont pris en considération, et même seulement tous ceux du *Traité des Principes,* il en résulte une grande confusion. Nous avons déjà signalé les hésitations d'Origène et ses prises de position pour et contre en ce qui concerne l'éternité de la Géhenne et l'ambiguïté du terme *aiônios,* exprimant aussi bien l'éternité qu'une longue durée.

Nous allons traiter séparément le cas du Diable ou des démons et celui des damnés. L'affirmation la plus claire du salut du Diable, bien qu'elle ne soit pas absolument explicite, se trouve dans le *Traité des Principes* [116] : le dernier ennemi qui sera détruit, la Mort [117], ne sera pas détruit en ce sens que sa substance sera anéantie, mais que sa volonté ennemie de Dieu sera convertie. Que la Mort représente ici le Diable n'est pas dit clairement, mais à plusieurs reprises dans l'œuvre d'Origène le dernier ennemi qui sera détruit, la Mort, est identifié au péché et au Diable. D'autre part, puisque la Mort est le péché, elle est quelque chose de négatif, ou plutôt privatif, qui n'a pas de substance, ce « rien » qui selon *Jn* 1, 3, tel que le lit Origène, fut créé sans le Verbe [118]. Il ne peut donc être question de la « substance » de la Mort que si elle est un être précis qui ne peut être que le Diable, souvent appelé ainsi par Origène. Mais, en opposition avec ce texte, nous avons la protestation on ne peut plus explicite de la *Lettre à des amis d'Alexandrie* que nous avons étudiée à propos de la vie d'Origène. Bien qu'elle ne soit conservée qu'en latin cette protestation est d'une authenticité absolument certaine, car elle est rapportée en termes équivalents par Rufin [119] et par Jérôme [120] au plus fort de leur querelle. Origène se plaint qu'on lui ait

116. III, 6, 5.   117. *1 Co* 15, 26.   118. *ComJn* II, 13 (7), 92-99.
119. *De Adulteratione* 7 : CChr XX.
120. *Contre Rufin* II, 18 (*SC* 303) : Voir H. CROUZEL, « A Letter from Origen to " Friends in Alexandria " » dans *The Heritage of the Early Church, Essays in honor of ... Georges Vasilievich Florowsky,* edited by Neiman and M. Schatkin, *Orientalia Christiana Analecta,* 195, Rome 1973, 135-150.

attribué l'opinion que le Diable serait sauvé : or cela même un fou ne saurait le dire. Il ne s'agit pas là d'une rétractation insincère motivée par la peur des foudres épiscopales, car d'une part cela convient peu au caractère de l'« Homme d'acier », d'autre part cette seconde position se trouve elle aussi esquissée dans le *Traité des Principes* et, côte à côte avec l'autre, dans le reste de l'œuvre. Origène se plaint qu'on ait durci en affirmation catégorique un passage qui ne doit être jugé que dans le cadre d'une théologie en recherche qui est celui de ce livre.

Dans un autre passage de cet écrit [121] il se demande en effet si les démons pourront un jour être convertis à la bonté à cause de leur libre arbitre ou si la malice invétérée et permanente ne se changerait pas en nature. Il accepte donc la possibilité que si les démons ne sont pas mauvais par leur nature originelle, en d'autres termes n'ont pas été créés mauvais par Dieu, mais le sont devenus par le choix de leur libre arbitre, l'habitude de la méchanceté puisse bloquer le libre arbitre, devenir une seconde nature et rendre impossible toute conversion vers le bien. Et cette seconde alternative n'est pas isolée dans l'œuvre d'Origène. Que la méchanceté soit devenue nature chez le démon et son fils, l'Antichrist, est dit à propos de la prophétie d'Ezéchiel sur la chute du Prince de Tyr, figure du Diable, dans le *Commentaire sur Jean* [122] : pour exprimer cela Origène forge même le néologisme *péphysiômenon*, ce personnage s'est ainsi « naturé ». Et l'inverse est aussi vrai, avec la différence que si l'habitude du mal bloque le libre arbitre, celle du bien au contraire donne la véritable liberté, qui pour Origène ne se réduit pas au libre arbitre. En effet, en opposition avec l'hypothèse qu'il fait dans le *Traité des Principes* d'une possibilité de chute chez les bienheureux eux-mêmes à cause de leur libre arbitre, l'Alexandrin montre assez souvent la charité devenant nature et apportant une immutabilité dans le bien. Cela est réalisé à la perfection, à cause de la charité parfaite qui l'unit au Verbe, dans l'âme humaine de Jésus qui possède le bien de façon substantielle, comme la Trinité, et est absolument impeccable, alors qu'elle est de même nature que les autres âmes, douée comme elles de libre

---

121. *PArch* I, 6, 2.
122. XX, 21 (19), 174 : *Ez* 28, 19. C. Blanc (*SC* 290) traduit « naturifié ». De même *FragmMt* 141 (*GCS* XII/1).

arbitre, ces autres âmes qui ne possèdent le bien qu'accidentellement, avec possibilité de progrès et de chute [123]. Le libre
arbitre ne peut séparer de la charité ceux qui s'y sont donnés [124] et celui qui se rapproche de Dieu participe à son
immutabilité [125]. Si l'âme est absolument immortelle de la
mort commune, elle ne l'est pas de la mort du péché, mais elle
le devient dans la mesure où elle est « affermie dans la béatitude » [126]. Origène en arrive même parfois à parler comme
d'un concept-limite et progressif de l'impeccabilité du spirituel. Car, par-delà le libre arbitre il connaît, et plusieurs textes
en témoignent, une conception de la liberté qui, comme l'*éleuthéria* paulinienne, s'identifie à l'adhésion au bien. D'autres
textes encore peuvent être invoqués pour le caractère définitif
de la damnation du démon.

Certains passages étudiés au sujet du « feu éternel » montreraient Origène plus enclin à accepter l'éternité des peines
pour les démons que pour les hommes. Il y a cependant des
textes qui vont dans ce sens comme l'homélie sur Jérémie XVIII, 1, à propos de la descente du prophète dans l'atelier du potier, ou certains de ceux qui commentent le péché
contre l'Esprit [127]. Mais ailleurs où intervient ce dernier sujet,
la considération de la miséricorde divine l'amène à laisser la
question ouverte [128]. En outre l'exégèse du *dichotomèsei* de
Mt 24, 51 et *Lc* 12, 46 — il s'agit du mauvais intendant que
le maître à son retour surprend à battre ses subordonnés et à
boire avec les ivrognes — ne parle guère en faveur d'une
possibilité de conversion pour les damnés. L'interprétation la
plus courante [129] est la suivante : l'« esprit qui est en l'homme », don divin, mentor de l'âme, revient à Dieu qui l'a donné,
pendant que l'âme et le corps vont « avec les infidèles » dans
la Géhenne. Puisque l'esprit est associé à l'âme comme son
entraîneur dans la sanctification, son précepteur dans la vertu,
la connaissance de Dieu et la prière, on ne voit pas comment
elle pourrait se sanctifier une fois qu'il lui a été ôté : ici-bas
le *pneuma* n'est jamais enlevé au pécheur, mais seulement mis
en sommeil par le péché et l'homme garde la possibilité de
revenir à Dieu.

123. *PArch* II, 6, 5-6.   124. *ComRm* V, 10 (*PG* 14).
125. *Hom I R (I S)*, I, § 4 (*GCS* VIII).   126. *EntrHer* 27, 1.
127. *ComJn* XIX, 14 (3), 88.   128. *PEuch* XXVII, 15 (*GCS* II).
129. L'une des trois interprétations données en *PArch* II, 10, 7 et la
seule en *ComRm* II, 9 (*PG* 14) et *SerMt* 57 et 62.

On aurait tort en conséquence de voir dans les textes exprimant la non-éternité de la Géhenne l'expression d'une conviction ferme. Origène hésite ne voyant pas comment concilier tous les enseignements de l'Ecriture : tantôt il ne se prononce pas, tantôt il hasarde une opinion dans une direction, tantôt dans une autre. De toute façon, si les affirmations de l'universalité de l'apocatastase qu'on croit trouver dans son œuvre devaient être entendues dans ce sens et prises pour des propositions de nature dogmatique, elles seraient en contradiction avec un point capital de la synthèse présentée par le *Traité des Principes,* le libre arbitre. En effet Dieu et son Verbe ne forcent jamais l'homme, ils ne le manipulent pas, ils ne lui font pas croire menteusement qu'il est libre alors qu'il serait en fait manipulé. C'est librement que l'homme se soumet au Verbe et qu'il se soumettra au Père dans l'apocatastase. Nous l'avons vu clairement affirmé par le *Contre Celse* [130] en opposition avec la conflagration stoïcienne. Si le libre arbitre de l'homme, acceptant ou refusant les avances divines, joue chez Origène un tel rôle, comment pourrait-il parvenir à la certitude que toutes les libertés humaines et démoniaques se laisseront finalement toucher et adhèreront à Dieu dans l'apocatastase ? Si Origène a ajouté quelque chose à ce qu'a dit Paul dans *1 Co* 15, 23-28, ce ne peut être qu'un grand espoir. Une certitude concernant une apocatastase universelle serait en contradiction avec l'authenticité du libre arbitre dont Dieu a doué l'homme.

A la base de cet espoir il y a certainement la foi imperturbable d'Origène en la bonté de Dieu, non seulement du Père de Jésus-Christ, mais du Dieu Créateur de l'Ancien Testament qui pour lui comme pour tous les « ecclésiastiques », c'est-à-dire les membres de la Grande Eglise, ne font qu'un, malgré ce que prétendent Marcionites et Gnostiques. Par tous les moyens, y compris par son exégèse allégorique, il le défend contre les reproches de cruauté que lui adressent ces hérétiques, allant jusqu'à accepter, répétons-le, l'hypothèse de la préexistence des âmes pour lui enlever la responsabilité des conditions inégales dans lesquelles naissent les hommes. Pour cette raison il conçoit ordinairement les châtiments divins comme médicinaux et miséricordieux, visant à l'amendement et à la conversion de celui qui est frappé. Il a cependant entrevu, au sujet des démons, que la Géhenne peut avoir pour

130. VIII, 72.

eux, et avec plus d'hésitation pour les damnés, un caractère
définitif qui n'est pas à imputer au Dieu bon, mais à l'endurcissement de la créature qui ne veut pas, et même finalement
ne peut plus, se laisser toucher par sa bonté : l'idée que la
méchanceté puisse en quelque sorte devenir nature par l'habitude n'est pas absente de son œuvre. Mais il ne l'a pas assez
exploitée, bloqué en cela par la polémique antimarcionite et
antignostique. Il semble conserver l'espoir que la Parole de
Dieu atteindra à une telle force de persuasion que, sans violer
le libre arbitre, elle arrivera à surmonter toutes les résistances.

Nous voyons quelle réponse extrêmement nuancée il faudrait donner à l'universalité de l'apocatastase selon Origène.
On ne peut dire qu'il l'ait tenue, ou fermement professée, car
si des textes vont dans ce sens, trop d'autres textes s'y opposent, manifestant d'autres aspects qui doivent intervenir dans
la réponse. Au plus peut-on dire qu'il l'a espérée, à une époque où la règle de foi n'était pas aussi fixée qu'elle le sera
plus tard.

Certes, ceux qui cherchent en Origène un « système »,
quitte à négliger les trois quarts de ce qui reste de sa pensée,
et dans le *Traité des Principes* lui-même, pour systématiser les
quelques affirmations qu'ils conservent, ne seront guère satis-
faits de notre exposé sur les fins dernières d'après l'Alexandrin, car il met en valeur les nombreuses nuances, hésitations,
positions discordantes, surtout au sujet de la résurrection et
de l'apocatastase. Ils partiront du principe que cette dernière doit être aussi universelle que la chute dans la préexistence, à laquelle seule aurait échappé l'âme unie au Verbe.
Mais, en fait, selon des passages du *Traité des Principes* qu'ils
négligent, d'autres âmes que celle du Christ n'ont pas participé à la faute. Pour reprendre leur raisonnement, pourquoi
l'apocatastase serait-elle absolument universelle alors que la
chute ne l'est pas.

Entre les partisans d'un « système » d'Origène et nous
l'opposition tient à la conception de la science historique. Etu-
dier une doctrine est-ce projeter sur elle comme un cadre géo-
métrique à grandes lignes qui accentuent certains traits en laissant les autres dans l'ombre, comme oblige malheureusement
parfois à le faire l'enseignement scolaire, ou essayer, autant

que le permettent les possibilités humaines jamais parfaitement adéquates à la tâche, de rendre le mieux possible les différents points de cette doctrine suivant la valeur que leur donne son auteur, sans négliger les nuances, les hésitations, les antithèses, les tensions, et même, pourquoi pas ?, les contradictions s'il y en a. Une pensée humaine vivante est plus intéressante qu'un système. Et quand il s'agit de Dieu et des réalités divines, inconnaissables par nature, tout système se révèle gravement déficient, souvent hérétique, parce qu'il ne saisit pas les antithèses qui expriment le réel, et il est le résultat d'une certaine étroitesse d'esprit. Un homme aussi passionné de Dieu et de connaissance divine qu'Origène ne va pas à Dieu par un système, mais par tous les moyens, intellectuels ou mystiques, qui sont à sa disposition, même si ces moyens ne forment pas un système régi par une logique rationaliste et, dans l'obscurité de la foi qui est la nôtre, il n'a pas honte de tâtonner. Mais ces tâtonnements sont bien plus émouvants et intéressants que les systèmes les mieux construits.

**

Epilogue

Après une première partie indispensable sur la vie, les œuvres et la personnalité d'Origène nous avons exposé les trois aspects principaux de sa pensée et de sa doctrine en étudiant successivement l'exégète, l'auteur spirituel et le théologien spéculatif. Certes, on ne peut les séparer l'un de l'autre et de cela proviennent certaines imperfections du plan que nous avons choisi. Ainsi la vision du monde sous-jacente à l'exégèse d'Origène est l'exemplarisme qui est exposé avec la doctrine de la connaissance. Et bien des points étudiés avec la doctrine spirituelle auraient pu l'être aussi au titre de la théologie spéculative et étoffer un peu le chapitre XII.

Un livre récent sur *Erasme lecteur d'Origène* [1] montre dans sa conclusion que le grand humaniste a fortement apprécié chez l'Alexandrin le spirituel et l'exégète, sans négliger par ailleurs le théologien spéculatif : ne s'est-il pas inspiré de près dans son *De libero arbitrio* du chapitre sur le libre arbitre du *Traité des Principes* ? Trois « petites phrases » d'Erasme sont citées en ce sens : « Une seule page d'Origène m'apprend plus de philosophie chrétienne que dix d'Augustin. » Cette expression « philosophie chrétienne » est ainsi expliquée par Erasme répondant aux protestations de Noël Beda : « J'affirme que je recueille plus de piété du cœur (*pii affectus*) dans une page d'Origène que dans dix d'Augustin. » La troisième est la

1. A Godin, Genève 1982.

suivante : « Mais, pour ma part, quand il s'agit de commenter les Ecritures, je placerais Origène à lui seul au-dessus de dix orthodoxes, si on met à part quelques points de foi. »

A propos de ces « quelques points de foi », si on tient compte d'une part de l'ensemble des écrits d'Origène dont les affirmations s'équilibrent les unes les autres, d'autre part du caractère encore succinct de la règle de foi de son temps, les accusations traditionnelles perdent la plus grande partie de leur mordant. La seule qui reste vraiment fondée concerne la préexistence des âmes, y compris celle du Christ, et la chute qui s'y situe. C'est, certes, une hypothèse, mais une hypothèse favorite, selon laquelle Origène pense constamment. A son époque on ne pouvait la taxer d'hérésie, l'Eglise n'ayant alors aucun enseignement clair sur l'origine de l'âme, sauf que sa création, soit indirectement (traducianisme), soit directement (créationnisme) vient de Dieu, ce qu'affirme aussi la doctrine de la préexistence. Si on prend bien soin d'étudier exactement la doctrine trinitaire d'Origène, on se rend compte d'abord que l'unité entre le Père et le Fils est exprimée assez exactement par des formules d'ordre plus dynamique qu'ontologique et que malgré quelques expressions maladroites son subordinatianisme n'est pas hétérodoxe : concernant l'origine et l'économie il affirme, comme le feront Athanase et Hilaire eux-mêmes, à la fois l'égalité de puissance des personnes et une certaine subordination du Fils au Père, considéré comme le centre de décision de la Trinité. Par ailleurs la netteté des affirmations de la génération éternelle du Fils défend de confondre le subordinatianisme d'Origène avec celui d'Arius. A propos de l'apocatastase nous avons montré qu'on ne pouvait lui attribuer clairement aucun des caractères qui la rendraient hérétique : l'incorporéité, le panthéisme ou l'universalité ; il faut tenir compte aussi de l'état encore embryonnaire où se trouve la règle de foi sur certains points.

Les autres accusations proviennent de contresens des accusateurs. Le monde créé de toute éternité par Dieu n'est pas celui des intelligences préexistantes, mais celui des « idées » platoniciennes et des « raisons » stoïciennes, plans et semences des êtres, contenu dans le Fils et donc créé par le Père dans la génération éternelle de son Verbe. Lorsqu'Origène dit que le Fils ne voit pas le Père, il s'oppose aux anthropomorphites qui entendent charnellement le mot voir : mais il spécule plusieurs fois sur la connaissance que le Fils a du Père.

Le corps ressuscité n'est pas, malgré le contresens de Méthode, un autre corps que le terrestre, mais il y a entre eux une différence de qualité, l'identité étant maintenue par un *eidos* corporel. Origène ne saurait tenir dans le *Traité des Principes* la métempsychose que dans plusieurs passages des grands commentaires grecs il traite d'absurde et de contraire à la pensée de l'Eglise : d'autre part il n'y a pour lui rien de commun entre l'âme de l'homme, égale par son origine à celle de l'ange, et ces créatures secondaires que sont les animaux qui n'existent que pour l'utilité de l'homme [2]. Le renouvellement au ciel du sacrifice du Christ pour les démons provient d'une incompréhension par Jérôme et Théophile d'Alexandrie du caractère cosmique du drame de la Croix qui a tout purifié, ciel et terre : dans le livre I du *Commentaire sur Jean* [3], exactement contemporain du *Traité des Principes* d'où Jérôme le tire par une interprétation abusive, tout en précisant qu'Origène ne le dit pas expressément — et Justinien suit Jérôme [4] —, il est bien affirmé que ce sacrifice n'a eu lieu qu'une seule fois (*hapax*). En lui prêtant l'absurdité des corps glorieux sphériques Justinien a compris des ressuscités ce que le *Traité de la Prière* applique aux astres. Lorsque ce dernier écrit affirme que l'on ne prie pas le Fils, mais le Père par le Fils, il se conforme à la prière liturgique qui subsiste encore aujourd'hui dans de nombreuses oraisons : en fait dans ses homélies Origène prie souvent le Fils et même parfois dans son humanité ; c'est à lui que s'adresse la plupart des doxologies qui terminent les homélies [5]. On n'en finirait pas d'énumérer les contresens d'où procèdent des accusations portées contre lui.

Nous avons souligné plus haut le peu de valeur canonique et historique des anathématismes attribués au 5e Concile œcuménique, Constantinople II, de 453, car ils ne figurent pas dans les Actes officiels, ayant été vraisemblablement discutés avant l'ouverture proprement dite du Concile, et ils concernent

---

2. C'est ce que souligne G. Dorival pour refuser l'information de Jérôme voyant la métempsychose dans le P*Arch* : article cité à la note 45 du chapitre IX.

3. I, 35 (40), 255.

4. Fragments correspondants à P*Arch* IV, 3, 13 : *SC* 269, note 80, pp. 226-231.

5. Cf. H. Crouzel, « Les doxologies finales des homélies d'Origène selon le texte grec et les versions latines » dans *Ecclesia Orans : Mélanges patristiques* offerts au P.A. G. Hamman (éd. V. Saxer), *Augustinianum* 20, 1980, 95-107.

explicitement les Origénistes du vıᵉ siècle, Origène étant nommé là comme leur symbole ou leur porte-étendard. Mais cette condamnation, ainsi que toutes les disputes qui l'ont précédée, et les racontars, divulgués par Epiphane, sur une prétendue apostasie, ont causé un tort immense à sa mémoire. Elles n'ont pas arrêté complètement l'action de sa doctrine spirituelle dans le haut Moyen Age jusqu'aux grands auteurs cisterciens, de même qu'à la Renaissance, mais elles l'ont entravée sérieusement.

La postérité a été ainsi gravement injuste envers la réputation d'un des hommes à qui la pensée chrétienne est le plus redevable. Si on constate que le mépris manifesté par Celse pour l'ignorance et l'imbécillité des chrétiens ne se retrouve plus de la même manière après Origène, par exemple dans les attaques de Porphyre, on voit que l'entreprise de conversion de l'intelligence inaugurée par l'Ecole d'Alexandrie, par Clément, puis par Origène, a eu des effets dans les milieux lettrés de l'Empire qui ont commencé à considérer autrement le christianisme. Qui pourra mesurer l'influence qu'a eue le mouvement qu'ils ont déclenché sur la venue au Christianisme de la société romaine, avec et après Constantin ?

TABLE DES MATIÈRES

COLLECTION « LE SYCOMORE »

Avec ses quatre séries, « *Le Sycomore* », collection dirigée par « Culture et Vérité », souhaite :

1° fournir des stimulants à la réflexion et à la pratique sur des sujets vitaux : catéchèse, identité chrétienne, adhésion de foi, éthique (*Chemins de crêtes*) ;

2° rappeler les affirmations essentielles de la foi, présentes dans le Credo comme dans la prière la plus simple (le chapelet), montrer leur lien avec la pensée humaine et leur enracinement dans les saintes Ecritures, discerner ce qui se cherche dans le renouveau catéchétique, ce qui est engagé dans le maoïsme ou dans le christianisme marxiste, etc. (*Chrétiens aujourd'hui*) ;

3° nous confronter avec des problématiques essentielles, celles d'un Irénée, d'un Joachim de Flore, d'un Luther, d'un Hegel, ou avec les grandes questions, celles de l'être ou du salut, avec le courage d'une pensée neuve parce que profondément enracinée (*Horizon*) ;

4° faire connaître l'expérience spirituelle et la mission théologique d'un médecin bâlois, Adrienne von Speyr, morte en 1967 (*Adrienne von Speyr*).

Sauf parfois dans sa série « *Horizon* », la collection peut être lue par un large public. Aux Zachée de notre temps, aux hommes désireux d'accéder à la vérité malgré leur petite taille, elle souhaite offrir un « *Sycomore* », d'où, par-dessus la foule, ils puissent voir Jésus.

Chemins de crêtes

E. BARBOTIN, G. CHANTRAINE, *Catéchèse et Culture.*

J. BASTAIRE, *Court traité d'innocence.* Suivi de *Péguy et l'enfance.*

K. LEHMANN, J. RATZINGER, *Vivre avec l'Eglise.*

Principes d'éthique chrétienne. Edités par Ph. DELHAYE et J. RATZINGER.

H. VOLK, *La foi comme adhésion.*

H.U. von BALTHASAR, *Aux croyants incertains.*

E. BARBOTIN, *Catéchèse et pédagogie.*

Chrétiens aujourd'hui

K. RAHNER, J. RATZINGER, H.U. von BALTHASAR et al., *Je crois.* Explication du Symbole des Apôtres.

H.U. von BALTHASAR. *Triple couronne.* Le salut du monde dans la prière mariale.

J. LÉONARD, *Pour une catéchèse scolaire.*

G. FESSARD, *Chrétiens marxistes et théologie de la libération.* Itinéraire de J. Girardi.

P. MASSET, *L'empereur Mao.* Essai sur le maoïsme. Préface d'Alain Peyrefitte. (Ouvrage couronné par l'Académie Française.)

A. LÉONARD, *Pensées des hommes et foi en Jésus-Christ.* Pour un discernement intellectuel chrétien.

J. LAMBRECHT, *Tandis qu'Il nous parlait.* Introduction aux paraboles.

P.-Ph. DRUET, *Pour vivre sa mort.* Ars moriendi.

H.U. von BALTHASAR et G. CHANTRAINE, *Le cardinal H. de Lubac.* L'homme et son œuvre.

COLLECTIF, *Pour une philosophie chrétienne.*

TH. NKERAMIHIGO, *L'homme et la transcendance.* Essai d'une poétique dans la philosophie de P. Ricœur.

A. BECKER, *Claudel et S. Augustin.* Une parenté spirituelle.

J. GODENIR, *Jésus l'Unique.* Introduction à la théologie de H.U. von Balthasar.

Adrienne von Speyr

L'expérience de la prière. Préface de H.U. von Balthasar.

Fragments autobiographiques. Edités par H.U. von Balthasar.

Parole de la croix et sacrement. Préface de H.U. von Balthasar.

La Servante du Seigneur. Avant-propos de G. Chantraine.

Le livre de l'obéissance. Avant-propos de H.U. von Balthasar.

La confession. Avant-propos de Th. Dejond.

Elie.

Jean : Le discours d'adieu.
    I. Méditation sur les chapitres 13-14.
    II. Méditation sur les chapitres 15-17.

Trois femmes devant le Seigneur.
La face du Père.
Jean : Naissance de l'Eglise.
   I. Méditation sur les chapitres 18-20.

Horizon

Ph. BACQ, *De l'Ancienne à la Nouvelle Alliance selon S. Irénée.* L'unité du livre IV de l'*Adversus Haereses.* Préface de A. Rousseau.

E. BRITO, *Hegel et la tâche actuelle de la christologie.*

H. de LUBAC, *La postérité spirituelle de Joachim de Flore.*
   I. De Joachim à Schelling.
   II. De Saint-Simon à nos jours.

B. ADOUKONOU, *Jalons pour une théologie africaine.* Essai d'une herméneutique chrétienne du Vodun dahoméen.
   I. Critique théologique.
   II. Etude ethnologique.

G. CHANTRAINE, *Erasme et Luther. Libre et serf arbitre.* Etude historique et théologique.

C. COCHINI, *Origines apostoliques du célibat sacerdotal.* Préface de A. Stickler.

G. FESSARD, *La Dialectique des Exercices spirituels de S. Ignace de Loyola* (III).

P. GILBERT, *Dire l'Ineffable.* Lecture du Monologion de S. Anselme.

H.U. VON BALTHASAR, *La Dramatique divine.*
   I. Prolégomènes.

Achevé d'imprimer le 6 juin 1985
sur les presses de l'Imprimerie Carlo Descamps
à Condé-sur-l'Escaut
Dépôt légal : juin 1985 ; numéro d'impression : 3689
Imprimé en France